はじめの
一歩

THE FIRST STEP!

人材派遣のことならこの1冊

社会保険労務士
岡田良則 著

自由国民社

はじめに

これまで、人材派遣の雇用が拡大してきたのは、企業、労働者の双方に多くのメリットがあるからです。

企業にとっての最大のメリットは、事業展開に応じて「必要な時」に「必要な人材」を「必要な期間」利用できることです。

これまでの正社員の場合は、長い年月を費やして一人前の労働力に育成してきましたが、現在のようにスピードと成果を求められる時代においては、既に必要な能力を備えている人材を業務の変化によって柔軟に活用する人材派遣の方が、正社員を雇用するよりも合理的なシステムといえるでしょう。

また、コスト（人件費）においても、給与、採用費、教育費、法定福利費などの総人件費は、正社員を雇用するよりも人材派遣を利用した方が安価です。

さらに、リストラを進め間接部門を縮小する企業にとって、少人数で人事部のすべての業務をこなすことは、重い負担となってきています。派遣会社は、そのような企業にとっての社外の「第二人事部」として、人材の募集、配置、賃金の計算から支払いまでの負担を軽減するという役割も担っているのです。

ただし、デメリットも指摘されています。派遣やアウトソーシングなどの外部の労働力へシフトすることは、社内の中核的人材を失うことや、社内情報の流出につながる恐れがあります。しかし、このようなことは正社員を雇用していても同様に注意すべきことであるため、むしろ、どのような労働者を活用しても、トラブルを防止できる社内システムを構築することに目を向ける必要があるのです。

労働者にとってのメリットは、様々な企業で、しかも短期的に多くの職業経験を積むことができることです。終身雇用を前提とした「就社」へのこだわりが薄れ、本当に自分の希望にあった仕事を追求する人が増えたということなのでしょう。

特に最近の若い労働者には、生涯を懸ける仕事をなかなか見つけられない人が多いようです。「10年で一人前」といった1つの仕事への熟練の必要性を考えると、労働者としての人生はそう長いものではありませんから、無計画に転職を繰り返すことは、本人のキャリア形成にとってあまり好ましいとはいえませんが、自分が納得できる就職先が決まるまで、あるいは採用されるだけのスキルを身につけるまでは、一時的に派遣で働いてみることも1つの選択肢として認めるべきでしょう。

本書は、派遣会社、派遣の受入れを検討している会社、あるいは派遣で働いてみようと考えている人にも、お読みいただきたいと願い執筆いたしました。

そこで、いずれの読者の方であっても人材派遣を十分活用されるよう、出来る限り簡単な表現に努めました。例えば、派遣法の条文では、正規の派遣では「派遣先」、正規の派遣以外では「人材派遣の役務の提供を受ける者」と用語を使い分けていますが、本書では正規の派遣のみを前提に解説するものとし、「派遣先」と統一して用いています。

人材派遣については、社会のニーズに反して、複雑に法律が絡み合っているため、なかなか理解し難いといわれています。しかし、人材派遣の1つひとつのポイントをご理解いただければ、これからの事業、人材活用、あるいは新しいワークスタイルとして、必ず役立つものと思っています。

今回の本書の改訂に当たっては、平成27年9月に施行された派遣法の大改正から今日までの必要となった見直しを行うとともに、令和2年4月に施行された「働き方改革」の一環として法改正されている派遣スタッフへの「同一労働同一賃金」の導入の解説、その他統計資料をはじめ派遣業界の最新の情報を盛り込んでいます。

本書が読者の方々のお役に立つよう願っております。

令和3年11月

著者　岡田 良則

人材派遣のことならこの1冊

◆◆◆目次

巻頭　人材派遣の仕組みと現状

人材派遣の仕組み

人材派遣の現状

第1章　人材派遣の基礎知識

第2章 人材派遣をめぐる法律

第3章 派遣事業の許可と派遣活用のタイプ

第7章　派遣元・派遣先・派遣スタッフのトラブル・Q&A

巻末資料　人材派遣の指針

※本書で用いている法律・法令等の正式名称は以下のとおりです

- 育児・介護休業法→育児休業・介護休業等育児又は家族介護を行う労働者の福祉に関する法律
- 均等法→雇用の分野における男女の均等な機会及び待遇の確保等に関する法律
- 個人情報保護法→個人情報の保護に関する法律
- 年齢指針→労働者の募集及び採用について年齢にかかわりなく均等な機会を与えることについて事業主が適切に対処するための指針（厚生労働省告示）
- 労働施策総合推進法→労働施策の総合的な推進並びに労働者の雇用の安定及び職業生活の充実等に関する法律
- 職安法→職業安定法
- 派遣法→労働者派遣事業の適正な運営の確保及び派遣労働者の保護等に関する法律
- 派遣令→労働者派遣事業の適正な運営の確保及び派遣労働者の保護等に関する法律施行令
- 派遣則→労働者派遣事業の適正な運営の確保及び派遣労働者の保護等に関する法律施行規則
- 派遣元指針→派遣元事業主が講ずべき措置に関する指針
- 派遣先指針→派遣先が講ずべき措置に関する指針
- 日雇派遣指針→日雇派遣労働者の雇用の安定等を図るために派遣元事業主及び派遣先が講ずべき措置に関する指針
- 業務取扱要領→労働者派遣事業関係業務取扱要領
- 労基法→労働基準法
- 労基則→労働基準法施行規則
- 安全衛生法→労働安全衛生法
- 契約法→労働契約法
- パート有期雇用労働法→短時間労働者及び有期雇用労働者の雇用管理の改善等に関する法律

巻頭

人材派遣の仕組みと現状

◆人材派遣の仕組み

人材派遣の流れとルール・諸手続き

主な人材派遣の契約書、通知書などの流れ

人材派遣において派遣元・派遣先の負う責任と講ずべき措置

◆人材派遣の現状

派遣会社と派遣スタッフの動向

売上高と派遣料金の実態

派遣契約の期間と派遣会社の業務

派遣を受け入れる企業の考え方

働く側(派遣スタッフ)の意識の持ち方

平成27年9月の派遣法の大改正

令和2年4月の「働き方改革」に盛り込まれた大改正

派遣会社が運営される

- 人材派遣には禁止業務がある　18
- 派遣期間にはルールがある　19〜22
- 専ら派遣、グループ派遣、二重派遣、日雇派遣　23〜27

（手続き）・定期報告 ・許可の更新 ・変更届 ・廃止届　17

派遣スタッフの登録と派遣先の決定

- 個人情報の収集は必要な範囲で、かつ適正に管理　30
- スタッフの希望にあった就業環境の確保に努める　31
- 事前面接など派遣スタッフを特定する行為の禁止　32
- 関係者に対する情報提供の義務　40

派遣スタッフが就業する

- 社会保険、労働保険を適用する　41
- 派遣契約と実際の就業内容が異なってはならない　42
- キャリアアップ措置を実施する　43
- 派遣先の労働者との不合理な待遇を禁止する　44〜46
- 適正な就業環境を維持しなければならない　47
- 派遣元責任者、派遣先責任者を選任する　48〜49
- 派遣元管理台帳、派遣先管理台帳を作成する　50〜51
- 労働基準法などは、派遣元、派遣先に適用される　52〜55

（手続き）・派遣元管理台帳　50　・派遣先管理台帳　51

派遣契約の途中解除

- 派遣契約を途中解除するとき　60〜63

（手続き）・派遣契約の途中解除　60

人材派遣の流れとルール・諸手続き

派遣会社ができる

・許可がない事業所は派遣できない	15
（手続き）・労働者派遣事業の許可申請	16

派遣契約が結ばれる

・派遣契約に記載する事項には定めがある	33〜35
・派遣スタッフに就業条件を明示する	36
・派遣元、派遣先による通知事項がある	37〜38
（手続き）・人材派遣（基本）契約	34
・人材派遣（個別）契約	35
・労働契約 ・労働条件通知書 ・就業条件明示書	36
・スタッフの氏名などの通知	37
・派遣可能期間の制限に抵触する日の通知	38

派遣期間の満了（終了）

・派遣契約は更新できる	58〜59
・派遣スタッフの雇用安定措置	64
・派遣スタッフの雇用の促進	65〜66
・違法派遣の労働契約申込みみなし制度	67
（手続き）・人材派遣契約の更新	58
・労働契約の更新	59

※数字は本書の掲載項目

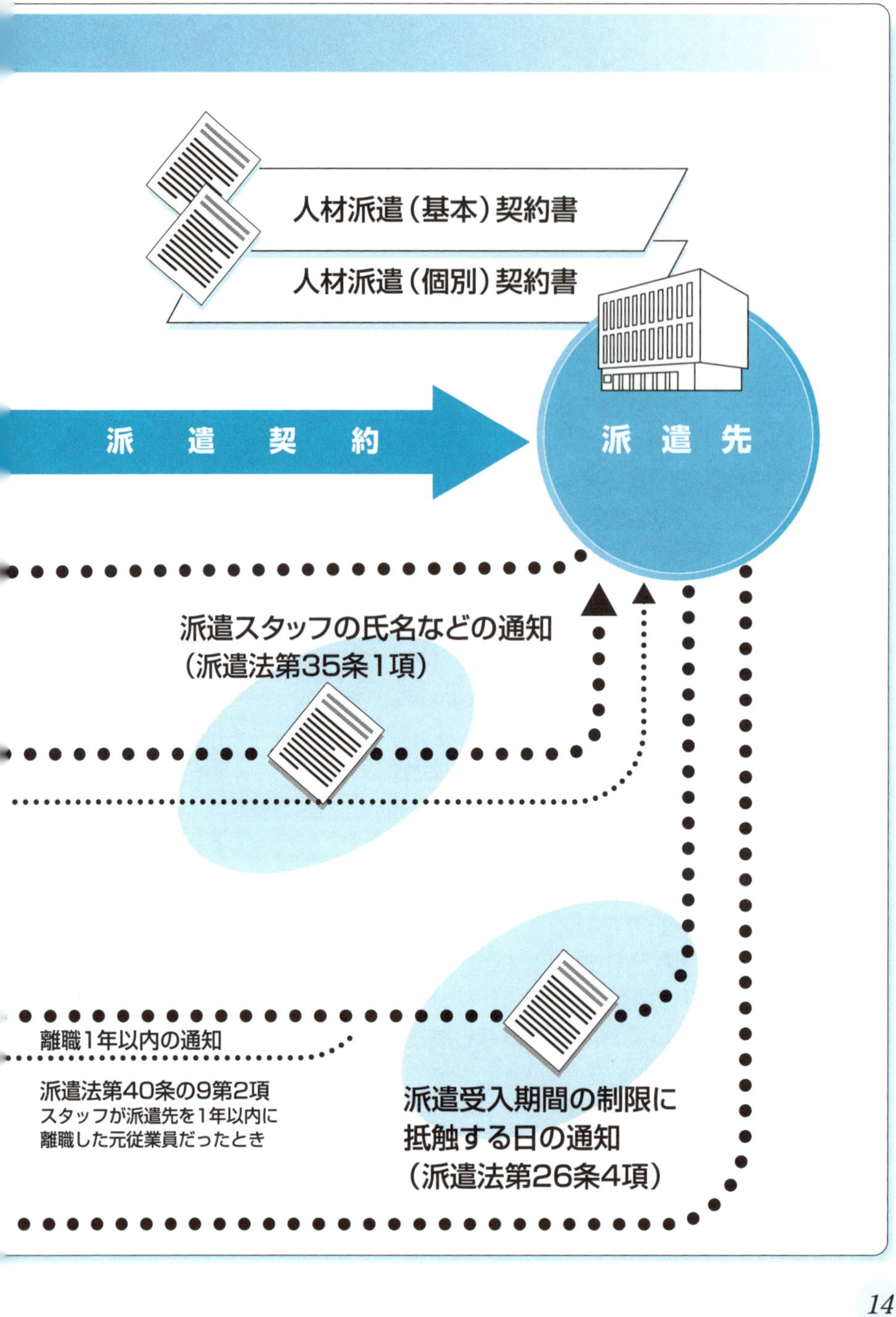

人材派遣（基本）契約書
人材派遣（個別）契約書
派　遣　契　約
派　遣　先
派遣スタッフの氏名などの通知
（派遣法第35条1項）
離職1年以内の通知
派遣法第40条の9第2項
スタッフが派遣先を1年以内に
離職した元従業員だったとき
派遣受入期間の制限に
抵触する日の通知
（派遣法第26条4項）

主な人材派遣の契約書、通知書などの流れ

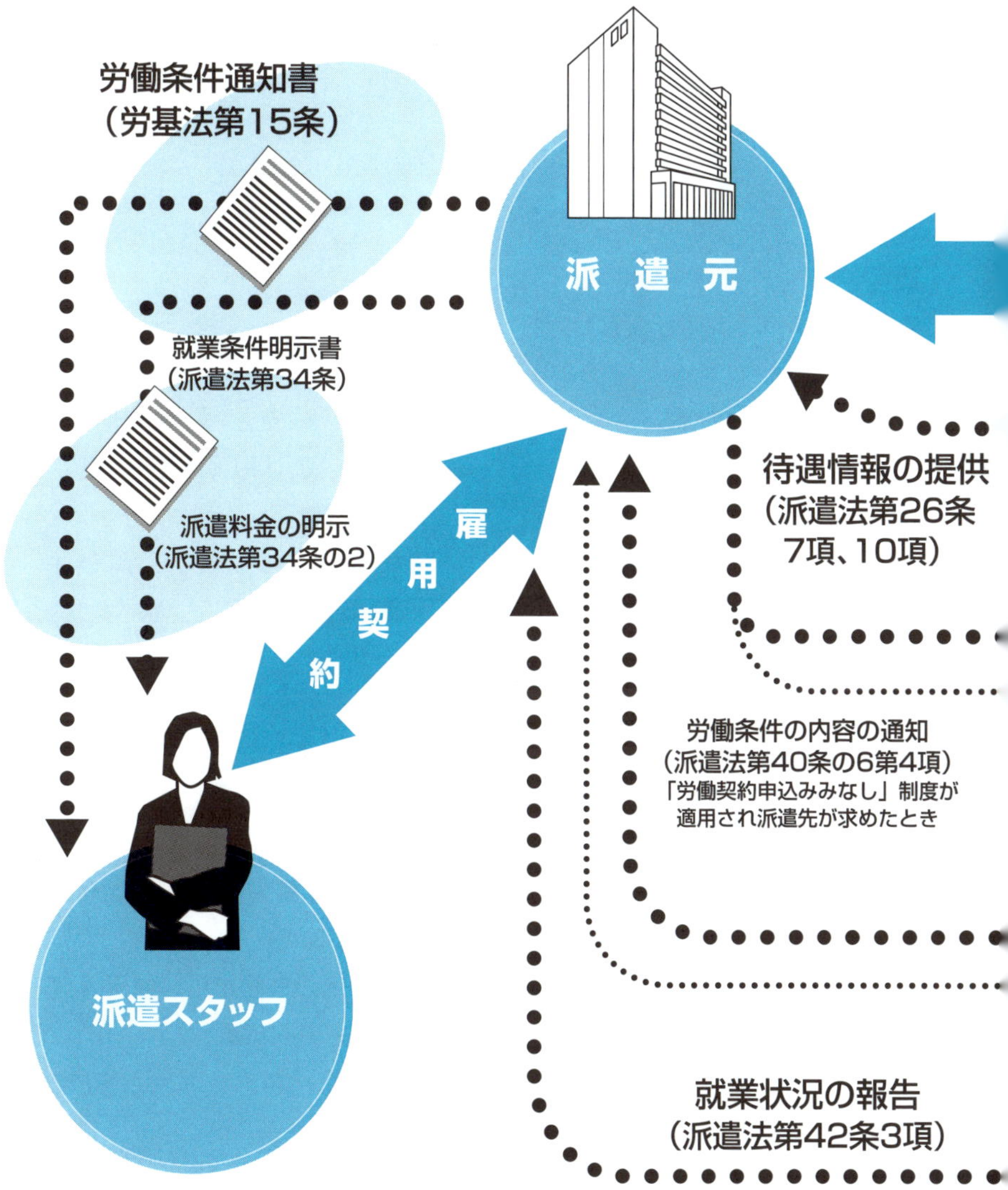

労働基準法などの使用者責任

派遣元の責任	派遣先の責任
労働契約	
●労働契約 ●就業規則	
賃金	
●賃金（時間外割増など含む）	
労働時間・休日・休暇	
●年次有給休暇 ●産前産後休業 ●変形労働時間制の定め、時間外・休日労働の協定の締結・届出	●労働時間、休憩、休日、深夜業 ●育児時間 ●生理日の就業が著しく困難な女性に対する措置
その他	
●災害補償	●就業制限など
安全衛生	
●雇入れ時安全衛生教育 ●一般的健康管理（定期健康診断など）のための衛生管理体制	●安全衛生管理体制（一般的健康管理を除く） ●労働者の危険または健康障害を防止する措置

人材派遣において派遣元・派遣先の負う責任と講ずべき措置

行政の指針による派遣元・派遣先の責任

派遣元の講ずべき主な措置

1. 派遣契約の締結に当たっての就業条件の確認
2. 派遣スタッフの雇用の安定を図るための措置
3. 適切な苦情の処理
4. 労働・社会保険の適用の促進
5. 派遣先との連絡体制の確立
6. 派遣スタッフに対する就業条件の明示
7. 労働者を新たに派遣スタッフとするに当たっての不利益取扱いの禁止
8. 派遣スタッフの雇用の安定および福祉の増進など
9. 派遣スタッフの待遇に関する説明等
10. 関係法令の関係者への周知
11. 個人情報の保護
12. 秘密の保持
13. 派遣スタッフの特定を目的とする行為に対する協力の禁止など
14. 安全衛生に係る措置
15. 紹介予定派遣
16. 情報の提供

派遣先の講ずべき主な措置

1. 派遣契約の締結に当たっての就業条件の確認
2. 派遣契約に定める就業条件の確保
3. 派遣スタッフを特定することを目的とする行為の禁止
4. 性別・障害者への差別の禁止
5. 派遣契約の定めに違反する事実を知った場合の是正措置など
6. 派遣スタッフの雇用の安定を図るために必要な措置
7. 適切な苦情の処理
8. 労働・社会保険の適用の促進
9. 適正な派遣就業の確保
10. 関係法令の関係者への周知
11. 派遣元事業主との労働時間などに係る連絡体制の確立
12. 派遣スタッフに対する説明会などの実施
13. 派遣先責任者の適切な選任および適切な業務の遂行
14. 労働者派遣の役務の提供を受ける期間の制限の適切な運用
15. 派遣可能期間の延長に係る意見聴取の適切かつ確実な実施
16. 雇用調整により解雇した労働者が就いていたポストへの派遣スタッフの受け入れ
17. 安全衛生に係る措置
18. 紹介予定派遣

派遣会社と派遣スタッフの動向

▼派遣スタッフは大幅に増加

ここでは、人材派遣にまつわる動向を、最近の調査データの結果を見ながら紹介していくことにします。

事業所数

派遣会社の事業所数から見ていきましょう。令和元年度の事業所数は、労働者派遣事業で3万8040所となっており（図表①）、前年度に比べて0・2%減少しています。このうち、派遣実績のあった事業所は、74・2%にあたる2万8209所です。

派遣労働者数

労働者派遣事業の派遣労働者数は183万5925人、登録者数（過去1年を超える期間にわたり雇用されたことのない者を除く）は618万7007人となっています（図表②）。

図表①……派遣会社の事業所数……

資料：厚生労働省平成29年～令和元年度「労働者派遣事業報告書」

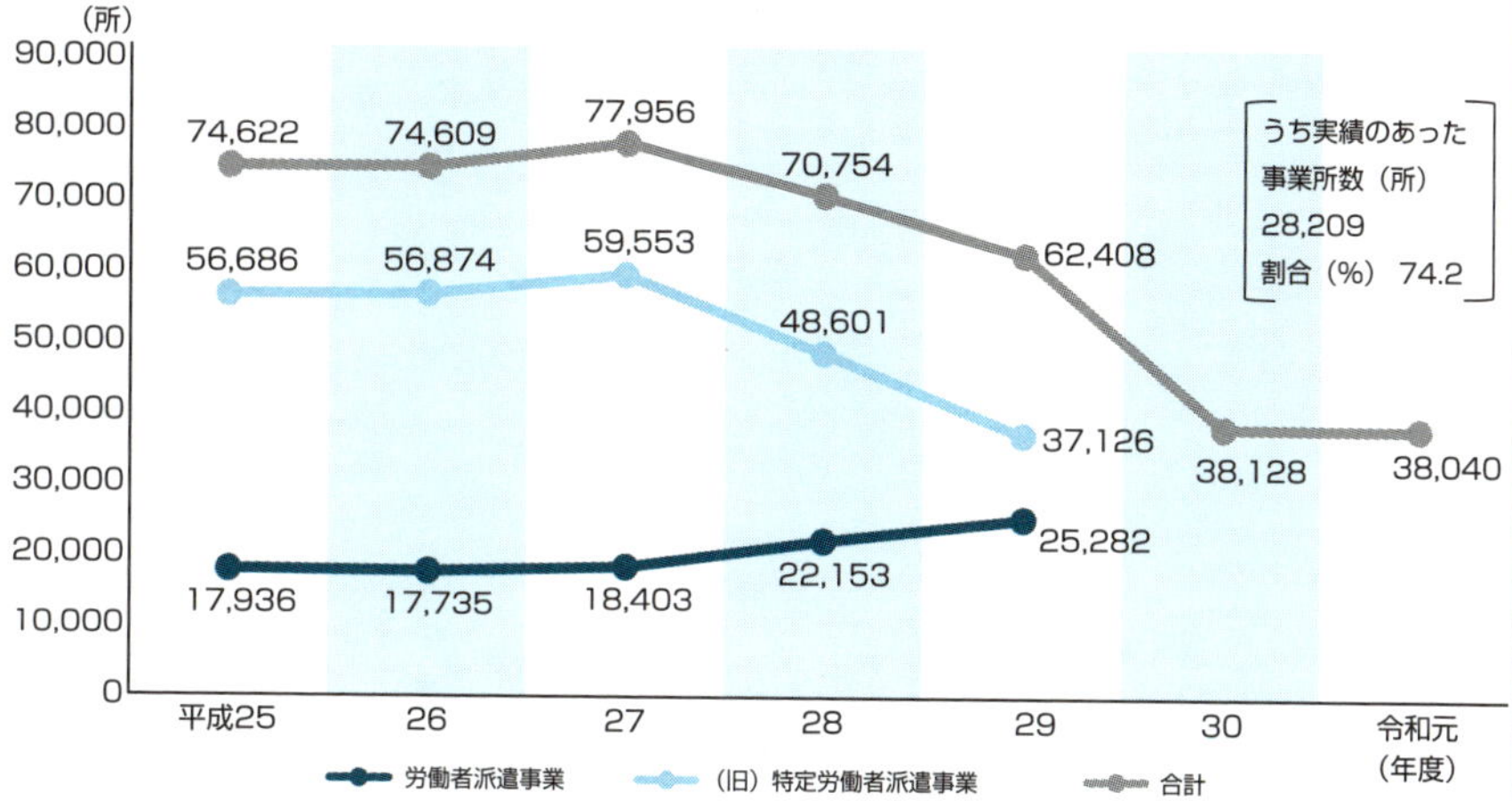

図表②……派遣された派遣労働者数……

資料：厚生労働省平成29年～令和元年度「労働者派遣事業報告書」

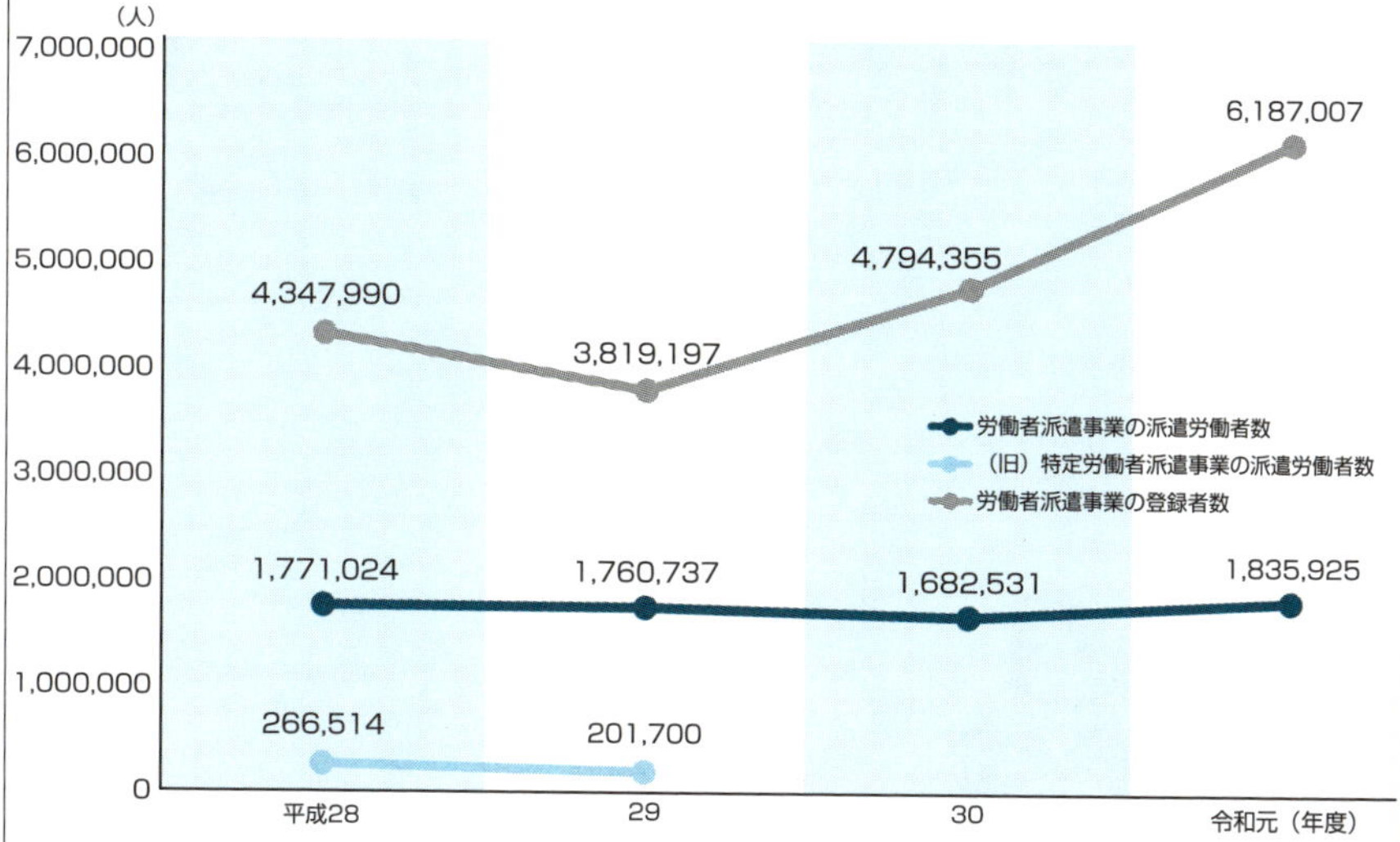

注意点：登録者＝労働者派遣をするに際し、登録されている者の中から期間を定めて雇用した者を派遣労働者として労働者派遣の対象とする制度（登録制度）に基づいて、派遣労働者になることを目的として派遣元事業主に登録した者をいいます。
※既に雇用されている者を含み、過去1年を超える期間にわたり雇用されたことのない者を除く。

売上高と派遣料金の実態

▼売上高は連続増加

売上高

労働者派遣事業に係る売上高は、全体で7兆8689億円で、前年度に比べて23・3％増加しています（図表③）。

派遣料金

派遣料金の全業務平均は、労働者派遣事業の無期雇用の場合では2万4766円、有期雇用で1万9426円と、約5350円もの大きな差が生じています。（図表④）

政令26業務が廃止されたため、平成27年度の派遣事業報告書から日本標準職業分類（中分類）に基づき業務ごとの派遣料金が集計されています。「医療技術者」や「情報処理・通信技術者」など専門性が高い業務ほど派遣料金が高くなっています。

図表③……労働者派遣事業に係る売上高……

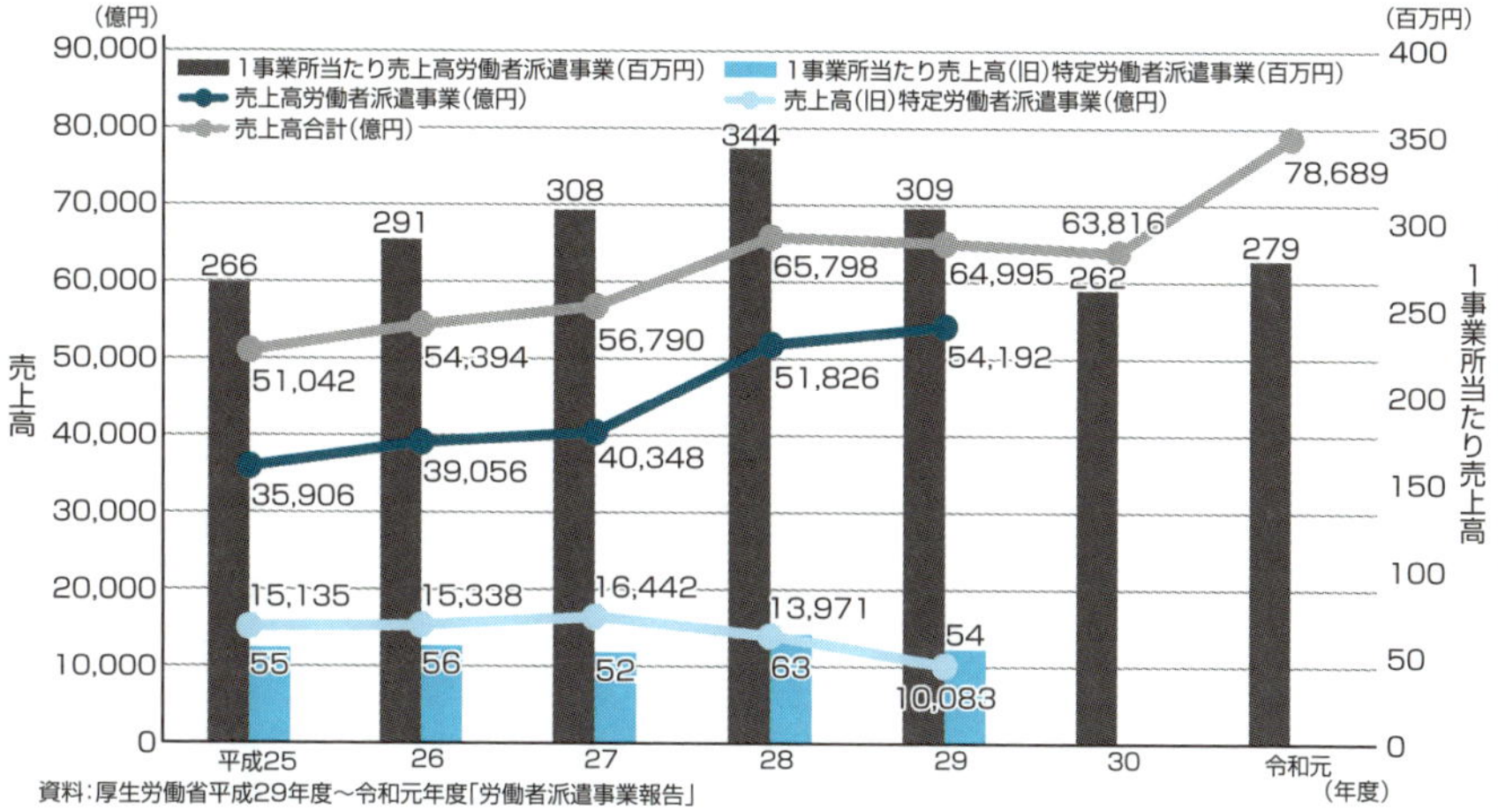

資料：厚生労働省平成29年度～令和元年度「労働者派遣事業報告」

図表④……派遣料金（抜粋）……

業務	労働者派遣事業		
	派遣労働者平均	無期雇用	有期雇用
全業務平均	23,629	24,776	19,426
製造技術者	25,131	26,706	22,534
情報処理・通信技術者	31,539	32,245	28,438
保健師、助産師、看護師	21,774	22,401	21,632
医療技術者	19,747	21,743	19,158
経営・金融・保険専門職業従事者	23,276	27,027	20,854
一般事務従事者	15,808	17,028	14,984
会計事務従事者	16,675	18,513	15,978
営業・販売事務従事者	16,812	18,805	15,785
事務用機器操作員	17,877	19,543	16,209
商品販売従事者	14,566	15,626	14,438
営業職業従事者	21,632	25,389	19,723
家庭生活支援サービス職業従事者	14,302	15,670	14,339
介護サービス職業従事者	14,406	14,439	14,421
保健医療サービス職業従事者	14,953	15,238	14,712
接客・給仕職業従事者	13,564	14,229	13,559
居住施設・ビル等管理人	16,019	17,580	15,236
自動車運転従事者	16,237	17,181	15,423
建設従事者(建設躯体工事従事者を除く)	26,211	27,100	24,114
運搬従事者	14,066	14,616	13,633
清掃従事者	12,713	13,352	12,434

資　料：厚生労働省令和元年度「労働者派遣事業報告」より抜粋　(円)

注意点：(1) 労働者派遣の実績のあった事業所について各事業所の派遣料金を単純平均したものである。

(2) 各事業所の派遣料金は、派遣労働者1人1日(8時間)当たりの平均額である。

(3) 全業務平均とは、各業務の単純平均額を記載したものである。

派遣契約の期間と派遣会社の業務

▼派遣契約の期間は６か月未満がほとんどである

派遣契約の期間

労働者派遣契約の期間については、労働者派遣事業では３月以下が88・１%となっていて、１日以下（いわゆる「日雇派遣」）が28・４%あります。そして、６月以下のものが全体の97%を占めています（図表⑤）。

派遣契約の期間は、短期を更新するものがほとんどのようです。

紹介予定派遣

紹介予定派遣の申込件数は８万５４２５人と前年より36・５%減少しています。直接雇用に結びついたのも１万６３２３人と前年より15・０%減少しています。

教育訓練

キャリアアップに資する教育訓練の実績について、そのコースは延べ10万８５３６コースとなっています。

訓練の方法は、「計画的なＯＪＴ」が32・２%、「Ｏｆｆ－ＪＴ」が66・２%、「ＯＪＴ（計画的なもの以外）」が１・５%となっています。

派遣労働者の費用負担は、「無償（実費負担なし）」が99・５%と、負担させるケースはほとんどありません（図表⑦）。

海外派遣

海外派遣を行った派遣元事業所は２２４所（対前年度増減比62・３%増）で、労働者派遣の実績のあった事業所に占める割合は約０・８%となっています（図表⑧）。

また、海外派遣された派遣労働者は２５６２人（対前年度増減比73・６%増）であり、海外派遣を行った派遣元事業所１事業所当たりの平均人数は11・４人となっています。

図表⑤……派遣契約の期間の割合……

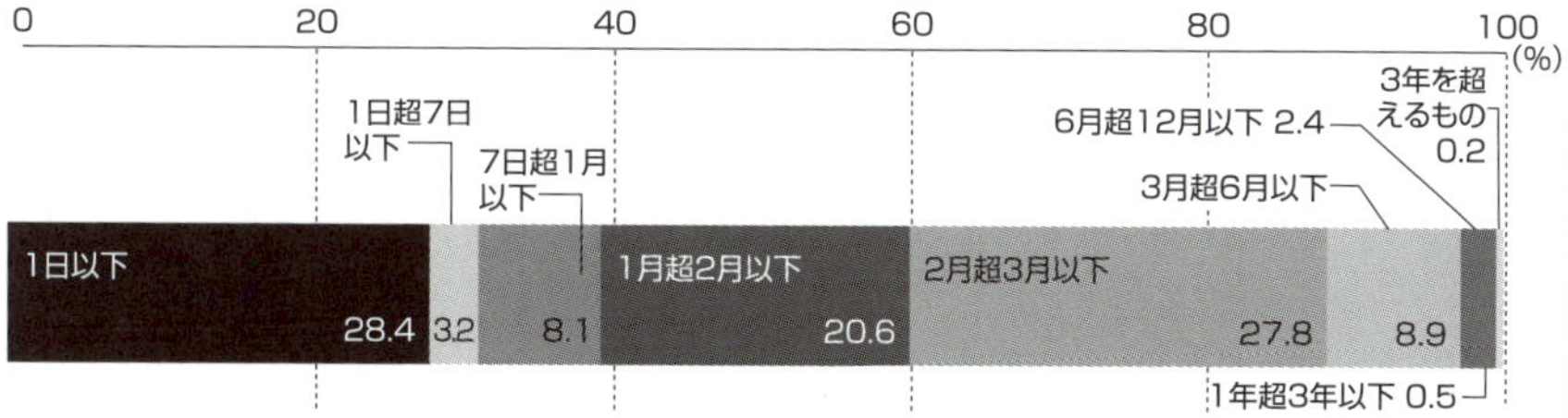

資料：厚生労働省令和元年度「労働者派遣事業報告」

図表⑥……紹介予定派遣の状況……

	平成30年度	令和元年度
紹介予定派遣実施事業所数	2,373所	2,292所
紹介予定派遣に係る労働者派遣契約の派遣先からの申込人数	134,483人	85,425人
紹介予定派遣により労働者派遣された労働者数	36,791人	31,233人
紹介予定派遣において職業紹介を実施した労働者数	28,120人	23,383人
紹介予定派遣で職業紹介を経て直接雇用に結びついた労働者	19,214人	16,323人

資料：厚生労働省令和元年度「労働者派遣事業調査」

図表⑦……キャリアアップに資する教育訓練……

（単位：コース、人、時間、%）

コース延べ件数（コース）	厚生労働大臣が定める基準を満たす教育訓練の1人当たりの平均実施時間（時間）				訓練の方法（%）			派遣労働者の費用負担の有無（%）			賃金支給の有無（%）		
	1年目	2年目	3年目	4年目以降	計画的なOJT	Off-JT	OJT（計画的なもの以外）	無償（実費負担なし）	無償（実費負担あり）	有償	有給（無給部分なし）	有給（無給部分あり）	無給
108,536	9	9	9	10	32.2	66.2	1.5	99.5	0.3	0.3	98.8	0.4	0.8

資料：厚生労働省令和元年度「労働者派遣事業報告」

図表⑧……海外派遣の状況……

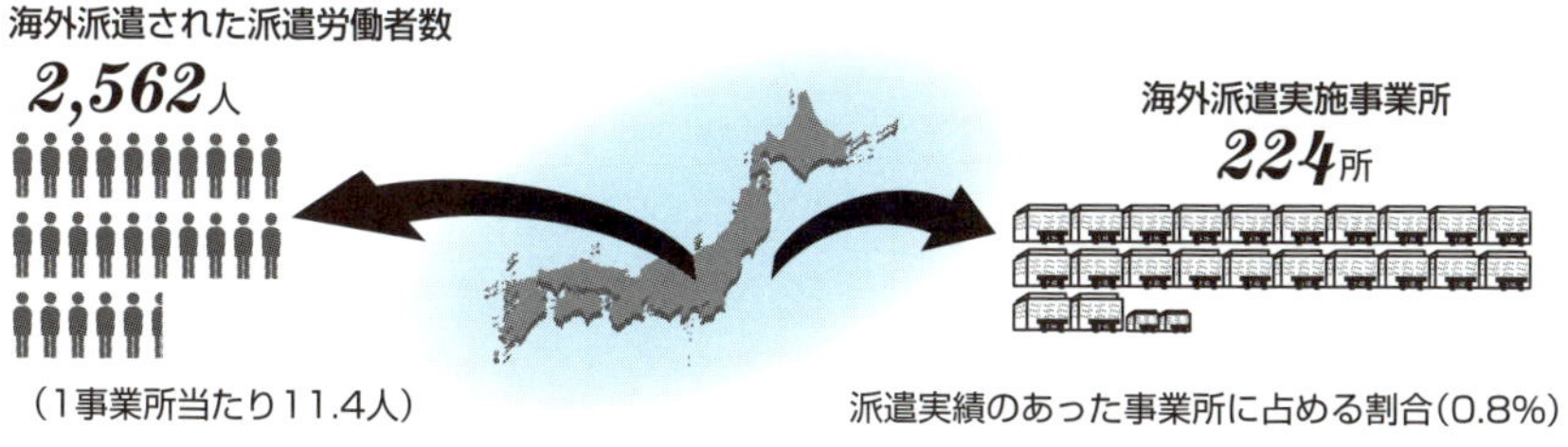

資料：厚生労働省令和元年度「労働者派遣事業報告」

派遣を受け入れる企業の考え方

▼派遣スタッフを受け入れる企業は減少

派遣労働者を受け入れる企業は減少

派遣先企業の数は、全体で69万7832件で、前年度より1・2％増加しています（図表⑨）。

なぜ派遣労働者を使うのか

派遣先が派遣労働者を就業させる理由は、「欠員補充等必要な人員を迅速に確保できるため」とした企業が73・1％と最も多く、「一時的・季節的な業務量の変動に対処するため」（35・8％）、「軽作業・補助的業務等を行うため」（24・5％）、「専門性を活かした人材を活用するため」（23・7％）と続きます（図表⑩）。

派遣労働者を就業させない理由は

逆に、派遣労働者が就業していない企業の理由は、「今いる従業者で十分であるため」とする企業が59・4％で最も多く、これ以外では、「費用がかかりすぎるため」（25・6％）、「派遣労働者より他の就業形態の労働者を採用しているため」（22・1％）、「必要な職業能力を備えた派遣労働者をすぐに確保することが困難であるため」（18・0％）となっています（図表⑪）。以前は、機密事項の漏洩などを心配する意見が多かったのですが、派遣労働者の利用が進むことで、このような心配はなくなってきたようです。

図表⑨……派遣先企業の件数……

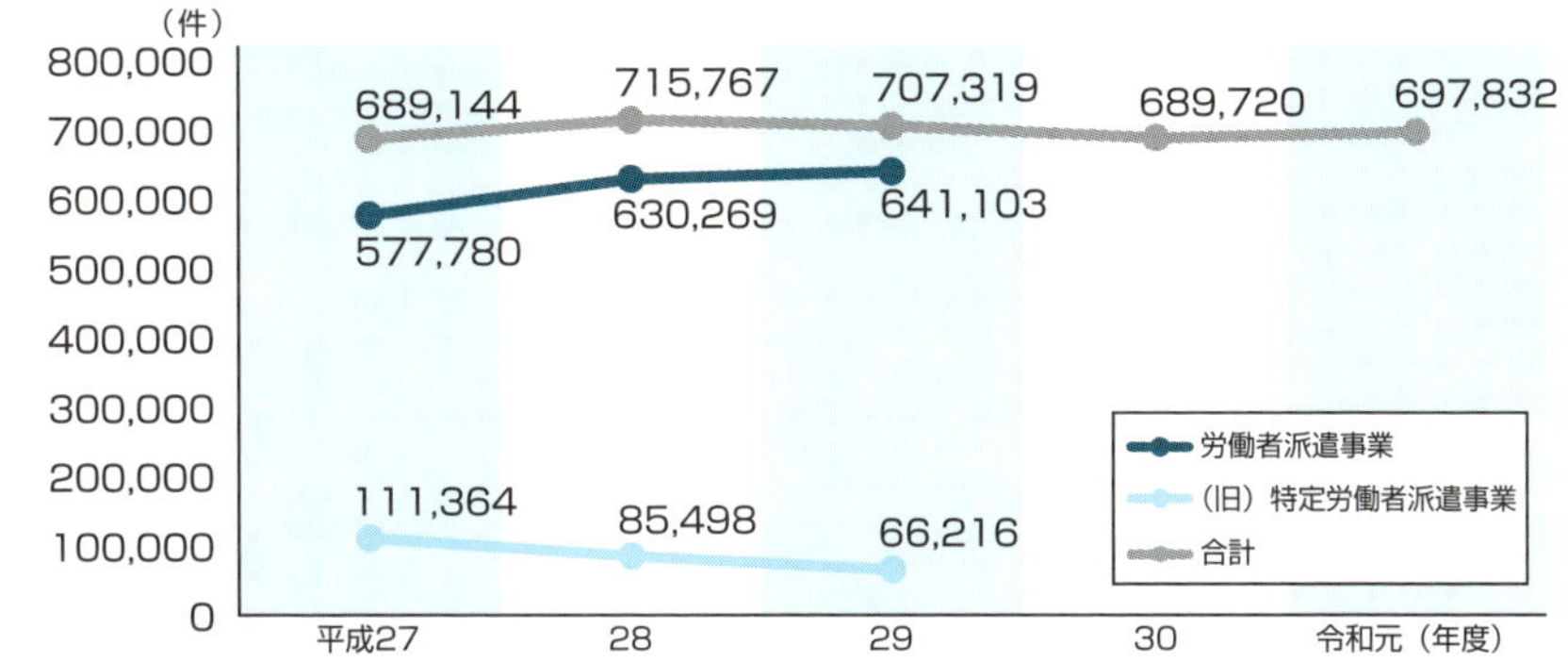

資料：厚生労働省令和元年度「労働者派遣事業報告」

図表⑩……派遣労働者を就業させる理由……

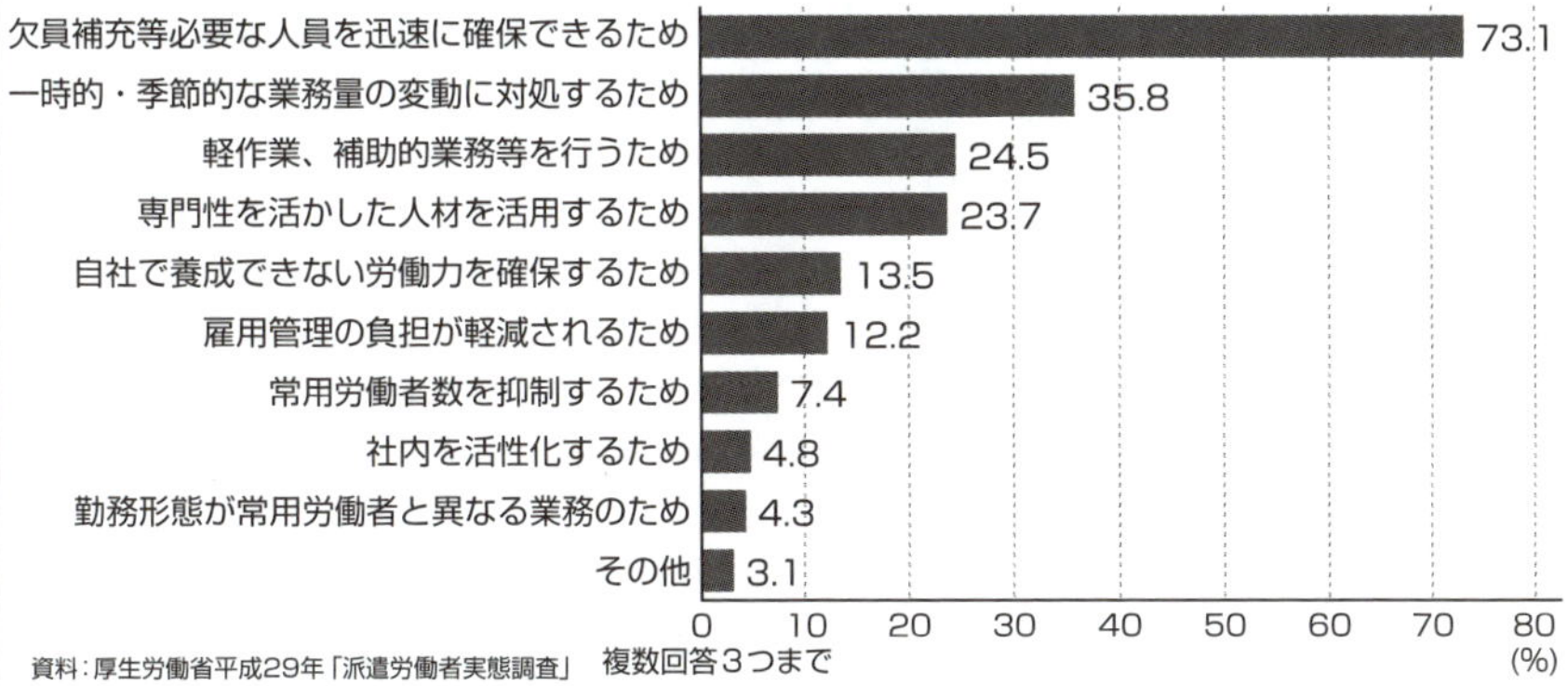

資料：厚生労働省平成29年「派遣労働者実態調査」　複数回答３つまで

図表⑪……派遣労働者を受け入れない理由……

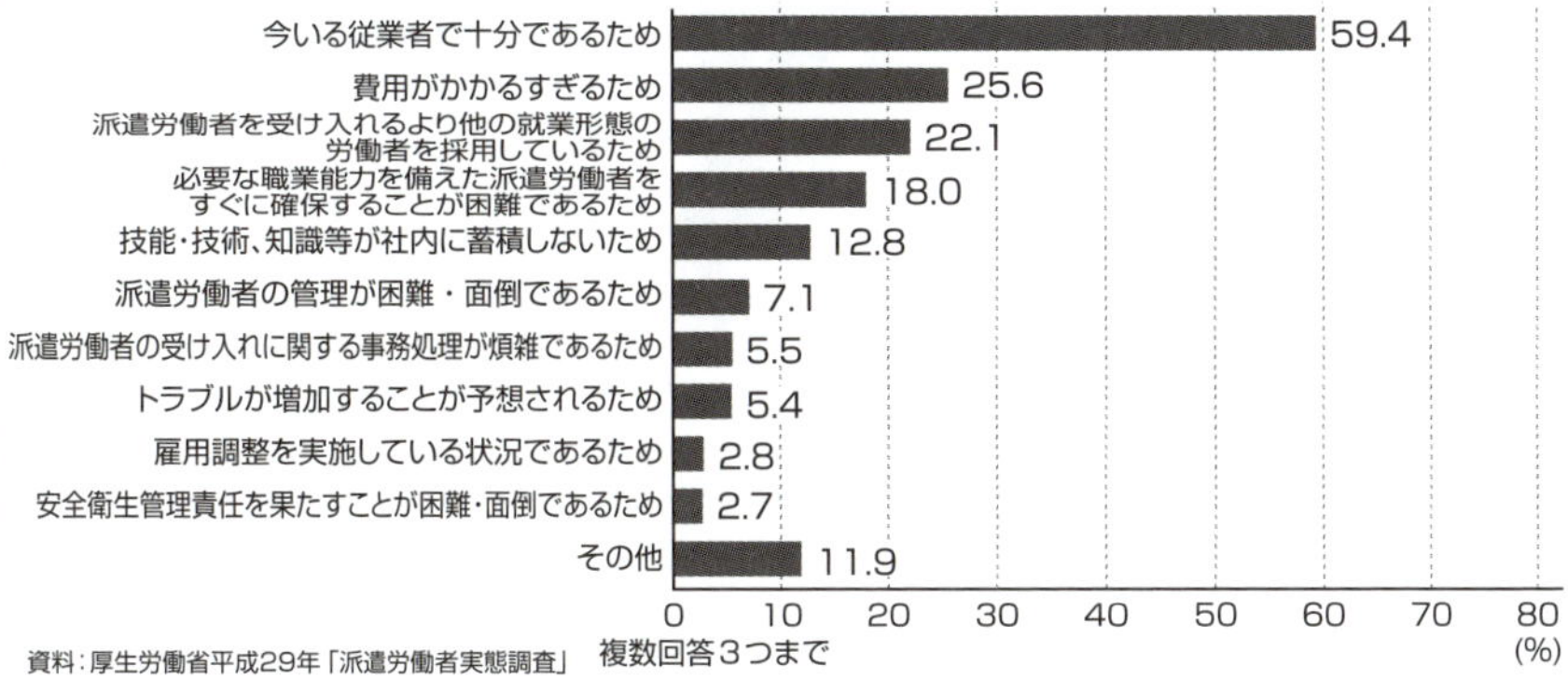

資料：厚生労働省平成29年「派遣労働者実態調査」　複数回答３つまで

働く側（派遣スタッフ）の意識の持ち方

▼派遣で働くスタッフの考え

なぜ派遣労働者になったのか

今度は派遣労働者の側の調査から、派遣労働者の意識を見ることにしましょう。

平成24年の厚生労働省の調査（労働者派遣の実態に関するアンケート調査）では、派遣労働者となることを選んだ際の理由について、「正社員の職が見つからなかった」が22・7％と最も多かったものの、次いで多かったのは、「仕事内容を選べる」（18・2％）、「勤務地・勤務期間・勤務時間を選べる」（16・8％）などという積極的なものが目立ちました。

しかし、リーマンショック以降、派遣労働に対する風向きは変わりました。現在でも、高いスキルと相応の賃金を得ている派遣労働者はいますが、就職難の傾向が強まるほど、就職先が見つからず、仕方なく派遣で働いているという人が増えています。

将来の希望は

派遣労働者の将来の働き方に関する希望については、「派遣労働者以外（正社員、パート等）の就業形態で働きたい」が（48・9％）、などと、不安定な雇用形態を変えたいという意見が多くなっています（図表⑬）。

派遣労働者の生活は

近年、問題となっているのは、非正規雇用である派遣労働者に家族の主な収入を支える人が多くなっていることです。収入源については、「自分自身の収入」が71・6％と最も多く、次いで「配偶者の収入」18・8％となっています（図表⑭）。

図表⑬……将来の希望……

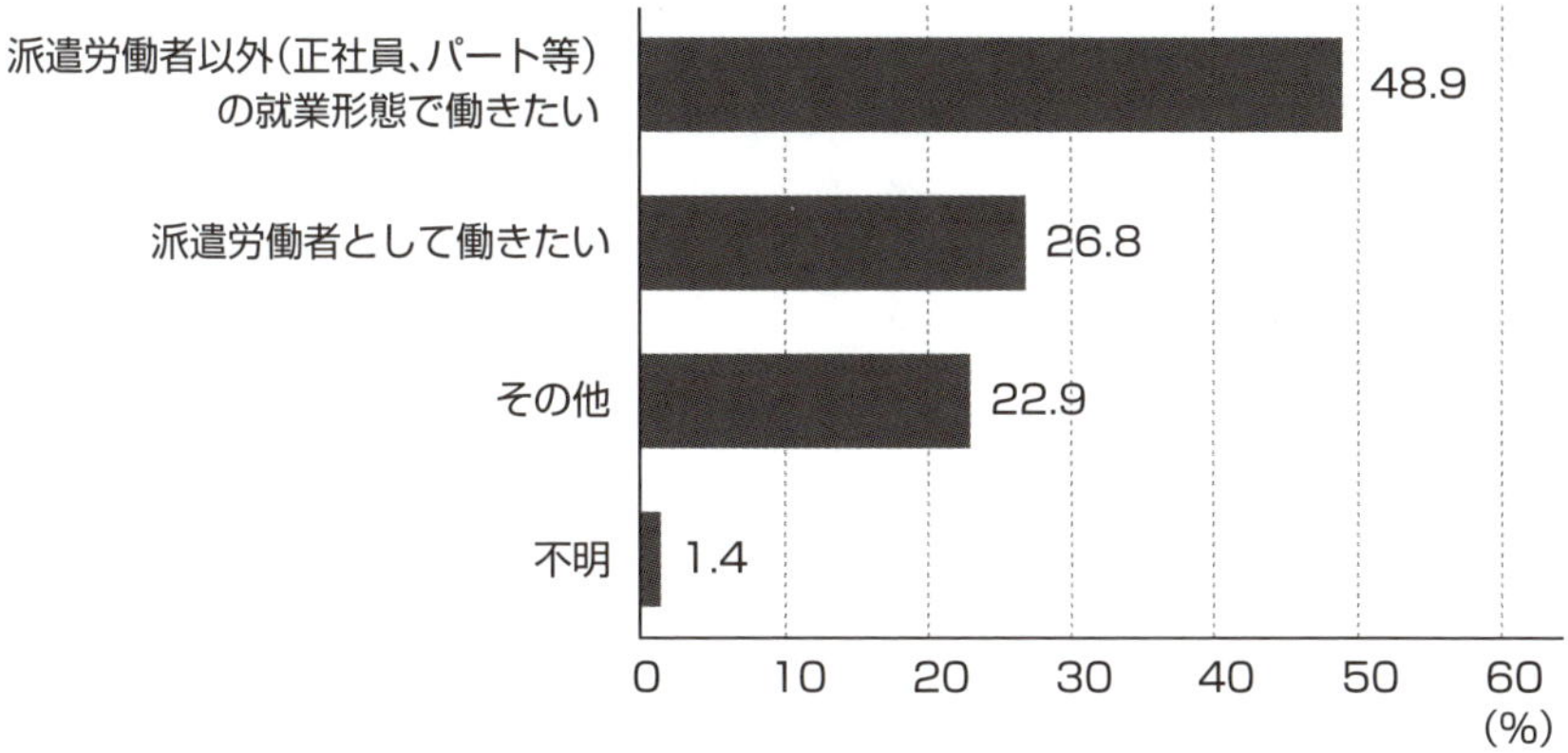

資料：厚生労働省平成29年「派遣労働者実態調査」

図表⑭……派遣労働者の収入源……

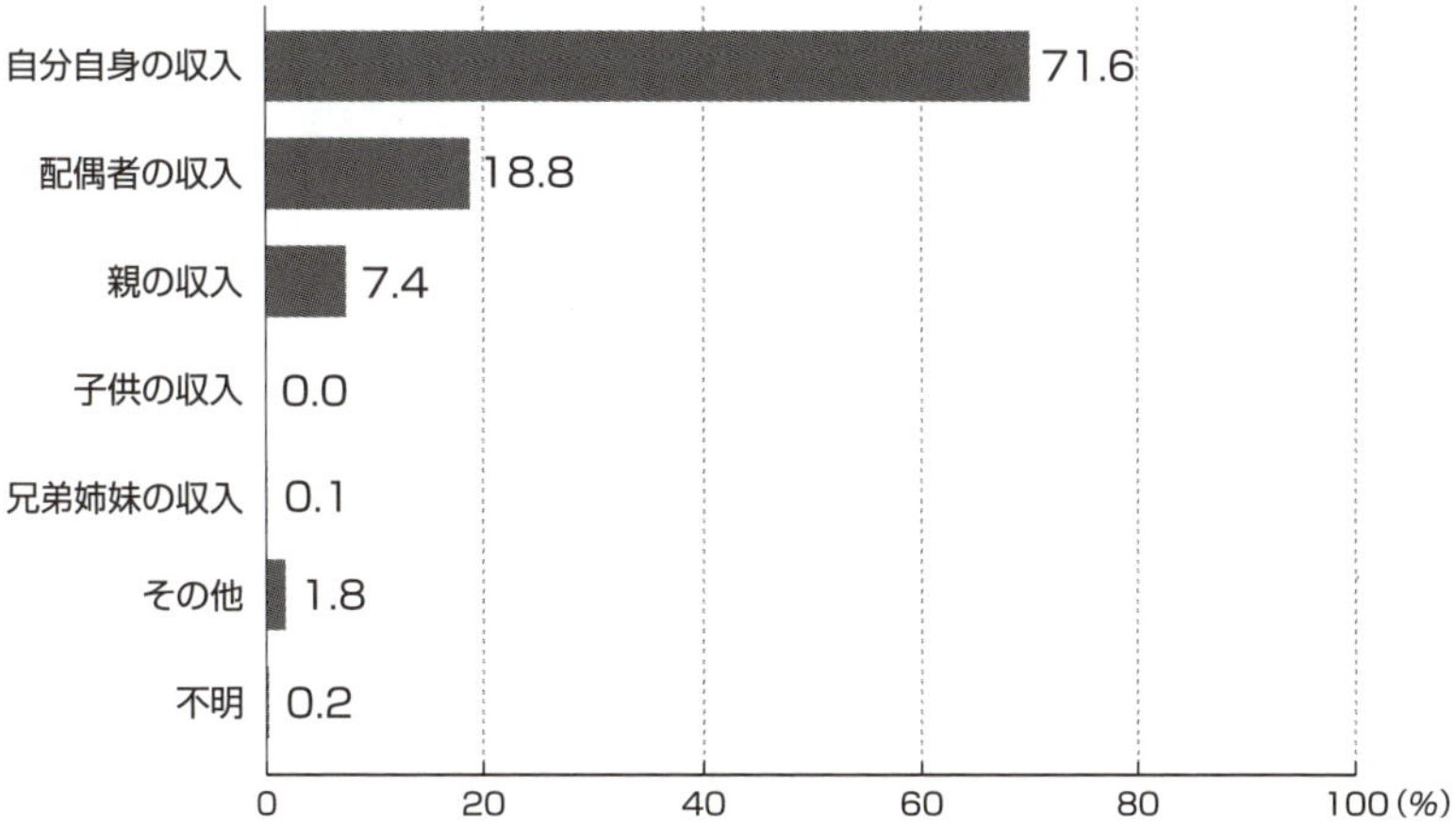

資料：厚生労働省平成29年「派遣労働者実態調査」

平成27年9月の派遣法の大改正

▼派遣期間の制限ルールなど派遣法が大きく変わりました！

改正法で大きく変わる人材派遣

平成27年9月30日、派遣スタッフの雇用の安定、保護などを目的に、派遣法が大きく改正されました。特定労働者派遣事業の廃止、派遣期間の制限ルールの変更など、基本的なルールを大きく変更するものでした。主な改正事項は次のとおりです。

特定労働者派遣事業の廃止

これまで、届出のみで事業を行える「特定労働者派遣事業」と一定の基準を満たす場合の許可により事業を行う「一般労働者派遣事業」の2種類がありましたが、特定労働者派遣事業が廃止され、すべての派遣事業は許可制となりました（15参照）。ただし、一定の経過措置が設けられました（図表参照）。

派遣期間の制限ルールの見直し

これまで、いわゆる「専門的26業務」など業務によって派遣期間の制限ルールが設けられていましたが、実際の業務がどの期間制限の業務になるのか分かりにくいため、「個人ごと」「事業所ごと」の期間制限のルールに変わりました（20参照）。新たなルールの適用については、図表のとおりです。

雇用安定措置の新設

派遣元は、同じ組織単位に継続して1年以上派遣される見込みがあるなど一定の派遣スタッフについて、派遣終了後に一定の雇用安定措置を講じることが義務になりました（64参照）。

キャリアアップ措置の新設

派遣元は、雇用している派遣スタッフについて、キャリアアップを図るための「段階的かつ体系的な教育訓練」と「希望者に対するキャリア・コンサルティング」を実施するよう義務づけられました（43参照）。

…… 平成27年の大改正の主な内容 ……

1 特定労働者派遣事業（届出制）が廃止され、許可制へ一本化

特定労働者派遣事業が廃止され、すべての派遣事業者は許可制に一本化されました。特定労働者派遣事業を行っていた事業者は、平成30年9月29日までに許可を受けなければ、廃止となりました。

2 派遣可能期間の制限の見直し

業種ごとの派遣期間の取り扱いは、誤った取り扱いもあったことから、これを廃止し、「事業単位」「個人単位」の期間制限になりました。

①事業所単位　…原則３年、労働者代表から意見聴取の手続きにより延長可。
②個人単位　　…同じ事業所の組織単位について３年限度。
※例外、無期雇用者、60歳以上、有期プロジェクトなど

3 キャリアアップ措置の義務化

派遣スタッフのキャリアアップを図るため、段階的・体系的教育訓練（対象がすべての派遣スタッフ、訓練が有給であり無償であること、など）の実施が義務付けられました（フルタイムの場合は１人当たり８時間以上の訓練を実施）。また、希望者に対するキャリア・コンサルティングの実施も義務付けられました。

4 雇用安定措置の実施義務

派遣元は、同一の組織単位に継続して1年以上派遣される見込みがある一定のスタッフについて、派遣終了後に雇用を継続するための次のいずれかの措置の実施が義務付けられました。

①派遣先への直接雇用の依頼
②新たな派遣先の提供
③派遣元による無期雇用
④その他の雇用安定の措置

巻頭　人材派遣の仕組みと現状

令和2年4月の「働き方改革」に盛り込まれた大改正

▼「同一労働同一賃金」は実現されるか！

不合理な待遇の禁止へ

政府が進める「働き方改革」のテーマの一つに「同一労働同一賃金」があります。同じような仕事をしていても、正規社員に比べ非正規社員の賃金が低くなりがちな問題について、同等の賃金を支払うよう法律で規制しようというものです。

派遣スタッフも非正規社員ですから、この規制の対象になってくるのです。

平成30年に成立し、令和2年4月より施行されている改正法には図のような内容が盛り込まれています。

「同一労働同一賃金」に関するものの他、紛争解決に関する内容なども組み込まれています。

労使協定がポイントに！

派遣スタッフについての「同一労働同一賃金」は、派遣先（つまり就業場所）の「通常の労働者」と比べ、不合理な相違を禁止しようというものです。

もちろん、禁止されるのは、派遣先の労働者のうち、「職務の内容」「職種変更・配置転換の範囲」「その他の事情」などが派遣スタッフと同様の者であって、待遇差も「不合理な」ものです。能力差などに応じた賃金格差などは合理的といえます。

派遣元は、派遣先の賃金などを知らなければ同じような賃金を支払えないですから、派遣先に、情報提供の義務も定められました。

ただし、派遣元、派遣先の企業規模など諸事情もあります。労使協定という一定の特例措置を設けたうえで、派遣先との賃金等の待遇差を問わない方法も選択できるようにしています。この方法が、多くの派遣で選ばれているようです。

……「働き方改革関連法」による派遣法改正の主な内容……

1 待遇に関する情報の提供等

派遣先は、派遣元に対し、比較対象労働者の賃金その他の待遇に関する情報その他の厚生労働省令で定める情報を提供しなければならない。

2 不合理な待遇の禁止等

派遣元は、派遣スタッフの基本給、賞与その他の待遇について、派遣先の通常の労働者の待遇との間において、職務の内容その他の事情を考慮して、不合理と認められる相違を設けてはならない。

労使協定による適用除外

<協定事項>

①派遣スタッフの範囲

②一定の賃金の決定方法

③公正な評価による賃金の決定　など

3 職務の内容等を勘案した賃金の決定

派遣元は、派遣先の労働者との均衡を考慮しつつ、派遣スタッフの職務の内容などを勘案し、賃金を決定するよう努めなければならない。

4 就業規則の作成の手続

派遣元は、派遣スタッフに係る就業規則を作成・変更しようとするときは、派遣スタッフの意見を聴くように努めなければならない。

5 待遇に関する事項等の説明

派遣元は、派遣スタッフとして雇い入れようとするときは、あらかじめ、労働者に対し、文書の交付などにより、一定の事項を明示するとともに、その内容を説明しなければならない。

……派遣労働者の賃金（抜粋）……

（円）

	派遣労働者平均	無期雇用派遣労働者	有期雇用派遣労働者
全業務平均	15,234	15,856	12,828
製造技術者	15,887	16,655	14,458
情報処理・通信技術者	19,439	19,760	18,238
保健師、助産師、看護師	14,915	16,102	14,753
医療技術者	13,026	15,039	12,623
経営・金融・保険専門職業従事者	14,846	15,132	14,266
一般事務従事者	10,836	11,531	10,263
会計事務従事者	11,379	12,289	11,004
営業・販売事務従事者	11,555	12,770	10,918
事務用機器操作員	12,079	13,049	10,929
営業職業従事者	14,561	16,663	13,470
家庭生活支援サービス職業従事者	9,758	10,538	9,787
介護サービス職業従事者	9,755	9,816	9,765
保健医療サービス職業従事者	9,993	10,107	9,901
飲食物調理従事者	8,976	9,113	8,905
接客・給仕職業従事者	9,502	9,985	9,461
居住施設・ビル等管理人	11,172	12,455	10,529
自動車運転従事者	11,233	12,018	10,536
建設従事者（建設躯体工事従事者を除く）	16,933	17,307	15,175
運搬従事者	9,843	10,228	9,510
清掃従事者	8,886	9,459	8,677

資　料：厚生労働省令和元年度「労働者派遣事業報告」より抜粋
注意点：(1) 労働者派遣の実績のあった事業所について各事業所の派遣労働者の賃金を単純平均したものである。
(2) 派遣労働者の賃金は、派遣労働者1人1日（8時間）当たりの平均額である。
(3) 全業務平均とは、各業務の単純平均額を記載したものである。
(4) 各業務については、日本標準職業分類（中分類）に基づく職種に基づき、該当する派遣労働者（日雇派遣労働者を除く。）の区分及び従事した業務の種類別に実績を記載したものである。

第1章

人材派遣の基礎知識

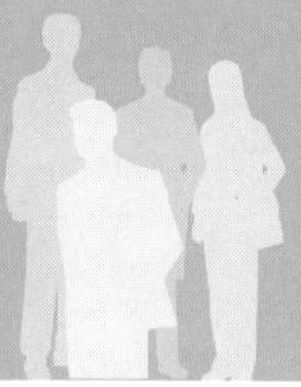

1 人材派遣とその歴史

▼新たな労働形態の誕生

人材派遣の胎動

人材派遣は、企業に穴の開いた人材を提供する事業として、もともとはアメリカのマンパワー社が始めました。日本では、そのマンパワー社の出資により、昭和41年にマンパワー・ジャパン株式会社（現、マンパワーグループ株式会社）が設立され、企業の事務処理を行ったのが最初です。

当時は、派遣法（正式には、「労働者派遣事業の適正な運営の確保及び派遣労働者の保護等に関する法律」といいます。詳しくは後のページで説明します）もなかったために、現在の人材派遣（自社の雇用する社員を他社の指揮命令下に置いて働かせる）という形態はとれず、請負事業（あくまでも発注内容に従い自社の雇用する社員を自社で指揮命令する）という形態をとっていました。

その後、同様の派遣会社が増えていきます。例えば、昭和51年に設立された株式会社パソナ（東京都千代田区）は、株式会社パソナグループ代表取締役グループ代表の南部靖之氏が、学生時代に起こした会社です。当時、学習塾を経営していた同氏は、子供達の母親の多くが豊かなキャリアを持ちながら、パートタイマーなどとして働く以外にそれを活かせる場がなく、一方企業にも「必要なときだけ即戦力として活用したい」というニーズがあると知って、その両者を結びつける仕組みを作ろうと事業をスタートさせたのです。

人材派遣の誕生

昭和61年、我が国で派遣法が施行されてから、人材派遣は正規の派遣事業として確立しました。

これまで、それぞれの会社が独自のスタイルで行っていた人材派遣は、派遣先が直接スタッフに指揮命令することができるという権利を獲得する代わりに、派遣法という統一したルールの枠にはめられることとなったのです。

派遣法の功罪はともかくとして、その後、多くの会社が参入することで、人材派遣は今日のような巨大な人材ビジネス市場として成長してきました。

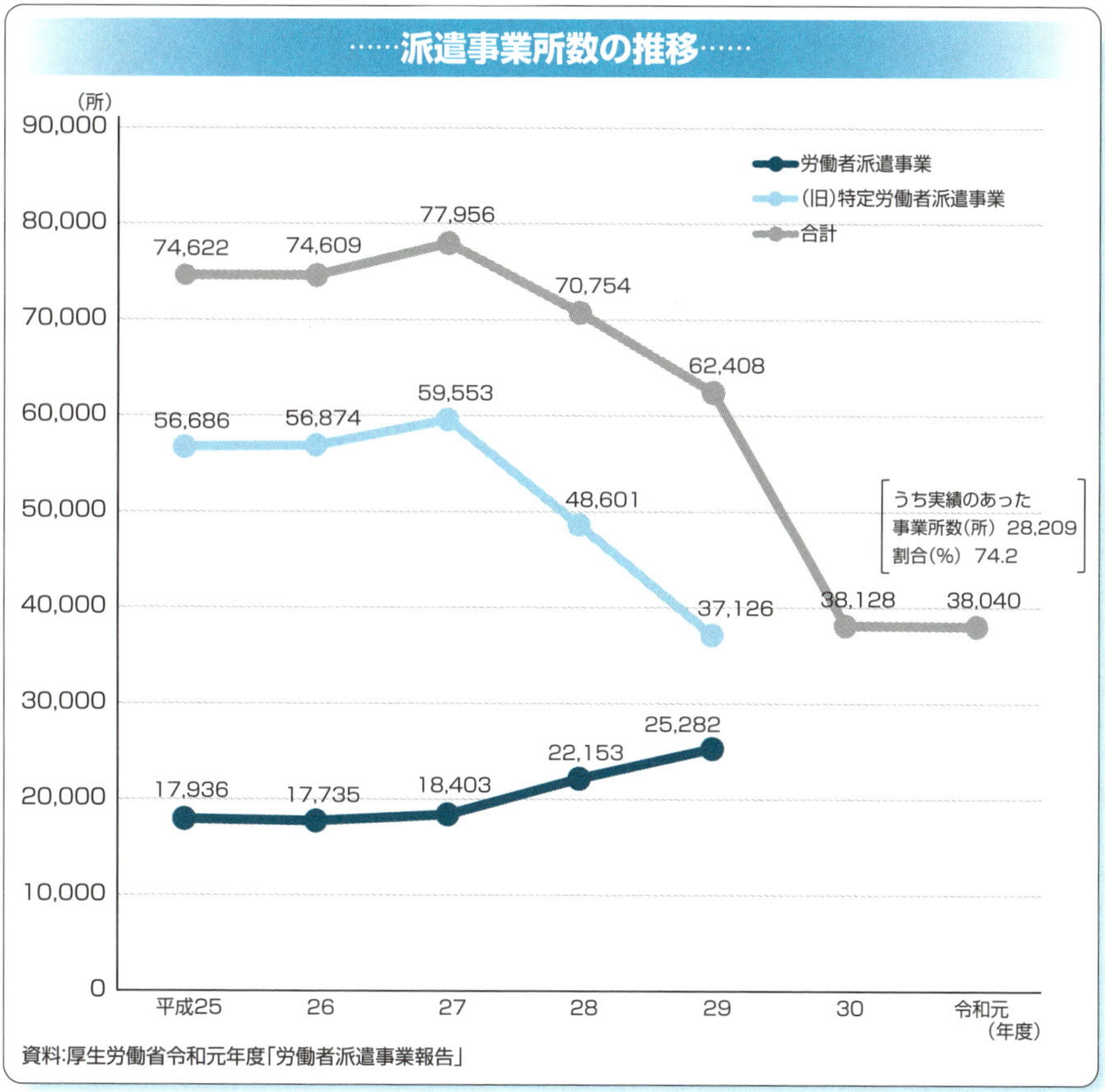

資料:厚生労働省令和元年度「労働者派遣事業報告」

派遣業の事業所数は、平成27年9月の法律の大改正により大きく変動することになりました。法改正（28ページ参照）では、特定労働者派遣事業が廃止され、すべての派遣事業者が許可を要することになったのです。

平成30年9月までは特定労働者派遣事業として存続が許される経過措置はあったものの、許可要件を満たせない中小企業事業者は業界から撤退することを余儀なくされました。上のグラフでは、平成27年をピークに、大きく事業所数が減少しています。

2 進化、拡大する人材派遣事業

▼大手派遣会社の動向

人材派遣は時代とともに進化した

人材派遣事業は、常に時代の変化によって生まれるニーズに対応してビジネスを拡大してきました。

例えば、前述のパソナでは、ワープロが浸透してきたころにインストラクターの派遣を始めたり、中高年の失業が社会的な問題となってきたころに中高年を対象とする派遣制度を作ったりしてきました。そして現在では、あらゆる業務をそろえたフルラインサービスを実現し、派遣のみならず、人材紹介、就職支援、アウトソーシングなど、企業に対しワンストップでサービスを提供しています。

国際化する派遣市場

人材派遣市場は、経済のグローバル化とともに、海外へも市場を拡大してきています。

パーソルホールディングス株式会社（東京都渋谷区）では、主にアジア・パシフィック地域を中心に事業展開しています。こうした政策をとったのは、ここ数年、企業の海外出店や海外との取引拡大を受け、国内での外国人派遣・紹介や海外での人材紹介に対応するためです。

専門職派遣が増えている

少し前までは、派遣といえば事務職というイメージがありましたが、最近では専門職派遣の需要が非常に高まっています。専門技術の変化のスピードは速く、企業で専門技術を持った人材を探し、育て、抱えていく余裕がなくなってきたことが背景にあります。

このような傾向に派遣会社も対応してきています。

例えば、パーソルテンプスタッフでは、育成型派遣制度を設け、専門職スタッフの募集や養成に力を入れています。テクノロジーの進化に対応できるよう、ＲＰＡ（※1）やＩＯＴ（※2）など専門技術を習得できる講座も開催しています。

パソナでは、登録スタッフが安心して働きながら、希望するキャリアを築くことができるよう「就労支

……拡大する派遣市場……

援」「キャリアコンサルティング」「教育研修」を柱としてキャリアサポートを強化しています。長期で就業するスタッフには、教育訓練計画に基づき、研修の案内ならびに、希望者へのキャリアコンサルティングを実施しています。

（※1）RPAとは、ロボットによる業務自動化の取り組みのこと。

（※2）IOTとは、身の周りのあらゆるモノがインターネットにつながる仕組みのこと。

主婦の再就職支援

少子高齢化による労働力不足の解決策として、結婚や出産を機に離職した女性の活用が注目されています。

例えばパーソルテンプスタッフでは、職住近接オフィスで週5日フルタイム以外の勤務形態でも働ける「ジョブシェアセンター」を運営し、育児や介護などの事情で就業時間が限られる方でも働ける場を設けています。また、再就職を促す情報提供などを行っています。

3 派遣事業の経営構造

▼人材派遣を始める場合の収支予想

派遣料金とスタッフの人件費

　ここで、派遣料金の相場を見てみましょう。巻頭（21ページ）のとおり、情報処理・通信技術者、建設従事者など、専門性の高い業務ほど派遣料金も高くなっています。

　一方、派遣スタッフの人件費（給与、社会保険料、その他の総額）は、業務の種類や派遣会社により異なりますが、およそ派遣料金の6～8割程度のようです（32ページ参照）。

　製造業などのほかの産業では、商品原価というものがありますが、人材派遣では、派遣スタッフの人件費が原価であるといえます。つまり、登録スタッフについては、実際に派遣が行われるまでは人件費が発生せず、派遣による売上高の6～8割が原価（粗利益は2～3割）として発生してくるということです。

経営の損益分岐点は

　新規に派遣事業を始める場合、どれほどの売上高を出せば経営していけるのか、収支の構造を見てみましょう。まず、損益分岐点（利益がプラスマイナス『ゼロ』になる売上高）ですが、これは、図表の①の式で計算できます。

　派遣事業の固定費は、店舗の家賃、光熱費、広告宣伝費などのほか、営業など一定の管理社員の賃金も必要となります。

　これを、事業開始時点として月300万円、変動費である人件費の割合を75％とすると、図表の②のとおり、損益分岐点の売上高は月1200万円となります。

　1200万円の売上げを月々達成するには、代表的な派遣業務である一般事務従事者（有期雇用）における派遣スタッフ1人の1日の派遣料金1万5808円と仮定すると、延べ760人、1人20日間働くとして、図表の④にあるように、38人がフル稼動すれば、まかなえる計算になります。

　38人の派遣スタッフをフル稼働させるには、数十程度の派遣先を獲得しなければならず、そうでなければ経営が成り立たないといえます。

　このことから、中小企業が派遣事

……損益分岐点による収益の概算……

①損益分岐点売上高＝固定費÷（1－変動比率）
②損益分岐点売上高＝300万円÷（1－75％）＝1,200万円／月
③延べ必要人数＝1,200万円÷15,808円≒760人／月
④常時稼動人数＝760人÷20日＝38人／月

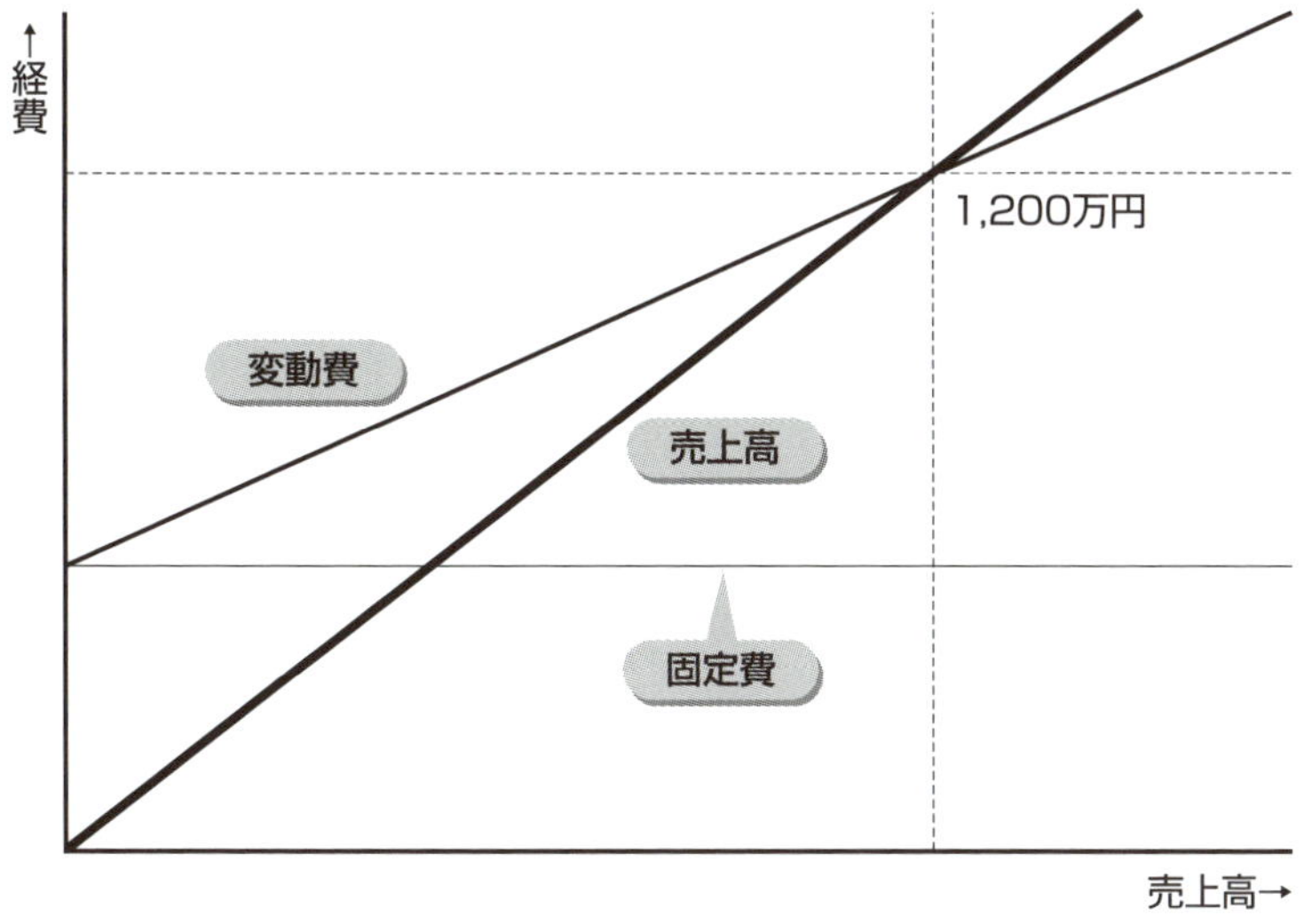

業を始めるには、まず、請負などほかの事業基盤があって、その事業に付属した事業として派遣を開始する方が現実的ではあるといえるでしょう。

派遣スタッフの登録

派遣スタッフは、商品のラインナップのようなものです。顧客のニーズに対応するには、職種、スキルなどを、可能な限り幅広くそろえておく必要があります。また、スタッフの多くは複数の派遣会社に登録していますから、受注があったタイミングでうまく派遣するためには、実際に稼動する人数の数倍のスタッフの登録を受けておく必要があります。

4 人材派遣事業の仕組み

▼人材派遣に必要な組織の機能と流れ

人材派遣事業の基本機能

人材の獲得から派遣まで、派遣会社の組織は基本的には図表のように、スタッフ管理部門、受注部門、マッチング部門となります。

それぞれ次に説明するような機能を備えています。

●**スタッフ管理部門**

スタッフ管理部門は、求人誌などでスタッフの募集を行い、面接やスキルチェックといった必要な作業を実施して、スタッフを登録、管理する部門です。

特に、スキルの管理が重要な役割です。希望業務やスキルのデータを作成し、スキルアップの研修なども用意します。また、派遣後も、派遣先でのトラブルなどスタッフの相談に対応します。

この部門には「面接担当者」のほか、派遣会社によって、キャリア形成の相談役として「キャリア・カウンセラー」、パソコンの操作など派遣スタッフの業務における技術的な相談役として「ジョブ・カウンセラー」などがいます。

●**受注部門**

受注部門は、派遣先を獲得し、個別具体的な契約の締結を行い、派遣後の顧客へのフォローなどを行う部門です。いわゆる「営業」の仕事です。

●**マッチング部門**

マッチング部門は、受注部門の取ってきた仕事に対し、スタッフ管理部門が管理する登録スタッフの中から、どの人を派遣するかを選び、スタッフと交渉する部門です。「コーディネーター」といわれる人の仕事です。

人材派遣の流れ

スタッフの登録から派遣までの流れを示すと、図表のようになります。詳細については、この後、順に説明しましょう。

……人材派遣事業の基本機能……

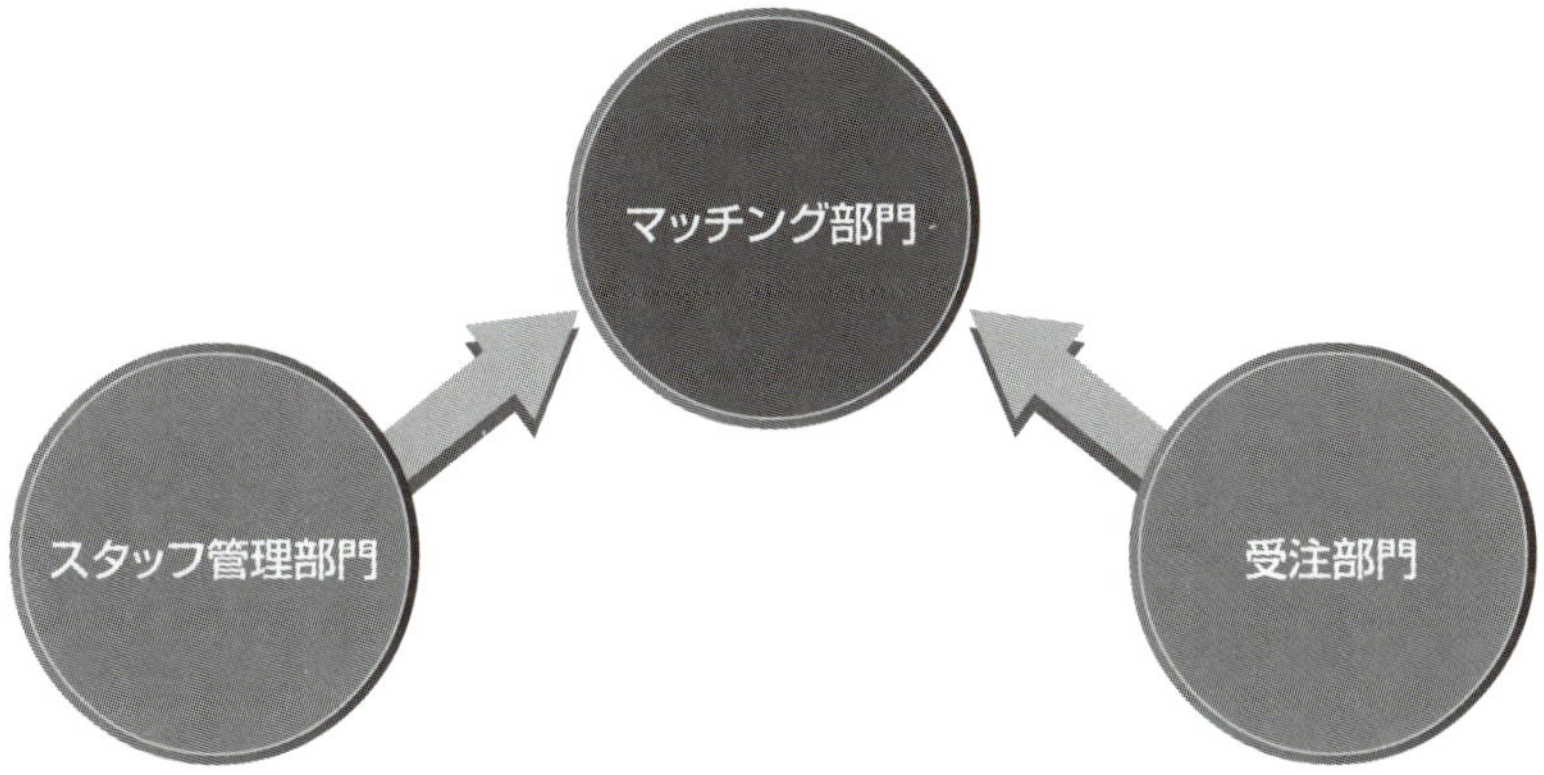

……募集から登録の流れ……

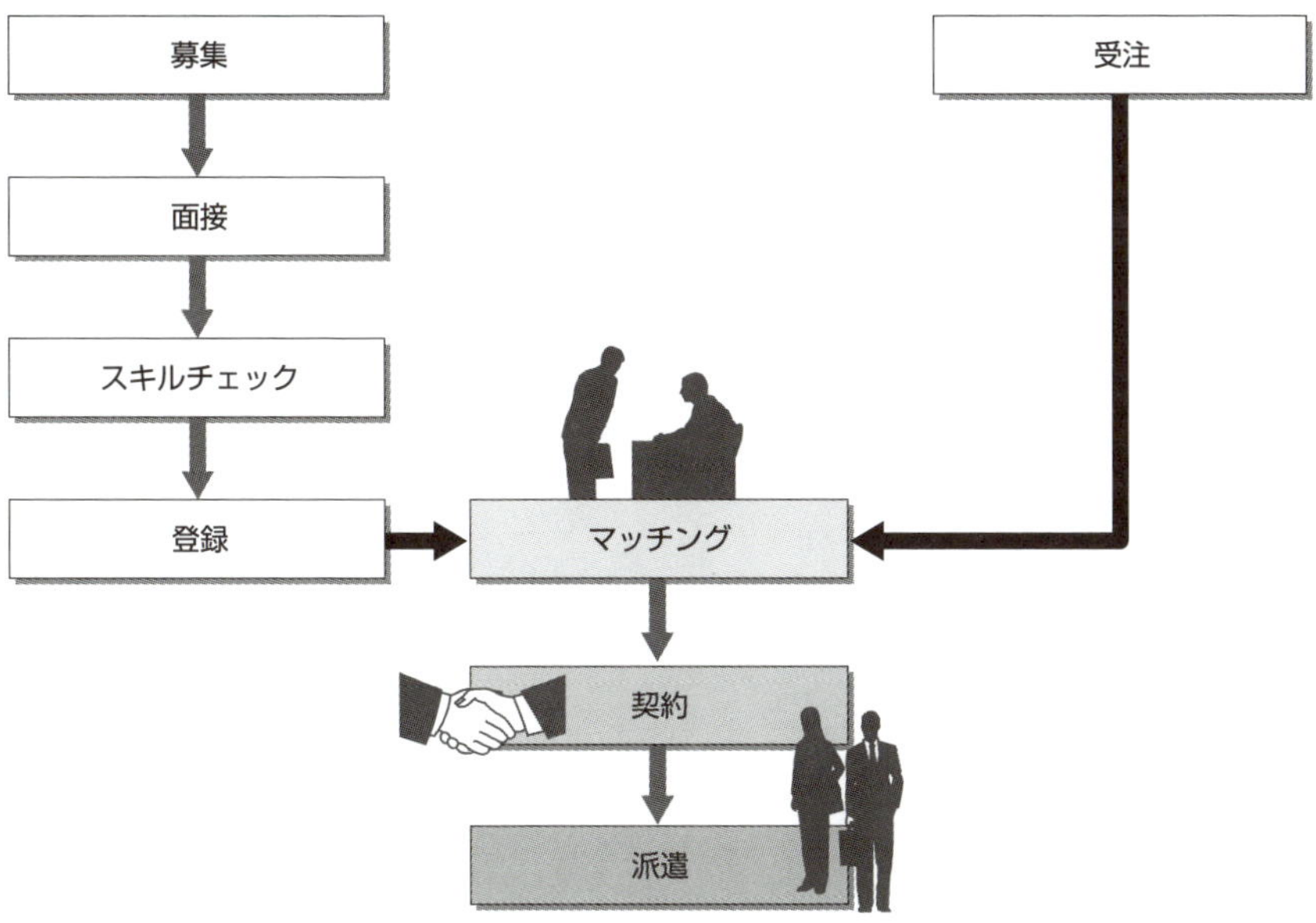

5 スタッフ募集と登録の実際

▼スタッフの登録時はスキルチェックが重要

登録スタッフの募集

派遣会社では、とにかく多くの登録スタッフを募集しています。獲得した仕事にすばやく適正なスタッフを派遣するには、十分な登録スタッフを確保しておく必要があるからです。また、多くのスタッフは複数の派遣会社に登録していて、その登録先の中でより条件のよい仕事が紹介されるのを待っています。登録数がそのまま派遣可能人数ではありませんし、中には派遣先に就職する人もいますから、求人サイトなどで常時募集しておく必要があるのです。

面接・スキルチェック

派遣会社は、登録の申込みがあったら、まずは本人と面接をして、希望する業務やスキルなどを把握していきます。

ここで重要なものがスキルチェックです。派遣会社によってもその作業内容や時間は異なりますが、ワープロ作業であればタイピングのスピード、ワード、エクセルといったアプリケーション・ソフトの熟練度など、業務ごとに設定された評価方法によりチェックを行い、正確にスキルを把握していきます。本人の評価すべき能力の数により、短い場合でも1時間以上、長い場合では3時間以上かかることもあるようです。

また、一連のテストだけではなく、各分野の専門知識のあるアドバイザーなども加わって、テストに現れないスキルも総合的に判断していきます。

同時に、単にどのような作業をこなせるかというだけではなく、その人の社会人としてのマナーといったビジネス・スキル、派遣先で良好な人間関係を形成できるかなどの人間性も見ます。

大手の派遣会社では、各地の募集拠点で専用ソフトによるパソコンのスキルチェックができるところもありますが、やはり、最終的には人の目でスタッフの判断をするそうです。派遣スタッフには、派遣先でのコミュニケーション能力が求められるため、派遣会社の規模に係わらずヒアリングを重視することは共通した考えのようです。

……募集から登録の流れ……

キャリア・カウンセリング

登録希望者は、自らの職務経験にどのような強みがあるのかを知らなかったり、また明確な希望業務がなかったり、自分の適正を把握してないということが多いようです。

派遣会社では、熟練した担当者が登録希望者の職歴、スキルなどから、どのような派遣業務が適しているのか、また今後どのようなスキルを身に付けていくべきか、面接の中でもアドバイスしていきます。

特に派遣会社では、必要な人にはキャリア・カウンセラーも加わって、本人の性格的な面から登録後の業務や研修などまで、相談を行っています。

6 派遣スタッフの教育研修の実際

▼登録時研修とスキルアップ研修がある

登録時研修

　登録時の研修は、大手と中小の派遣会社で対応が違うようです。ただし、無料で行っていることは共通しています。

　大手の派遣会社では、随時大勢の登録者が来ますから、人材派遣の仕組み、派遣先で必要なマナーなどを担当者が集合研修で教えたり、パソコンを使って登録者が1人で勉強できるところもあります。いずれにしても全員一律な教育が基本です。

　一方、中小の派遣会社では、集合研修を行うほど1回の人数が多くはないため、担当者が面接とともに一連の説明をする程度に留まり、むしろ現場の就業を通して必要な教育をしていくようです。例えば、人材派遣の仕事が初めての人に対しては、まずは常用の社員と一緒に派遣して、社員がじっくり教育する会社もあります。

スキルアップ研修

　派遣会社は、派遣スタッフのスキルアップのための教育研修を行っています。これらの研修は、基本的には無料としている会社がほとんどです。

　大手派遣会社の研修メニューは、よく使われるアプリケーション・ソフトの操作から、経理、ファイナンシャル・プランナー、ビジネス用のメイクアップまで、数千種類もあります。大半は自社で研修体制を設けていますが、地方や特殊な研修は外部の研修機関と提携していることもあります。

　中小の派遣会社でも、自社での教育を基本としていますが、社員によるＯＪＴ教育や、本人の希望によるマンツーマンの研修など、個人ごとのスキルレベルに合わせた研修を行っていることが中小の特徴といえるでしょう。また、研修機関と提携し、多くの研修メニューを用意している会社もあります。

　有料の研修については、どの会社でも、登録者はほとんどが割引価格で受講できます。ただし、これから派遣しようとする具体的な業務に必要な場合などは、有料の研修を無料にして受講させることも多いようで

……登録時とスキルアップの研修の効果……

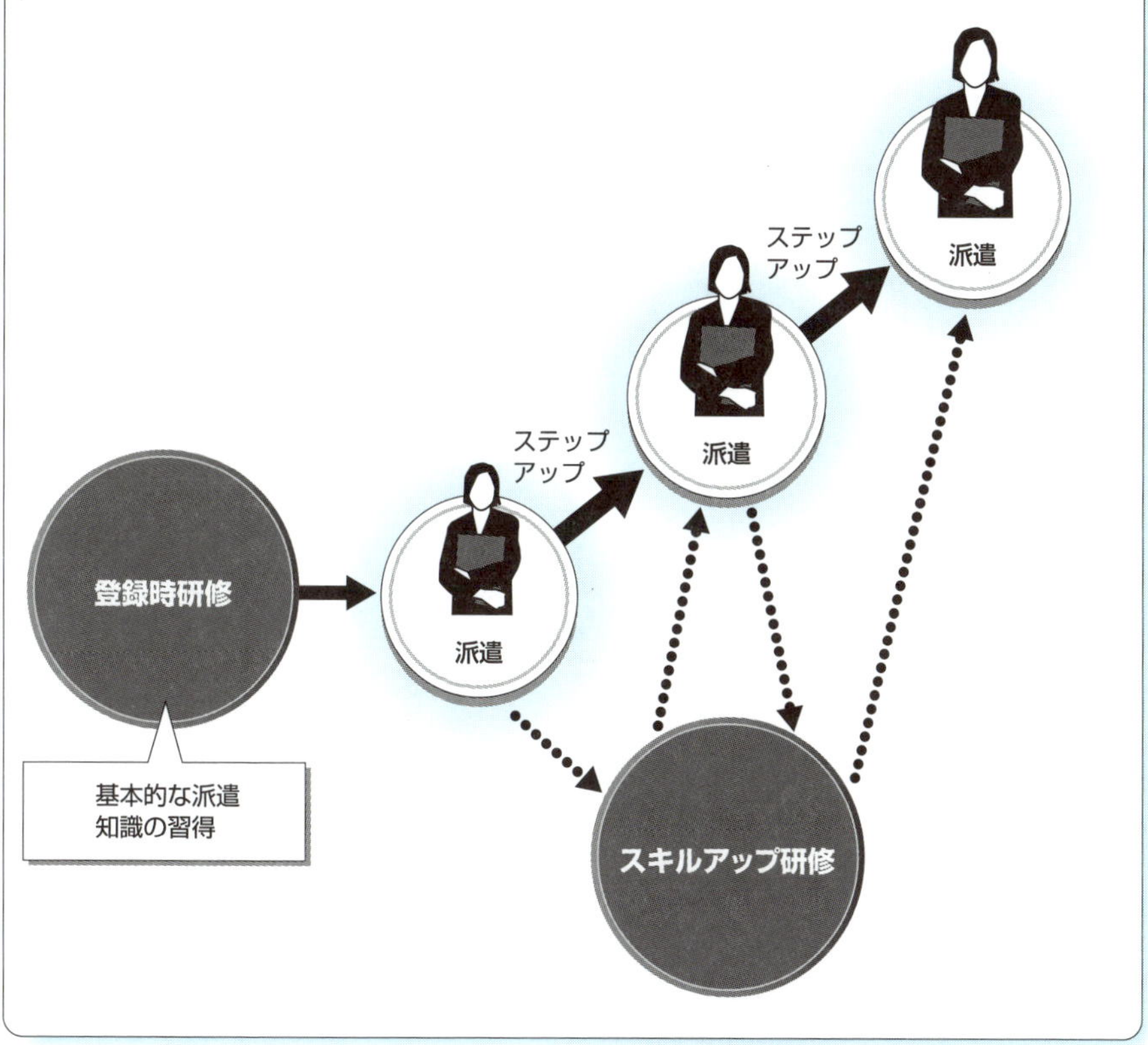

す。

スキルアップの効果

派遣スタッフの給与は、実際に派遣された仕事の料金によって決まるため、正社員の昇給のように自然に上がるものではありません。ですから派遣スタッフは、これまで一般事務しかできなかった人が、簿記を覚えて仕事の幅を広げるなど、より料金の高い仕事を獲得できるように、スキルアップしていく必要があるのです。

このように、派遣会社は実際に派遣されていない人も含め、非常に多くのスタッフに研修を実施しています。派遣業界全体が、社会の教育研修機関としての役割を果たしているということもできるでしょう。

なお、平成27年の派遣法改正により一定のキャリアアップ研修が義務付けられたことから（43参照）、これらの研修については法定のものが含まれていることがあります。

7 営業とコーディネーターの仕事の実際

▼営業やコーディネーターは派遣会社の評価を決める鍵となる

営業が仕事を獲得する

企業から派遣の仕事を獲得するのが、営業の第一の役割です。最近では、大手企業を中心に、「派遣会社集約」（その企業の全派遣スタッフを1社の派遣会社にまとめて依頼すること）が増える傾向にあります。派遣先にとっては、人事管理の手間を最小限に抑え、大量発注による値引きの交渉もしやすくなるというメリットがあるからです。各派遣会社では、このような派遣会社集約の流れによりシェアを拡大するための営業の競争が激化しています。

仕事の獲得という役割のほかに、派遣先の求める業務内容、就業条件の確認、料金交渉、派遣制度の説明なども営業の役割です。特に、派遣のトラブルには、業務内容に関することが多いため、営業が正確に業務内容を把握することは非常に重要です。

コーディネーターが派遣スタッフを選択する

営業が取ってきた仕事に、誰を派遣するかを選び出すのがコーディネーターの役割です。システムで管理された多くの登録スタッフの中から、派遣先が要求するスキルを満たす者を検索し、候補者を選んでいきます。そして、候補者に仕事の説明をして、本人が了解すれば、基本的に決定です。どこまで適した人材を選べるかは、派遣会社の評価のポイントになりますから、この役割も重要です。

中小の派遣会社では、営業がコーディネーターの役割を兼任することが多いようです。一見不便なようですが、派遣先の要望が正確に伝わり、スタッフの最適な選択につながるというメリットがあります。一方、大手の派遣会社では、役割が分業されているため、派遣先の要望が伝わりにくいことが考えられます。しかし、営業にコーディネーターが同行して派遣先の要望を確認するなど、適切なマッチングをするために、十分な工夫がされているようです。

派遣が決まった後もフォローが必要

派遣が始まってからも、スタッフ

……営業とコーディネーターの役割……

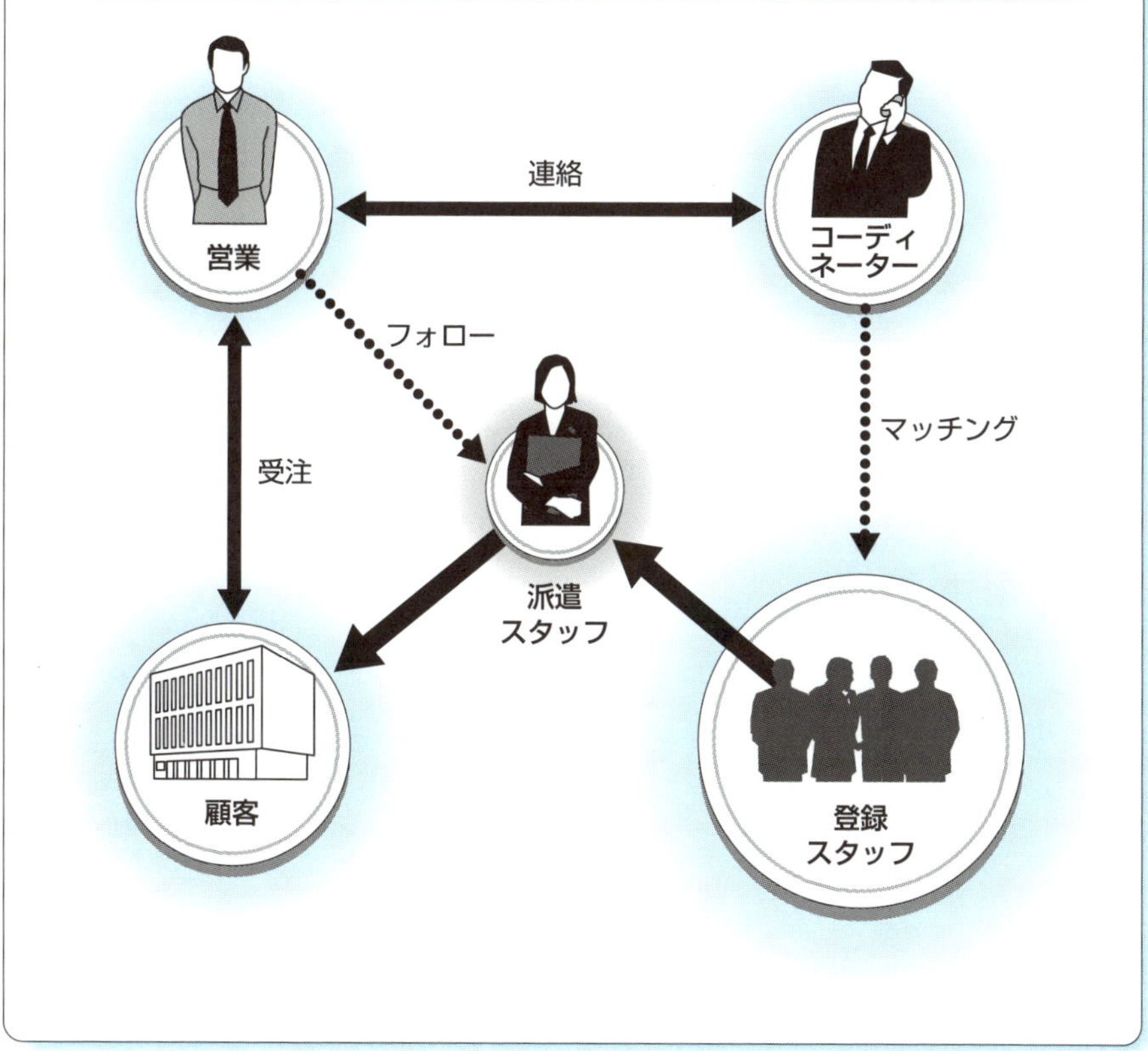

へのフォローが必要です。特に初めての派遣先や派遣スタッフには、初日、3日後、1週間後と、営業が連絡を入れて、状況を確認します。1週間うまくいけば、ほとんどの場合は問題なく派遣期間満了まで就業できるそうです。

トラブルがあれば、営業が解決に当たりますが、パソコンの操作が分からないなど、仕事の技術的なフォローが必要なときは、業務の専門知識のあるアドバイザーが介入して対処することもあるようです。

大手では、スタッフの人間関係などの悩みを聞くカウンセラーもいますが、中小では、営業がこの役目も担います。

このように、営業は多くの重要な役割を担い、派遣会社の評価につながる重要な部門といえるでしょう。

8 新たに派遣事業へ進出するには

▼顧客のニーズをいかにつかむかがポイント

派遣事業への進出

人材派遣の市場は、既に大手派遣会社が多くを占めています。これから派遣事業を始める場合、後発の、なおかつ資本の少ない中小企業が成功するにはどうしたらよいのでしょうか。

ここでは、後発の人材派遣会社が成功した、具体的な例を見てみましょう。

土木・建築設計業からの進出

株式会社サプル（東京都千代田区）は、昭和58年に貸ビル業として設立され、その後、グループ会社で土木・建築の設計の請負事業からスタートした会社です。

請負は、注文者が指揮命令を直接行わないという点で派遣とは異なるものですが、人材派遣として事業の許可が必要な業務への要望が顧客から多く出始めたことから、平成9年に派遣事業へ進出することになりました。当初は一般事務的なニーズが大方でした。その後、より専門職種のニーズの拡大から家電メーカーへの専門技術者の派遣へ拡がり、最近ではコールセンター需要の増加により、それぞれの専門性に地域特性なども踏まえた派遣を伸ばしています。

同社の派遣の特徴は、現在のような早い商品サイクルにおいて、正社員だけではまかない切れない人材を外部へ求めるという企業のニーズに対し、専門分野、ノウハウを要する部分に特化して応じることにあります。特定の開発などについて一貫して請け、顧客のニーズによっては、派遣、請負、紹介を含め、プロジェクト化の提案、実施をしています。

また、いわゆる中小派遣会社である同社としての「強み」、例えば小回りの効く営業体制や、営業担当者が登録受付、採用から就業まで一貫した派遣社員とのフェイス・トゥ・フェイスのコンサルティングやフォロー、素早い経営判断等々、を活かして派遣先であるお客様と派遣就業する社員の両者にとって安定した派遣実績で信頼度を上げてきています。特に、今勢いのある高度通信サービス業におけるコールセンターでは、

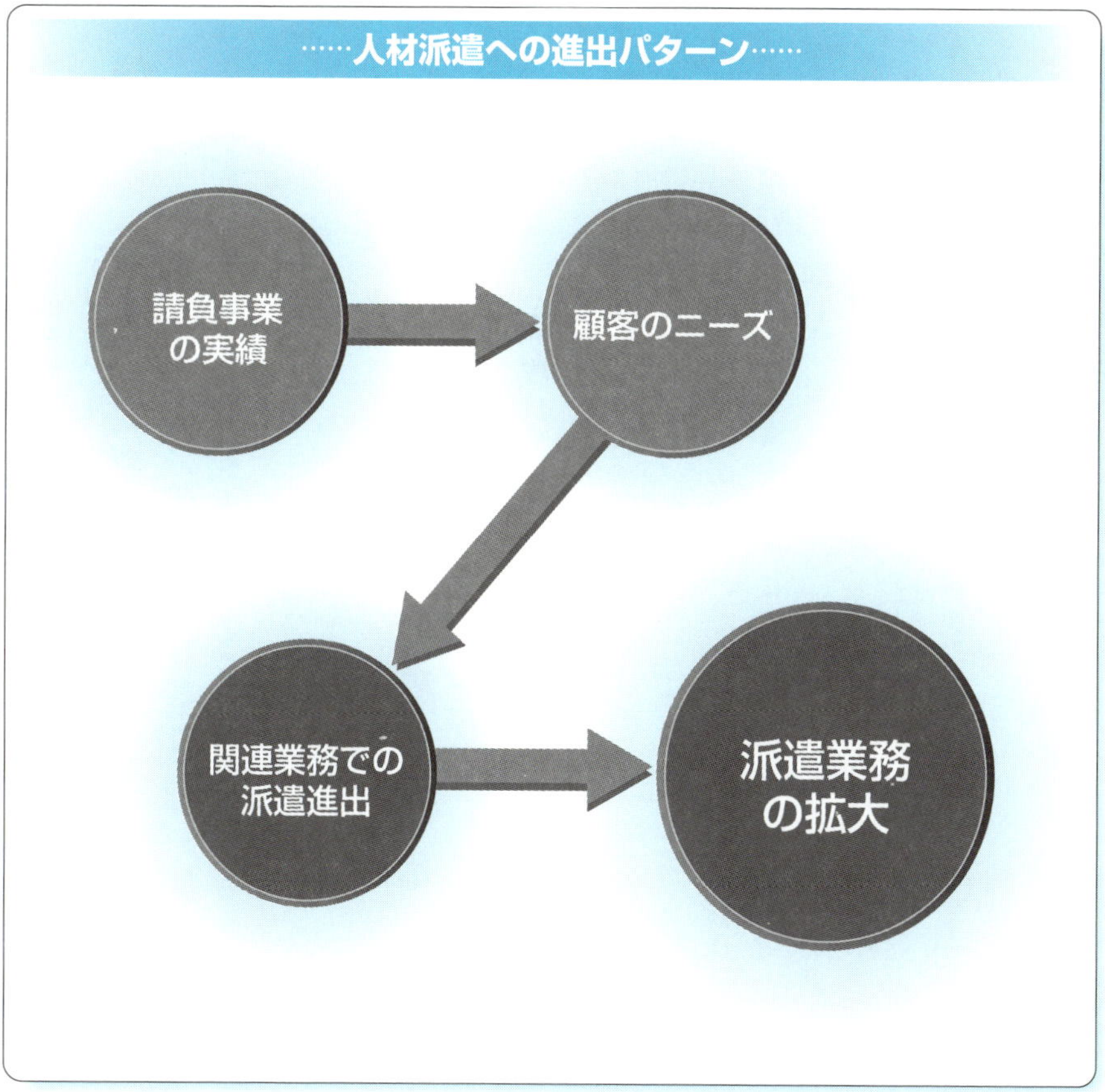

こうした信頼感や実績がなによりの企業PRとなり、その関連企業や他部署への拡がりを期待され新たなオーダーにも繋がっているとのことです。改正派遣法も相まって、派遣社員のキャリアアップ推進に対してもこうしたお客様との方向性を合わせた一体感ある育成体制を充実させていく延長線上に新たな事業展望なども見出しつつあります。

我が国の製造業通信業では、取引経験が非常に重視されるため、信頼関係を基盤に成功した実例といえるでしょう。

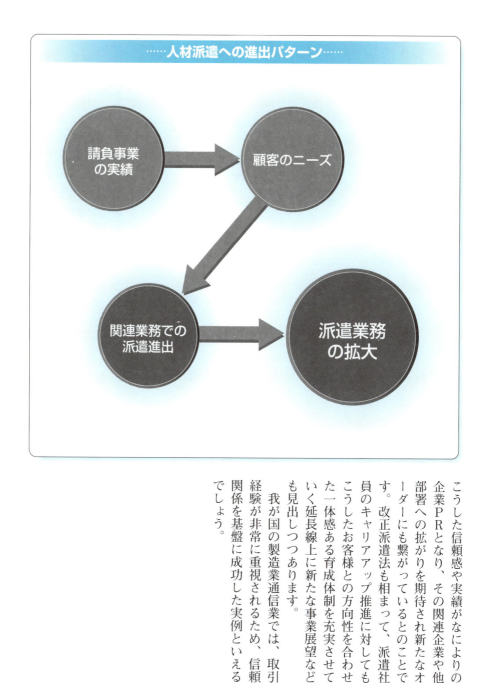

9 派遣事業成功のポイント

▼サービスの差別化を図り、根気よくスタッフを育成する

新規参入は個性的な経営を

どのような事業でも、料金が安い、サービスがよい、商品の品質がよいなど、新規参入の企業が成功するポイントがいくつかあります。しかし、派遣事業では、大量の登録スタッフを抱え、その中からシステマチックに選出し、迅速に派遣することができる大手派遣会社と、新規参入を目指す中小企業が、同じ土俵で勝負することは難しいでしょう。

これから派遣事業に参入しようという企業は、顧客のニーズをいかに実現するかという点において、個性的な経営を目指す必要があるでしょう。8で紹介した会社の例を参考に、そのポイントをいくつか挙げてみましょう。

専門分野で他社との差別化を図る

どのような事業でも、ほかでも買える商品やサービスは、顧客に強い購入意欲を与えることはできません。他社ではできない専門分野を持つことが、これからの派遣会社に不可欠になるでしょう。

また、人材派遣では、提供するサービスが顧客に満足されなければ、途中解除となります。いくら営業が新規の契約を取ってきても、継続して派遣できなければ利益を上げていくことはできません。スタッフの人柄やスキルはもちろん、派遣業務に専門的な裏付けがあり、顧客と派遣スタッフの間に入って、派遣業務がうまく進むように助言を与えられるよう体制を整えることが、派遣契約を長期的に実施するためのポイントになります。

顧客の要求を実現するコンサルティング

特定の業務を処理して欲しいという顧客のニーズに対し、顧客が期待していた以上のサービスで応えることができれば、他社より1歩リードすることができます。例えば、顧客がこれまで2人で処理していた業務について、一部をアウトソーシングで処理し、残りを派遣スタッフ1人で処理できるといった安価な提案と

ともに派遣ができれば、顧客の信頼を得ることができるでしょう。

人に向き合う根気と愛情

人材派遣という事業では、派遣社員とどう接するかが、日常的に最も重視されることでしょう。派遣先で職場に馴染めない、遅刻が多いなどの問題を解決するには、根気と愛情も必要なのです。

例えば、株式会社サプルでは、社員も交えて数人のプロジェクトで業務を行う派遣が多いことから、いい加減な人物が出てくると他へも波及するため、まずは、信頼できる社員のリーダーを育成し、規律や自己責任の醸成に力を入れてきたそうです。そうした派遣社員の育成、定着の成功には、営業担当者のスキルによるところが大きい為、営業担当自身もリーダーシップや管理者としての資質向上などの啓発が要求されます。

第2章

人材派遣をめぐる法律

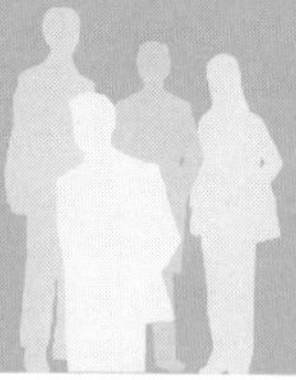

10 人材派遣の法律的性格

▼人材派遣のトライアングルと派遣法

人材派遣のトライアングル

ここから、人材派遣に関する法律の説明に入っていきます。まずは、本書を通して何度も用いる3つの用語を確認しましょう。

人材派遣に従事して働く労働者を「派遣スタッフ（法律用語では「派遣労働者」）」といい、派遣スタッフを雇用し派遣事業を行う会社を「派遣元」、派遣スタッフを受け入れる会社を「派遣先」といいます。

人材派遣を理解するために、まずはこの三者（トライアングル）の関係を理解する必要があります。

正社員を雇用する一般的な会社の場合には、自らの雇用する労働者に、自ら指揮命令して働かせますが、人材派遣では、自ら（派遣元）の雇用する労働者を他社に派遣して、その派遣先が指揮命令して働かせるものです。

このように、派遣スタッフと派遣元との間には雇用（社員として雇用する）関係が、派遣スタッフと派遣先との間には指揮命令（具体的な仕事の指示を与える）関係があり、雇用関係と指揮命令関係が分離することに人材派遣の法律的な特徴があります。

人材派遣は禁止の例外

そもそも、人材派遣はまったく自由に許されているものではありません。法律の考えでは、人の自由な意思を阻害する恐れのあるような、労働者をやり取りする事業を好ましくは捉えてなく、労働者供給という禁止事業（職安法第44条）に含まれている人材派遣は、もともとは禁止されていました。

しかし、失業者の就業機会を増やす役割への期待や社会の成熟とともに、昭和61年に施行された派遣法のもと、一定のルールに従って行われている事業についてのみ、例外的に許されているのです。

派遣法の変遷

社会の要請によって派遣業界は次々に新しい派遣商品を開発してきました。派遣法は、このような派遣

……「一般的な雇用契約」と「人材派遣契約」の違い……

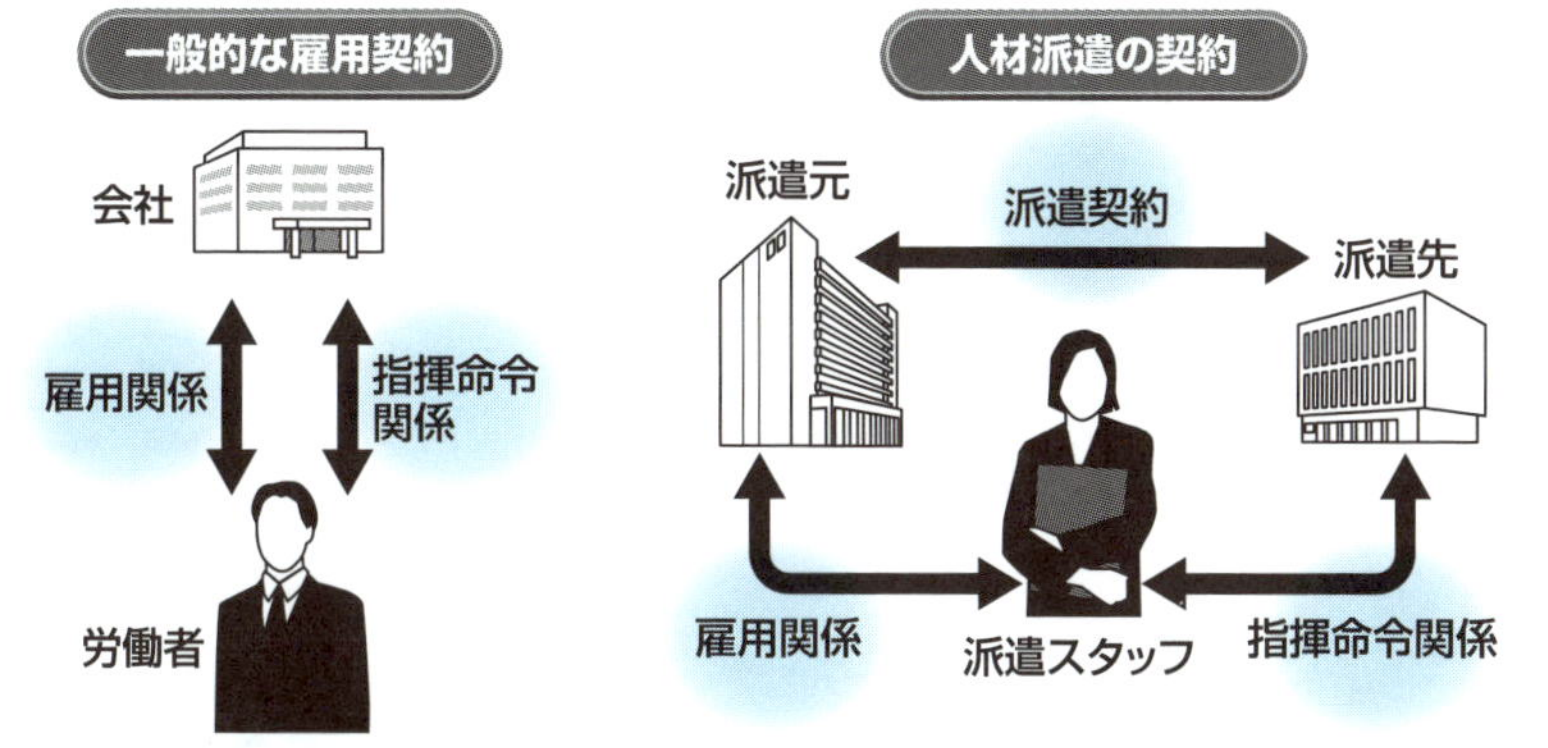

……派遣法の変遷……

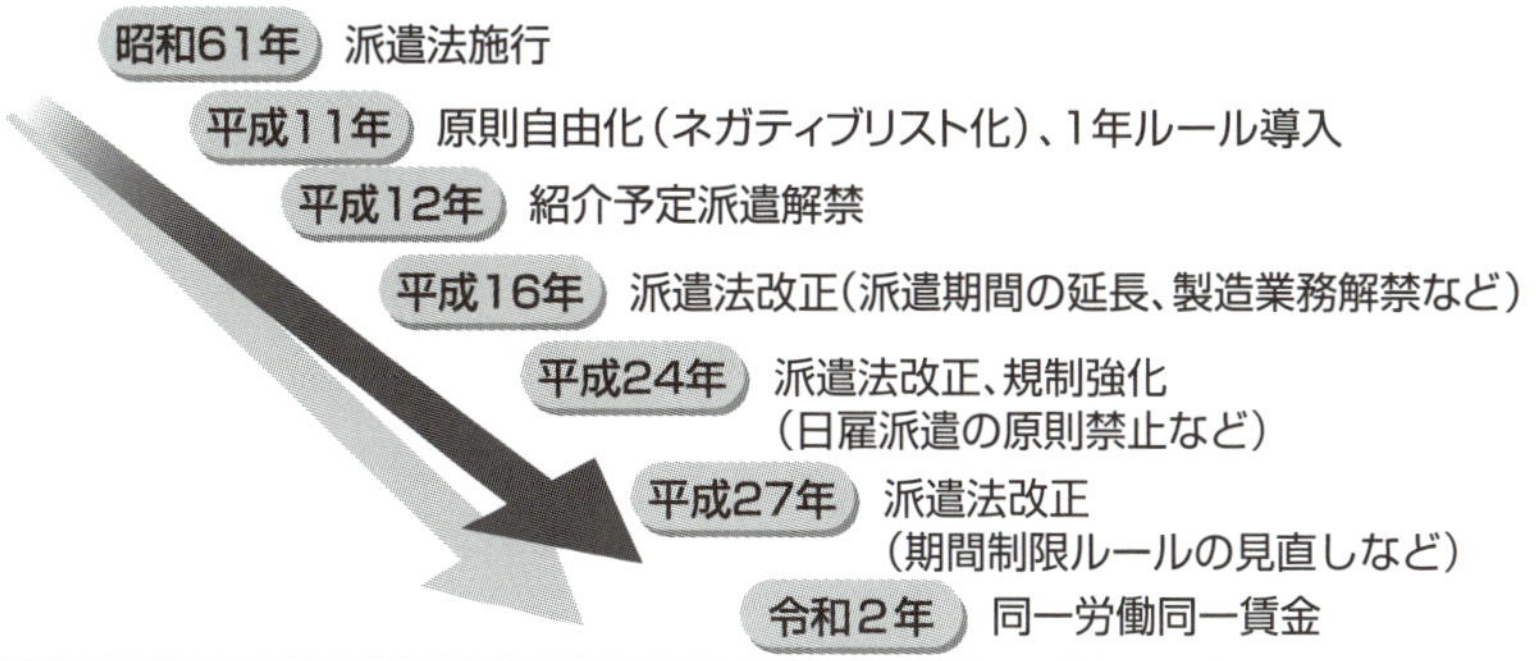

業界の進化、拡大、そして社会のニーズに追随するように改正されてきました。

特に、平成11年には派遣を行うことのできる業務が、それまで限定的に許可業務を列挙（ポジティブリスト）されていたものから原則自由化され、禁止業務を列挙（ネガティブリスト）する形に変わりました。このことにより対象業務が増え、派遣市場は大きく拡大しました。

しかしその後、人材派遣にまつわるトラブルなどから、規制強化へ転じました。平成24年に改正派遣法が成立し、日雇派遣の原則禁止などが行われることになりました。

さらに、平成27年9月大改革が行われました。派遣期間のルールが見直され、特定派遣事業が廃止され、人材派遣は新たな時代に突入しました。

11 派遣事業と労働法

▼派遣会社は労働基準法や派遣法を遵守する

労働法がある

事業を営むうえでは、様々な法律（ルール）に従う必要があります。会社法に規定する法人の設立や取締役の責任、法人税法による納税義務などがその代表的なものです。

特に労働者を使用する場合は、使用者よりも弱い立場にある労働者の権利や福祉を保護するため、多くのルールが定められています。この労働者の保護を目的とする分野の法律を「労働法」といい、最も代表的なものが「労働基準法」です。

労働基準法では、労働時間や賃金の取扱いなどについて、図表のような内容のルールを定めています（174ページ参照）。

その他にも、「男女雇用機会均等法」「育児・介護休業法」「安全衛生法」など、労働法には実に多くの法律があります。

人材派遣には派遣法

さらに、人材派遣では、労働基準法などの労働法が適用されることはもちろん、これまでも何度かお話ししてきたように、派遣法によって、ルールが定められています。

派遣法では、派遣会社の事業の許可基準や運営に関するルールのほか、派遣スタッフの保護に関するルールなど、図表のような内容が定められています。

ここでは、その全体像だけを覚えておきましょう。

労働基準法については、条文を読んだことがない人でも、社員としての勤務を経験した人であれば、なんとなくその内容を知っていることでしょう。

一方、派遣法については、そもそも人材派遣が新しい就業形態であるため、派遣元のように常に派遣に携わる者を除いてその内容はあまり知られていないようです。しかし、大事な法律ですから、派遣先の経営者、管理職など、そして派遣スタッフもよく知っておく必要があります。

……労働基準法の概要……

①労働条件の原則
②労働契約
③賃金
④労働時間、休憩、休日、年次有給休暇
⑤安全衛生
⑥年少者、女性の特別事項
⑦災害補償
⑧就業規則
⑨罰則

……派遣法の概要……

①派遣ができる業務の範囲
②派遣事業の許可
③派遣契約に定めるべき事項
④派遣期間の制限
⑤派遣元の講ずべき措置
⑥派遣先の講ずべき措置
⑦労働基準法など法律の適用に関する特例
⑧罰則

12 人材派遣と有料職業紹介事業の違い

▼有料職業紹介の事業者は紹介する人を雇用しない

人材派遣と間違えやすい事業

人材派遣と一見似た形で行う事業があります。例えば、有料職業紹介事業、建設などの請負、出向、業務委託といったものです。

人材派遣は、派遣法によって一定のルールのもとで行う必要があることを説明しましたが、このような人材派遣と異なる事業形態については、もちろん派遣法の適用はありません。

人材派遣を行う会社では、多くが有料職業紹介や請負などの事業を兼ねています。個々の事業が人材派遣に当たるのか、あるいはその他の事業形態なのか、その判断基準を理解しておかなければなりません。

有料職業紹介とは

有料職業紹介事業とは、家政婦、マネキン（デパートなどで衣類などを宣伝・販売する人）などを、紹介料を徴収して紹介する事業です。

この有料職業紹介事業は、「職業安定法」により事業を行ううえでの労働者保護などのルールが定められていて、厚生労働大臣の許可を受けて（職安法第30条）、港湾運送業務、建設業務などの禁止された職業（職安法第32条の11）を除いて、認められているものです。

いわゆるアウトプレースメント業（再就職援助業）のうち、教育訓練、相談、助言などのみならず、職業紹介を行う事業もこの有料職業紹介事業です。

人材派遣との違い

人材派遣と有料職業紹介については、事業者へ人材のリクエストをして、派遣または紹介された者が会社の業務を処理しにきてくれることが非常に似ていることから、両者を混同している人もいます。両者の違いは、人材派遣が派遣元で雇用されている人を派遣するのに対し、有料職業紹介では紹介事業者は紹介をするだけに留まり、雇用するのは紹介を受けた会社であるという点です。

従来は、派遣または紹介される人の行う業務により人材派遣と有料職業紹介の事業者の住み分けがありましたが、現在では業務の自由化によ

……人材派遣と有料職業紹介の違い……

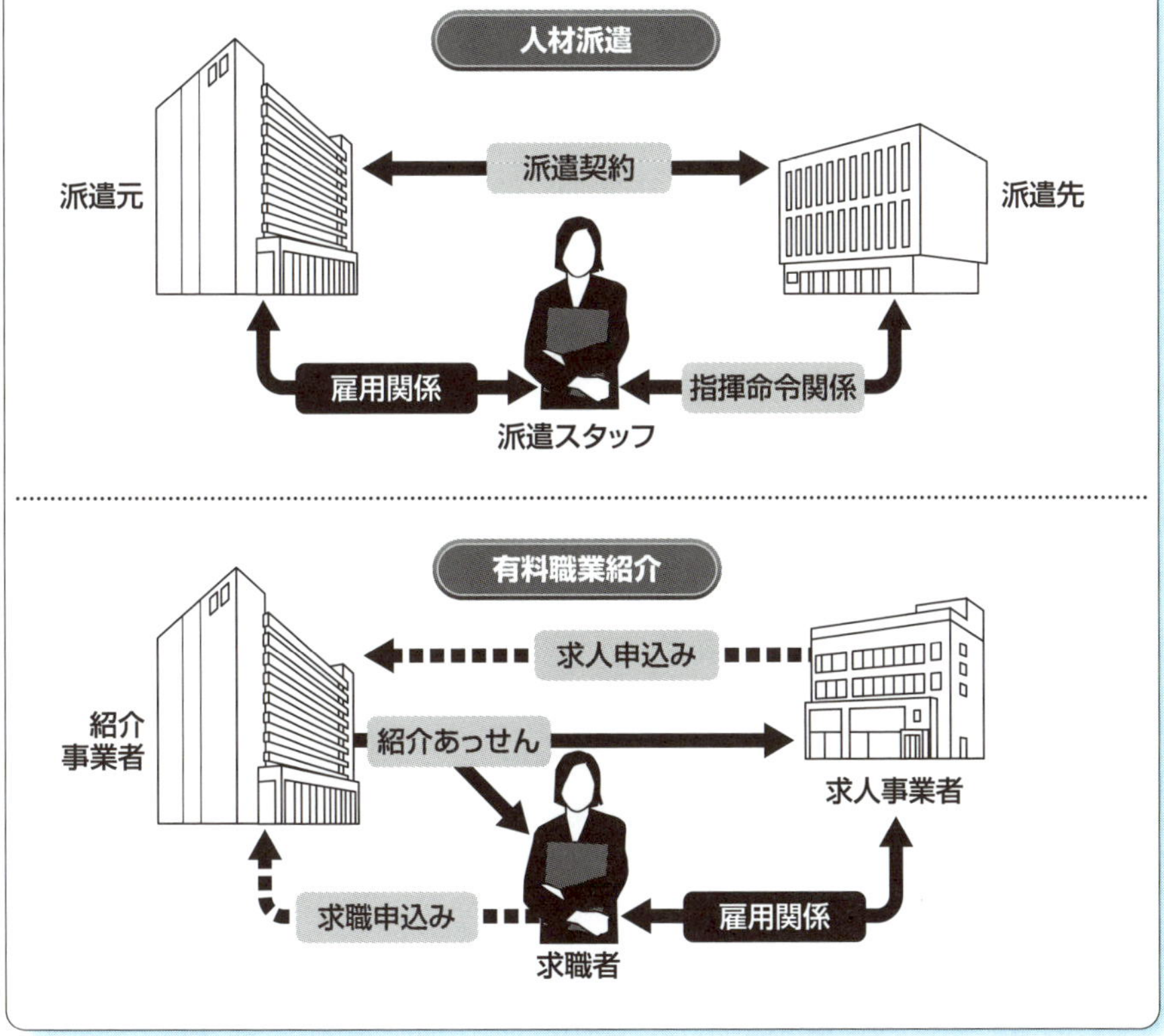

り、むしろそれらを利用する会社が人材を必要とする事情により方法を選択する時代といえるでしょう。

なお、人材派遣にも、紹介予定派遣といって、派遣スタッフを派遣期間後に雇い入れることを予定して派遣を行うものがあります。詳しくは28で説明します。

13 派遣と請負の違い

▼請負は自ら指揮命令し完成に責任を持つ

請負とは

請負とは、建設業や製造業などで広く行われていて、「請負人がある仕事を完成することを約束し、注文者がその仕事を完成したら報酬を支払うことを約束する契約」です（民法第632条）。

例えば、ある人がリフォーム業者へキッチンの改造工事を依頼します。請負人であるリフォーム業者はその工事の完了を約束し、注文者は工事が完了すれば50万円の支払いを約束するといったものです。

請負により事業を行う場合、人材派遣のように、禁止されている業務はありません。原則自由に行うことができます（ただし、一定規模以上の工事を行うには建設業許可が必要となるなど、例外があります）。

請負の判断基準

請負の場合、自らの雇用する社員を工事現場など依頼者のところへ出向かせ、依頼された業務に従事させることが人材派遣と似ています。人材派遣と請負の違いは、人材派遣が、派遣先で具体的な指揮命令を受けるのに対し、請負は、請け負った事業者が自ら指揮命令して、その業務の完了に責任を負うことにあります。

行政では、人材派遣なのか請負なのか、その判断をする詳細な基準を図表のように示しています（昭和61年労働省告示第37号）。なお、一般にいう「業務委託」とは、民法第656条の「準委任」だといわれていますが、行政は人材派遣との比較において業務委託を請負に含めてとらえています。

ただし請負として契約書を交わしていても、実態として請負の要件を満たさなければ、また、要件を満たしていても故意に偽装していると認められれば、人材派遣を行っていると判断され、派遣法が適用されます。

ところで、新たに人材派遣を開始する事業者が、初めは請負で業務を受託し、一応の事業基盤を築いてから、人材派遣の申請を行って派遣事業に参入するというケースがよく見られます。この際、人材派遣と請負の違いを正しく理解し、違法な事業とならないよう注意が必要です。

……人材派遣と請負の違い……

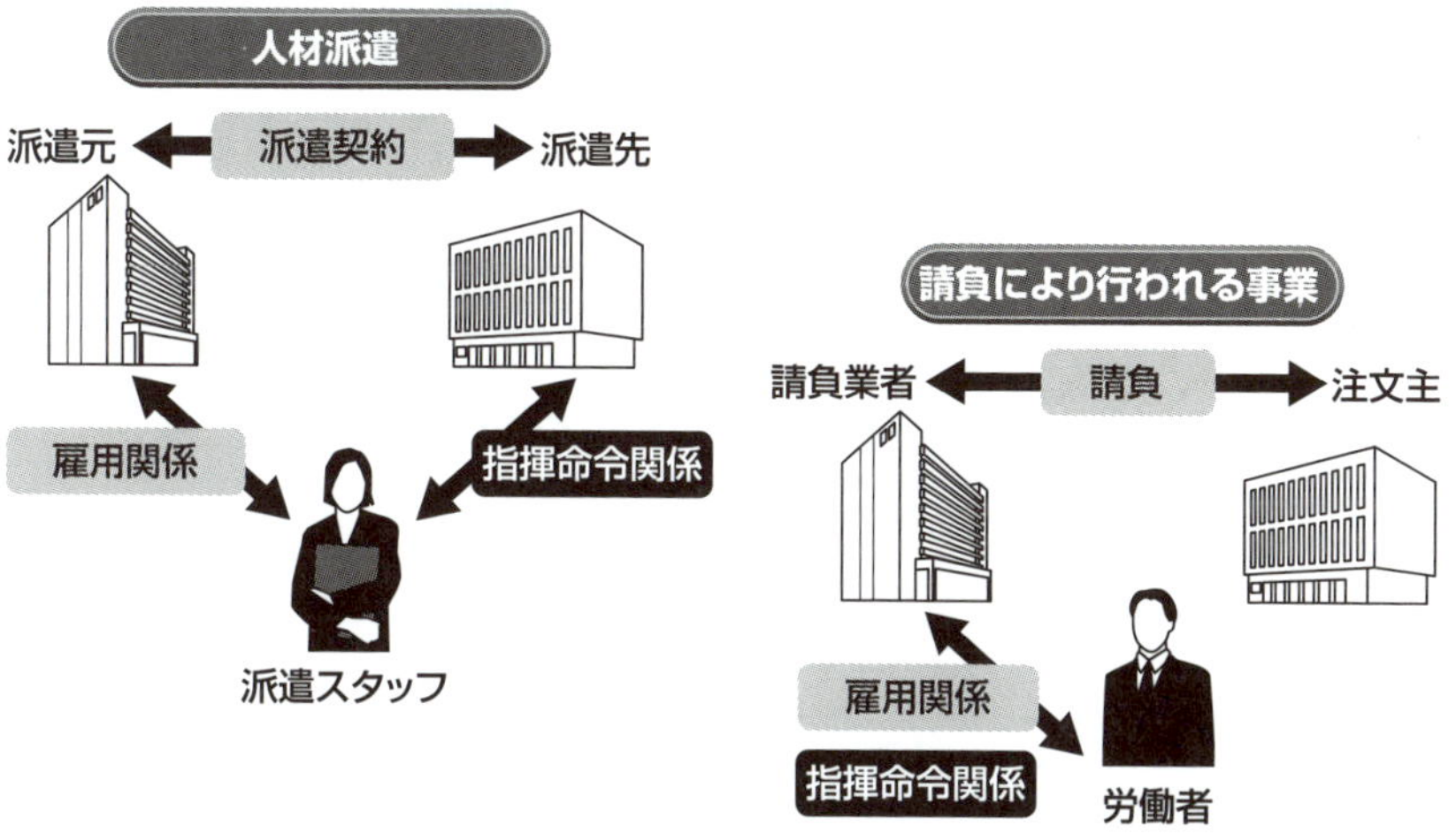

……請負であることの判断基準の概要……

次のすべてに当てはまる場合は請負となる。

1「自己の雇用する労働者の労働力を自ら直接利用するもの」

①業務の遂行に関する指示その他の管理を自ら行うもの
②労働時間などに関する指示その他の管理を自ら行うもの
③企業における秩序の維持、確保などのための指示その他の管理を自ら行うもの

2「請負契約により請け負った業務を自己の業務として当該契約の相手方から独立して処理するもの」

①業務の処理に要する資金につき、すべて自らの責任の下に調達し、かつ、支払うこと
②業務の処理について、民法、商法その他の法律に規定された事業主としてのすべての責任を負うこと
③単に肉体的な労働力を提供するものでないこと

チェック

いる／いない
いる／いない
いる／いない
いる／いない
いる／いない
いる／いない
いる／いない
いる／いない
いる／いない
いる／いない
いる／いない
いる／いない
いる／いない
いる／いない

「偽装請負」とは、本来は人材派遣であるものを「請負」と称して派遣事業の許可または届出をせずに行っているものなどです。それ以外にも、人材派遣と判断されることを知らないまま、誤った形で事業を行っている場合もあります。

自主点検について

請負として事業を行っている会社や請負を活用する会社で、その請負として行っている業務の遂行方法について、人材派遣とみなされる場合がないかチェックしてみましょう。

次の自主点検項目は行政の公表しているものです。点検事項を読んで、「チェック」欄の「いる」「いない」のいずれかに○をしてください。1つでも「いない」があった場合、人材派遣とみなされる可能性があります。

派遣と請負の区分基準に関する自主点検項目

Ⅰ 自己の雇用する労働者の労働力を自ら直接利用すること

1 業務の遂行に関する指示その他の管理を自ら行うこと

(1) 労働者に対する仕事の割付け、順序、緩急の調整等を自ら行って

(2) 業務の遂行に関する技術的な指導、勤惰点検、出来高査定等について、自ら行って

2 労働時間等に関する指示その他の管理を自ら行うこと

(1) 労働者の始業及び終業の時刻、休憩時間、休日、休暇等について事前に注文主と打ち合わせて

(2) 業務中に注文主から直接指示を受けることのないよう書面が作成されて

(3) 業務時間の把握を自ら行って

(4) 労働者の時間外、休日労働は業務の進捗状況をみて自ら決定して

(5) 業務量の増減がある場合には、事前に注文主から連絡を受ける体制として

3 企業秩序の維持、確保等のための指示その他の管理を自ら行うこと

(1) 事業所への入退場に関する規律の決定および管理を自ら行って

(2) 服装、職場秩序の保持、風紀維持のための規律の決定および管理を自ら行って

(3) 勤務場所や直接指揮命令する者の決定、変更を自ら行って

Ⅱ 請負業務を自己の業務として契約の相手方から独立して処理すること

(1) 事業運転資金等をすべて自らの責任の下に調達・支弁して

(2) 業務の処理に関して、民法、商法その他の法律に規定された事業主としてのすべての責任を負って

(3) 業務の処理のための機械、設備、器材、材料、資材を自らの責任と負担で準備しているまたは自らの企画または専門的技術、経験により処理して

(4) 業務処理に必要な機械、資材等を相手方から借り入れまたは購入した場合には、別個の双務契約（有償）が締結されて

14 人材派遣と出張・出向の違い

▼出張は指揮命令、出向は雇用関係が異なる

出張は人材派遣か

ここまで、人材派遣と似た形態で行われる事業として、有料職業紹介と請負を説明してきました。人材派遣とそれ以外の事業は、事業の形態によって法律の関係や規制などが微妙に異なってくることをご理解いただけたと思います。

ところで広辞苑で派遣という言葉を調べると、「命じて出張させること」とあります。しかし、企業が社員を遠方の業務に就かせるために出かけさせる出張の場合は、雇用される会社の具体的な指揮命令を受けながら出張先で会議などの一定の業務に従事するだけですから、派遣法に規定する派遣ではありません。

しかし、社内では出張と呼んでいても、出張先で具体的な指揮命令を受け、その管理のもとで業務に従事する場合などは、派遣法が適用される可能性も出てくるのです。

派遣法では、事業として（一定の目的で反復継続して）行うものを規制していますが、たとえ事業とはみなされない1度だけの派遣であっても、就業条件の明示（派遣法第34条）、役務の提供を受ける期間（派遣法第40条の2）など、いくつかのルールが適用されることもありますから、派遣事業を行っていないというだけでは安心できません。

出向は人材派遣か

出向とは、社外への人事異動をいいますが、「在籍出向」と「移籍出向（転籍）」があります。

移籍出向は、出向元（もともと雇用されていた会社）との雇用関係を終了して、新たに出向先との間で雇用契約を結ぶため、「自己の雇用する労働者を派遣する」人材派遣には当たりません。

一方、在籍出向は、出向元との雇用関係を残したまま新たに出向先とも雇用契約を結ぶもので、派遣法が、「労働者を他人に対し雇用させることを約束して行うものを含まない」としていることから、これも人材派遣には当たりません。

ただし、この出向かどうかの判断について、行政では、出向、派遣といった名称によることなく、賃金の

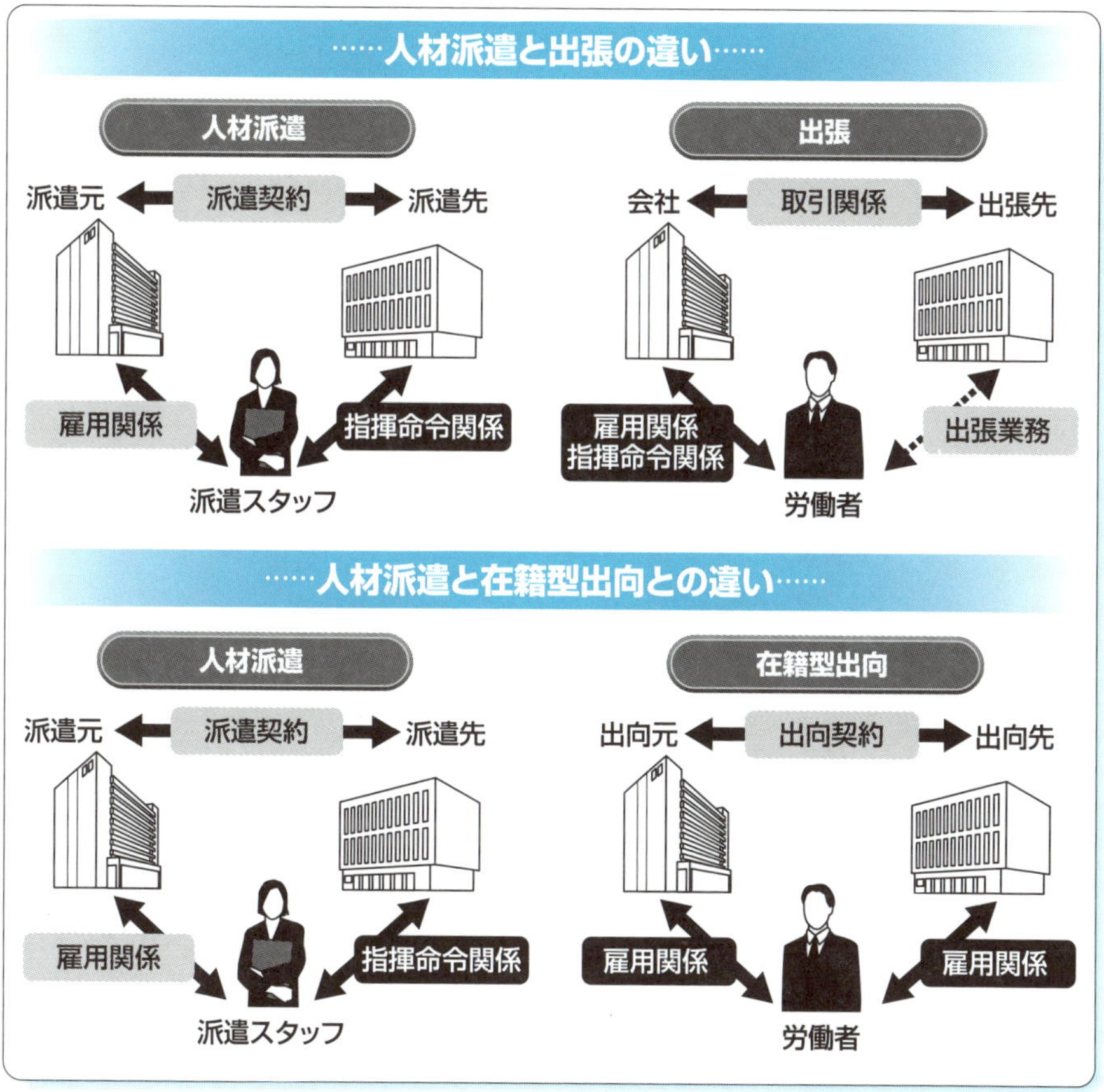

支払い、社会保険・労働保険への加入、懲戒権の保有、就業規則の直接適用の有無、出向先が独自に労働条件を変更することの有無などの実態により判断するとしています。

第3章

派遣事業の許可と派遣活用のタイプ

15 派遣会社はあらかじめ事業の許可を取る必要がある

▼改正された労働者派遣事業の許可基準

改正された派遣事業の許可

労働者派遣事業を行おうとするときは、その事業を開始しようとする会社が、適正に運営され、派遣スタッフの保護と雇用の安定が確保されるため、厚生労働大臣に対して、許可の申請を行わなければなりません（派遣法第5条第1項、派遣則第19条）。ここは、平成27年9月より大きく改正された部分です。

これまでの派遣事業は、「一般労働者派遣事業」（派遣就労を希望する人が登録し、派遣先が見つかったところで雇用契約を結び派遣するもので「登録型」ともいいます）と、「特定労働者派遣事業」（期間の定めのない常用雇用の労働者だけを派遣するもので「常用型」ともいいます）の2種類があり、「一般」は許可、「特定」は届出により事業を行うことができました。

許可と届出の違いは、許可は一定の基準を満たすこと（高いハードル）を行政に認めてもらわなければ事業を開始ができないのに対し、届出は一定の欠格要件に当たらないこと（低いハードル）の確認を受けることで事業を開始できることです。

この部分が改正され、「一般」「特定」の区分なくすべての派遣事業で許可が必要になりました。

許可の概要

労働者派遣事業の許可を受けるには、①「許可の欠格事由」（左頁の図表参照）に該当しないことと、②「許可基準」（70ページ図表参照）を満たしていること、この2つが必要です。なお、平成27年の改正から新たに設けられた「キャリア形成支援制度」は71ページの図表のとおりです。

欠格事由とは

許可基準を満たしていても、欠格事由（派遣法第6条）に該当すると許可を受けることはできません。また、許可を受けた後であっても、許可の欠格事由に該当したときは、許可が取り消されることになります（派遣法第14条1項1号）。

……許可の欠格事由……

次のいずれかに該当するときは、労働者派遣事業の許可を受けることができない。

1　法人の場合

①労働基準法、職業安定法など労働に関する一定の法律の規定に違反し、または刑法等の罪を犯したことにより、罰金の刑に処せられ、その執行を終わり、または執行を受けることがなくなった日から起算して5年を経過していない場合
②破産手続開始決定を受け復権していない場合
③許可の取消しの規定により労働者派遣事業の許可を取り消され、(旧)特定労働者派遣事業の廃止を命じられその許可の取消し等の日から起算して5年を経過していない場合
④労働者派遣事業の許可の取り消し等の通知があった日から処分をする日または処分しないことを決定する日までの間に事業廃止の届出をした場合、その届出日から5年を経過していない場合
⑤法人が暴力団員または暴力団員でなくなった日から5年を経過しない者に事業活動を支配されている場合
⑥法人が暴力団員等を業務に従事させ、または業務の補助者として使用するおそれがある場合
⑦法人の役員のうちに、禁固以上の刑に処せられるなど一定の要件に該当する者がある場合

2　個人の場合

①禁固以上の刑に処せられ、一定の要件に該当していない者
②成年被後見人、被保佐人または破産者で復権していない者
③許可の取消しの規定により、個人事業主として受けていた労働者派遣事業の許可を取り消され、その許可の取消しの日から起算して5年を経過していない者
④労働者派遣事業の許可を取り消された法人の役員であった者で、その取り消し等の日から5年を経過しない者
⑤個人事業として労働者派遣事業の許可の取り消し等の通知があった日から処分をする日または処分しないことを決定する日までの間に事業廃止の届出をした場合、その届出日から5年を経過していない者、また法人である場合、聴聞の通知の日前60日以内にその法人の役員であった者で廃止届出の日から5年を経過しない者
⑥暴力団員等、暴力団員等が事業活動を支配する者、暴力団員等を業務に従事させ、または業務の補助者として使用するおそれがある者
⑦労働者派遣事業について法定代理人から営業の許可を受けていない未成年者であって、その法定代理人が上記一定の事項に該当する者

……許可の要件……

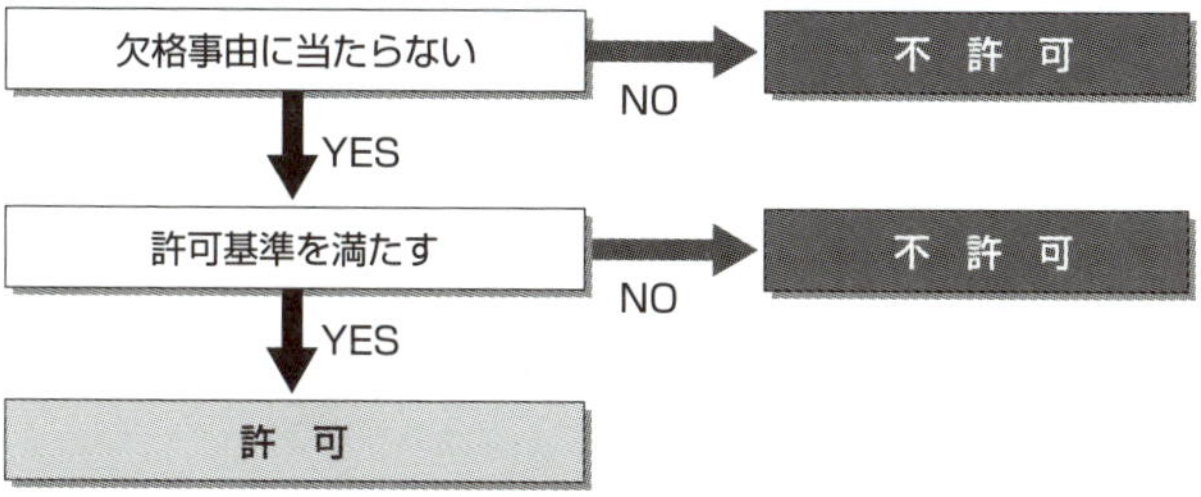

……派遣事業の許可基準……

①専ら労働者派遣の役務を特定の者に提供することを目的として行われるものでないこと。

②事業の派遣労働者に係る雇用管理を適正に行うに足りる能力を有すること。

a 派遣労働者のキャリアの形成を支援する制度を有すること

b 派遣労働者に係る雇用管理を適正に行うための体制が整備されていること

・派遣元責任者として雇用管理を適正に行い得る者が所定の要件および手続に従って適切に選任、配置されていること。など

・派遣元事業主（法人の場合はその役員を含む）が派遣労働者の福祉の増進を図ることが見込まれる等適正な雇用管理を期待し得るものであること。など

③個人情報を適正に管理し、派遣労働者等の秘密を守るために必要な措置が講じられていること。

④事業を的確に遂行するに足りる能力を有するものであること。

a 財産的基礎に関する判断

・資産（繰延資産・営業権を除く）の総額—負債の総額≧2,000万円×事業所数

・基準資産額≧負債の総額×1/7

・事業資金として自己名義の現金・預金の額≧1,500万円×事業所数

b 組織的基礎に関する判断

・派遣労働者数に応じた派遣元責任者が配置される等組織体制が整備され、労働者派遣事業に係る指揮命令の系統が明確であり、指揮命令に混乱の生ずるようなものではないこと。

c 事業所に関する判断

・事業に使用し得る面積がおおむね20㎡以上であり、労働者派遣事業を行うのに適切であること。

d 適正な事業運営に関する判断

・労働者派遣事業をそれ以外の会員の獲得、組織の拡大、宣伝等他の目的の手段として利用しないこと、など

……キャリア形成支援制度……

1　派遣労働者のキャリア形成を念頭に置いた段階的かつ体系的な教育訓練の実施計画を定めていること

○教育訓練計画の内容

①実施する教育訓練がその雇用するすべての派遣労働者を対象としたものであること

②実施する教育訓練が有給かつ無償で行われるものであること（4の時間数に留意）

③実施する教育訓練が派遣労働者のキャリアアップに資する内容のものであること（キャリアアップに資すると考える理由については、提出する計画に記載が必要）

④派遣労働者として雇用するに当たり実施する教育訓練（入職時の教育訓練）が含まれたものであること

⑤無期雇用派遣労働者に対して実施する教育訓練は、長期的なキャリア形成を念頭に置いた内容のものであること

2 キャリア・コンサルティングの相談窓口を設置していること

①相談窓口には、担当者（キャリア・コンサルティングの知見を有する者）が配置されていること

②相談窓口は、雇用するすべての派遣労働者が利用できること

③希望するすべての派遣労働者がキャリア・コンサルティングを受けられること

3 キャリア形成を念頭に置いた派遣先の提供を行う手続きが規定されていること

・派遣労働者のキャリア形成を念頭に置いた派遣先の提供のための事務手引、マニュアル等が整備されていること

4 教育訓練の時期・頻度・時間数等

①派遣労働者全員に対して入職時の教育訓練は必須であること。キャリアの節目などの一定の期間ごとにキャリアパスに応じた研修等が用意されていること

②実施時間数については、フルタイムで1年以上の雇用見込みの派遣労働者一人当たり、毎年概ね8時間以上の教育訓練の機会を提供すること

③派遣元事業主は上記の教育訓練計画の実施に当たって、教育訓練を適切に受講できるように就業時間等に配慮しなければならないこと

16 派遣事業の具体的な許可の手続き

▼事前の計画や労働局への相談が大切

許可の概要

この許可の申請は、必要な書類を作成し、本社など主な事業所の所在地を管轄する労働局に提出して行います（派遣法第5条2項から4項まで）。

この許可に必要な主な書類は図表のとおりです（派遣法第5条第2項から第4項まで、則第1条の2第1項から4項。ただし、添付書類は、場合によって追加されることもありますから、事前に労働局へ確認してください。

許可の流れ

このように許可を受ける場合、およそ図表のような流れになります。書類の作成は、何度か都道府県労働局の窓口へ通って確認しながら完成させるぐらいの気持ちが必要です。

書類提出後には、都道府県労働局の担当者が書類の記載内容を確認するため、事業所へ直接調査に訪れます。最終的に許可証の交付まで、提出から2～3か月程度はかかりますから、準備は早めに進めましょう。

許可証の明示

派遣スタッフを受け入れようとする企業は、許可を受けている企業以外から、派遣スタッフを受け入れてはならないと定められています（派遣法第24条の2）。

派遣元は、派遣先などが正規の業者であることを確認できるように、労働者派遣事業の「許可番号」を、派遣労働を希望する者や派遣を求める企業などから請求があったときに提示しなければならないこととなっています（派遣法第8条2項）。

……申請から許可までの流れ……

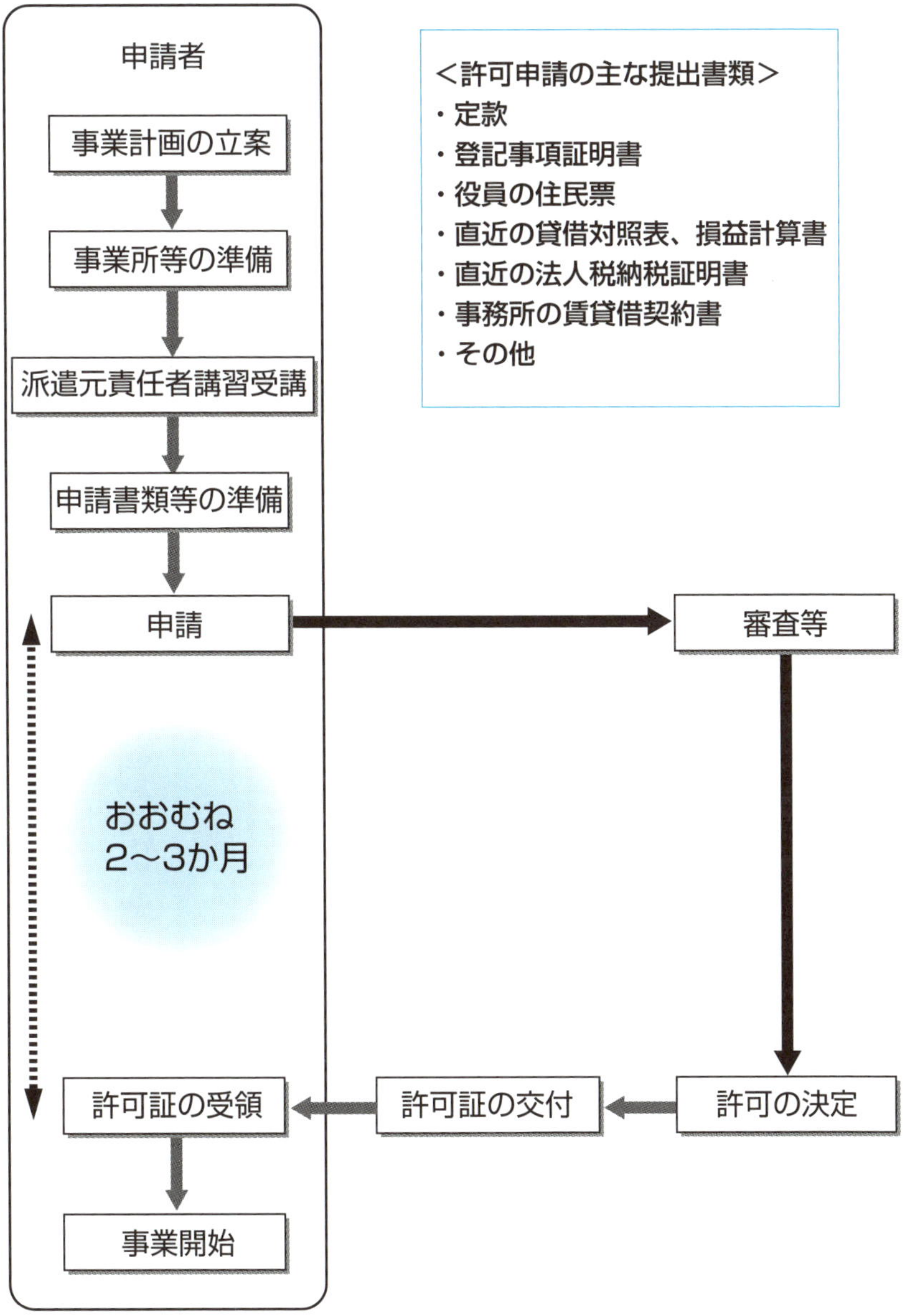

17 許可後の行政の手続き

▼事業開始後も定期および変更時などに手続きが必要となる

事業開始後の手続き

人材派遣事業が行わねばならない行政機関への手続きは、事業開始時の許可申請だけではありません。事業を開始した後も、定期的な報告書の提出や更新手続き、各種変更手続きが必要となります。

定期報告

派遣元事業主は、派遣事業を行う事業所ごとに、毎年、事業年度の経過後3か月以内に「収支決算書」および「関係派遣先派遣割合報告書」を、また、事業年度の状況および6月1日現在の状況について6月末日までに報告書を作成し、本社など主な事業所の管轄の都道府県労働局に提出しなければなりません（派遣法第23条1項、派遣則第17条、派遣則第19条）。

収支決算書は、各事業年度の税務署に提出した「貸借対照表」および「損益計算書」（青色申告をしていない場合は「労働者派遣事業収支決算書」に記載）を提出します。

派遣元が人材派遣事業以外の業務と兼業する場合などは、貸借対照表および損益計算書に人材派遣事業のみの収支状況や事業所のみの収支状況を抜き出して記載する必要はなく、事業全体の収支状況を記載しても差し支えないこととなっています。

許可の有効期間の更新

労働者派遣事業の許可の有効期間は、許可の日から起算して3年です（派遣法第10条1項）。

許可の有効期間である3年が満了したときは、この許可は失効することになりますので、許可の更新を申請しなければなりません。更新後の許可の有効期間は5年となり、以後は5年ごとに更新を繰り返すことになります（派遣法第10条2項、4項、派遣則第19条）。

更新の申請は、許可の有効期間が満了する日の30日前までに、必要な書類を、主な事業所の管轄の都道府県労働局に提出して行います（派遣法第10条5項）。

派遣事業の変更の届出

労働者派遣事業の事業主が図表に

……許可の期間と更新……

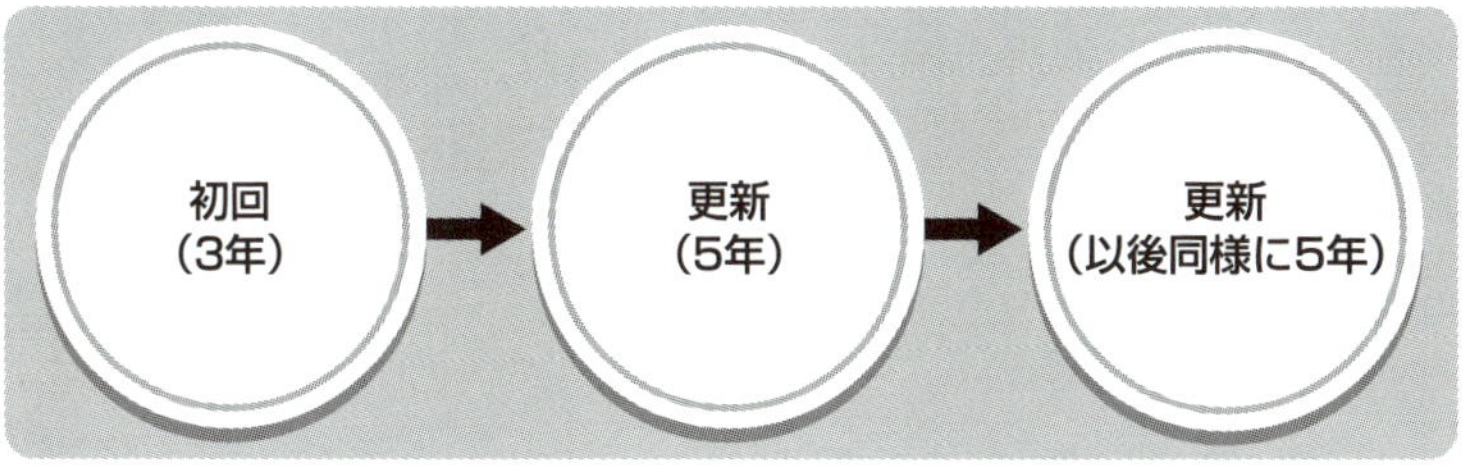

……変更届が必要な場合……

①名称（個人の場合は氏名）の変更

②住所の変更

③代表者の氏名の変更

④役員（代表者を除く）の氏名の変更

⑤役員の住所の変更

⑥事業所の名称の変更

⑦事業所の所在地の変更

⑧派遣元責任者の氏名・住所の変更

⑨特定製造業務への労働者派遣の開始・終了

⑩労働者派遣事業を行う事業所の新設・廃止

掲げる事項を変更したときは、変更のあった日の翌日から起算して10日以内（派遣元責任者の変更は30日以内）に、主な事業所の管轄の都道府県労働局（一部の変更手続きは支店などの所在地でも可）に変更の届出をしなければなりません（派遣法第11条1項、2項、派遣則第8条1項、2項、3項）。

事業廃止届出手続き

労働者派遣事業の事業主が、派遣事業を廃止するときも届出をしなくてはなりません。この手続きは、廃止の日の翌日から起算して10日以内に、管轄の都道府県労働局へ、許可証を添えて「派遣事業廃止届出書」を提出します（派遣法第13条1項、派遣則第10条）。

18 人材派遣の禁止業務

▼建設、警備など人材派遣の禁止業務がある

人材派遣には禁止業務がある

人材派遣は、すべての業務に許されているわけではありません。ここでは、人材派遣がどのような業務についてできるのかを確認しましょう。

派遣法が施行されてから平成11年まで、我が国において、人材派遣は一定の業務に限り許されていました。しかし、ＩＬＯ（国際労働機関）など国際的にも人材派遣の自由化の要求が高まり、日本も「原則自由」へと方針転換がなされ、それまでは「許される業務」を列挙していたものを、労働者が不当な取扱いを受けるようなトラブルが懸念される「禁止業務」を列挙することとし、大幅な適用拡大が行われました。この禁止業務を「ネガティブリスト」といいます。

さらに、平成16年3月の派遣法改正により、これまで禁止されていた「物の製造の業務」が解禁されるなど、派遣可能業務の自由化が進みました。

現在、人材派遣ができるのは、港湾運送業務、建設業務、警備業務、医療関係の業務など、図表に掲げるもの以外の業務となっています（派遣法第4条1項、派遣令第1条、第2条）。

禁止業務の具体例

禁止業務について、具体例を見てみましょう。

港湾運送業務とは、「船内荷役、はしけ運送、沿岸荷役、いかだ運送」などをいいます。

また、建設業務とは、「土木、建築その他工作物の建設、改造、保存、修理、変更、破壊、解体の作業、またはこれらの準備の作業」とされ、直接このような業務に従事する業務が禁止されています。つまり、建設現場にいるからといって、事務の業務までも禁止しているものではありません（業務取扱要領）。

なお、平成18年4月からは、医療関係業務のうち産前産後休業や育児介護休業の労働者の業務、および「へき地」における業務について、派遣が解禁されました。

平成19年4月からは、弁護士など

……派遣が禁止されている業務（ネガティブリスト）……

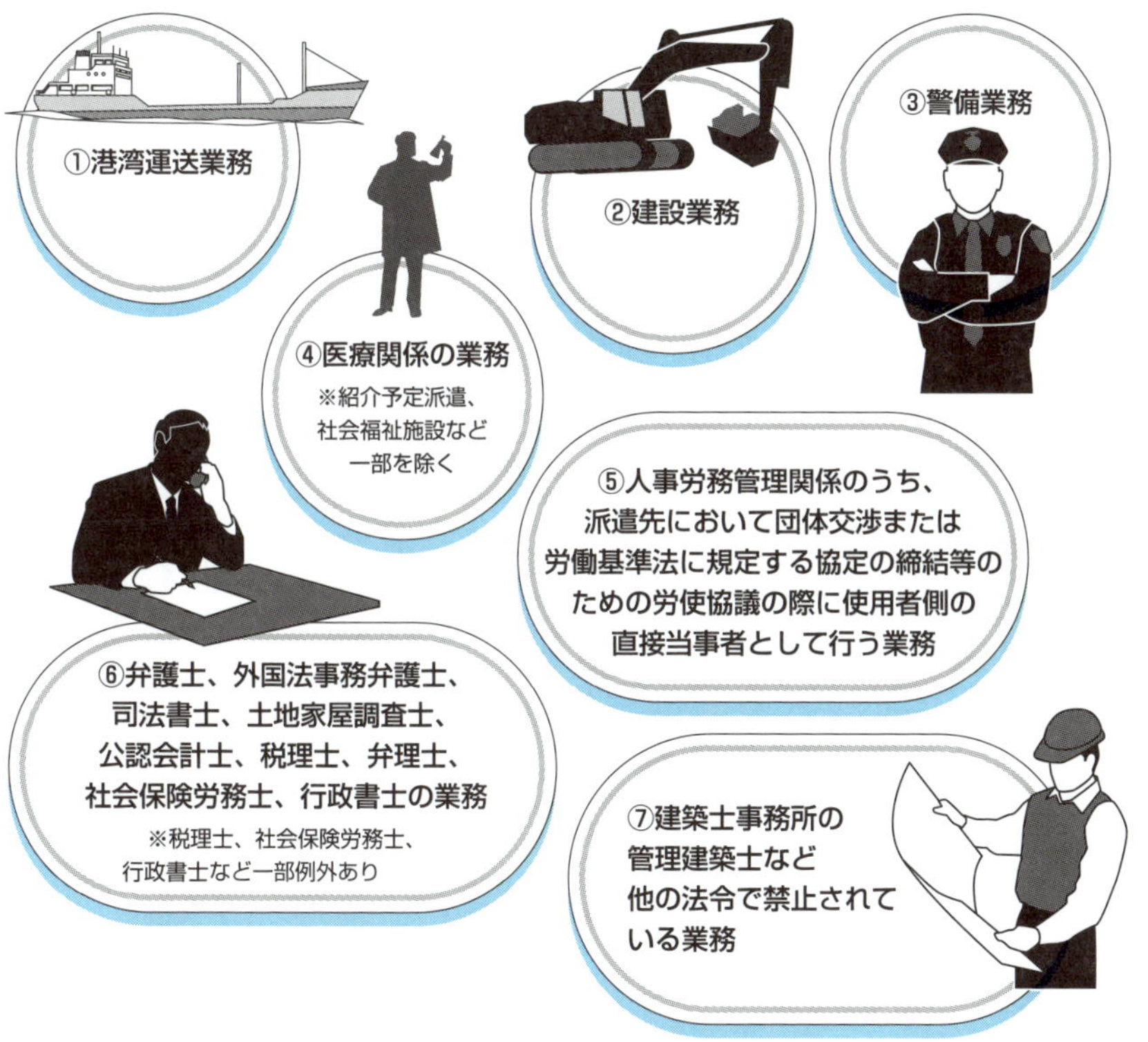

一般に「士業」と呼ばれる業務のうち、税理士や社会保険労務士、行政書士などの業務では、一定の条件の下で、派遣が解禁されています。

19 改正前の派遣活用のタイプ
▼人材派遣のタイプ別の規制を把握する

改正前を確認する

ここでは、平成27年9月に施行された派遣法の改正前の内容を確認しましょう。一部は改正後も類似の規定で使われる部分があります。このところは、後ほど26などで解説します。

図表①～⑤の業務は派遣期間の制限の例外（つまり制限なし）とされていました。以下、具体的な業務への概要を見ておきましょう。

●専門的26業務

派遣業務が原則自由化される前から、派遣の対象となっていた「職業生活全期間にわたる能力の有効発揮と雇用安定に資する業務（旧派遣法第40条の2第1項1号）」として、厚生労働省令（旧派遣令第5条）で定められていました。これを本書では、「専門的26業務」と呼びます。

●プロジェクト業務

事業の開始、転換、拡大、縮小または廃止のための業務であって、一定の期間内に完了することが予定されている業務（旧派遣法第40条の2第1項2号イ）です。これを本書では、「プロジェクト業務」と呼びます。

●就業日数が少ない業務

派遣スタッフが従事する業務の1か月間に行われる日数が、派遣先に雇用される他の一般労働者の1か月の所定労働日数に比べて相当少なく（半分以下）、かつ10日以下である業務（旧派遣法第40条の2第1項2号ロ）です。これを本書では「就業日数が少ない業務」と呼びます。

●育児の代替業務

育児・介護休業法に定める育児休業と、育児休業の前後に、母性保護または子の養育を目的として休業をする労働者の業務（旧派遣法第40条の2第1項3号）です。これを本書では「育児の代替業務」と呼びます。

●介護の代替業務

育児・介護休業法に定める介護休業と、介護休業の後に引き続き家族の介護を目的として休業する労働者

……派遣活用のタイプ……

①専門的26業務

( )内の数は旧派遣令第4条1項または5条の条番号および号番号

(4-1) ソフトウエア開発　(4-2) 機械設計
(4-3) 事務用機器操作
(4-4) 通訳、翻訳、速記
(4-5) 秘書　(4-6) ファイリング　(4-7) 調査
(4-8) 財務処理　(4-9) 取引文書作成
(4-10) デモンストレーション
(4-11) 添乗
(4-12) 受付・案内　(4-13) 研究開発
(4-14) 事業の実施体制の企画、立案　(4-15) 書籍等の制作・編集
(4-16) 広告デザイン　(4-17) ＯＡインストラクション
(4-18) セールスエンジニアの営業、金融商品の営業
(5-1) 放送機器等操作　(5-2) 放送番組等演出　(5-3) 建築物清掃
(5-4) 建築設備運転、点検、整備　(5-5) 駐車場の管理の業務
(5-6) インテリアコーディネーター　(5-7) アナウンサー
(5-8) テレマーケティングの営業
(5-9) 放送番組等における大道具・小道具
(5-10) 下水道設備、非破壊検査機器等の運転、点検、整備

②プロジェクト業務

③就業日数の少ない業務

④育児の代替業務

⑤介護の代替業務

⑥自由化業務

の業務（旧派遣法第40条の2第1項4号）です。これを本書では「介護の代替業務」と呼びます。

●自由化業務

平成11年の派遣法改正で新たに自由化された、図表の①から⑤以外の臨時的・一時的派遣であって、建設業など派遣を禁止されている業務以外の業務（旧派遣法第40条の2第1項本文）です。これを本書では「自由化業務」と呼びます。

20 派遣期間には上限のルールがある（概要）

▼派遣期間の上限は最も基本的なルールである

見直された派遣期間の制限

派遣法では、派遣期間があまり長期になることは好ましくないとしています。

派遣期間を無制限にすれば、短期契約を繰り返す人材派遣の方が、正社員を雇うより企業にとっては雇用調整が容易なため、人材派遣より安定的な雇用形態である正社員の業務が派遣に置き換えられてしまう可能性があるからです。

派遣期間のルールは平成27年9月の法改正により「個人単位」「事業所単位」の2つの期間制限（いずれも3年限度）へ見直されました（21参照）。

これまでの派遣期間のルールは、原則1年（一定の場合3年）を限度とし、いわゆる「専門的26業務」（19参照）など一部の業務については例外が設けられていました。しかし、例外業務に当たるかどうかの判断が曖昧であることなどから、改正されることになりました。

期間制限の例外

「事業所単位」と「個人単位」、いずれの期間制限も例外があり、次の場合は制限を受けません。なお、③から⑤は従来の制限の例外と同じものです。19を参照してください。

①派遣元に無期雇用される派遣スタッフを派遣するとき
②60歳以上の派遣スタッフを派遣するとき
③終期が明確なプロジェクト業務に派遣スタッフを派遣するとき
④就業日数が少ない業務にスタッフを派遣するとき
⑤産前産後休業、育児休業、介護休業等を取得する労働者の業務に派遣スタッフを派遣するとき

クーリング期間がある

「事業所単位」と「個人単位」の期間制限は、3か月の「クーリング期間」が定められています。1つの派遣の終了後、次の派遣開始までの間の期間が3か月を超えているときは、派遣期間の制限はリセットされ、新たな派遣から改めてカウントが開始されます。

……派遣期間のルールの概要……

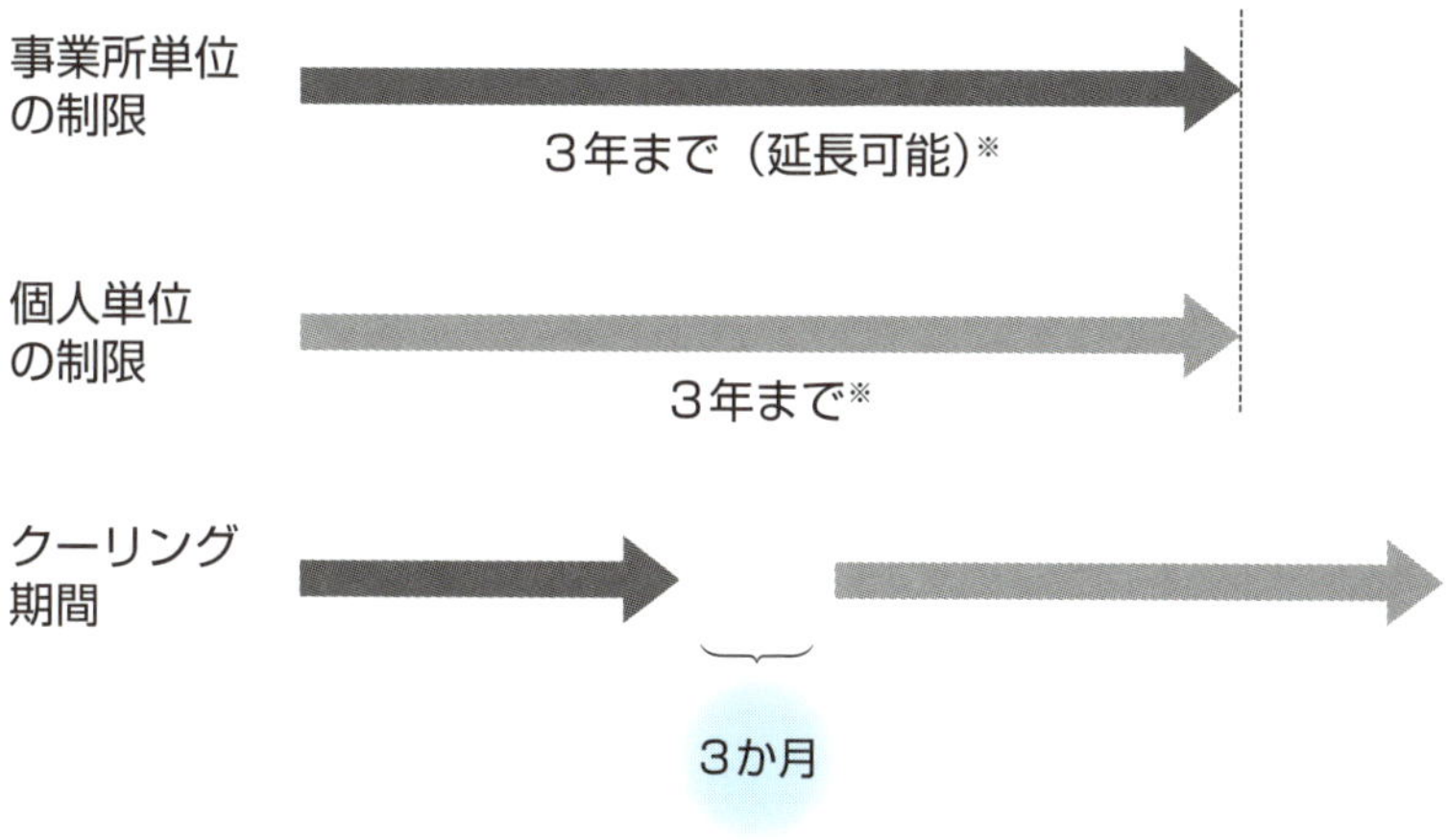

※〈例外〉
①無期雇用
②60歳以上
③プロジェクト業務
④就業日数が少ない業務
⑤育児等代替業務

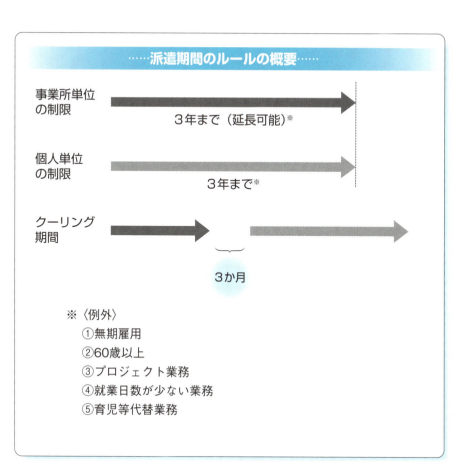

21 事業所、個人単位の派遣期間の上限

▼具体的な期間の考えを理解する

事業所単位の期間制限

派遣期間の具体的なルールを見ていきましょう。まず、派遣先が同一の事業所に対して派遣を受け入れることができる期間（これを「派遣可能期間」といいます）は、原則として3年が限度です（派遣法40条の2）。

ここでいう「事業所」とは、次のような点から判断します。簡単にいうと、雇用保険の適用事業所と同じ判断基準です。

①工場、事務所、店舗等、場所的に独立していること
②経営の単位として人事・経理・指導監督・働き方などがある程度独立していること
③施設として一定期間継続するものであること

ただし、派遣先がこの3年の制限を超えて派遣を受け入れることもできます。このためには、派遣先が事業所の過半数労働組合（過半数労働組合がない場合は労働者の過半数代表者）から意見聴取の手続きを取らなければなりません（22参照）。

図表で見てみましょう。3年の派遣可能期間の起算日は、改正法の施行日以後に最初に新たな期間制限の対象となる派遣（対象外の派遣があります。20参照）を開始した日です。この3年の間に派遣スタッフが交替したり、他の派遣契約に基づく労働者派遣を始めた場合でも、同じ派遣可能期間の起算日を適用します。

個人単位の期間制限

次に、同じ派遣スタッフを、派遣先の「事業所における同一の組織単位」に対して派遣を受け入れることができる期間は3年が限度です（派遣法第40条の3）。

「組織単位」とは、①業務としての類似性、関連性があるもの、②組織の長が業務配分、労務管理上の指揮監督権限を有するものです。簡単にいえば「課」や「グループ」などですが、会社の規模などによって異なりますから、実態で判断されます。この取り扱いを誤ると「労働契約申込みみなし」（67参照）の対象とな

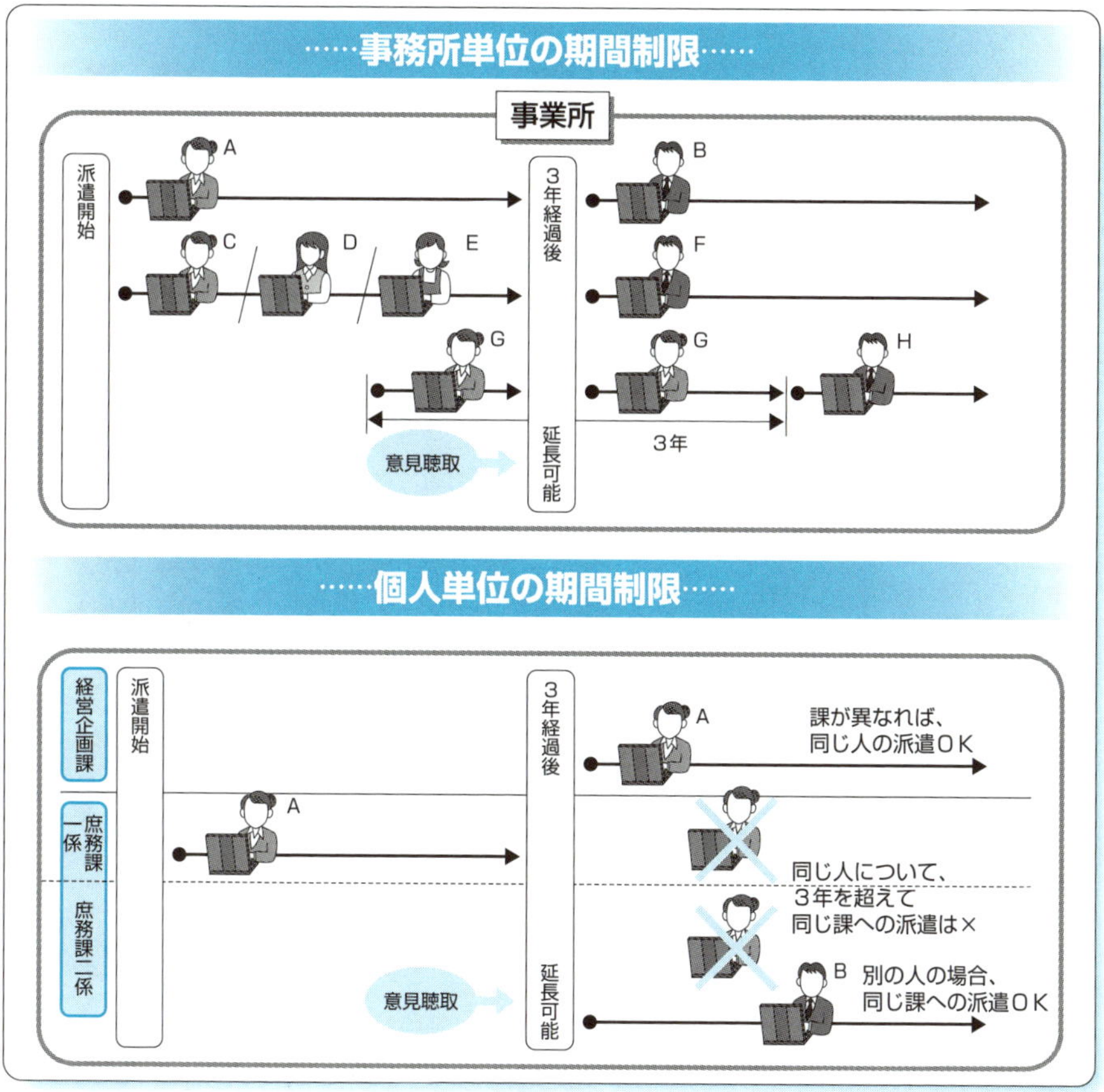

ることもありますから、実務的には必ず都道府県労働局に確認して判断しましょう。

「組織単位」を変えれば、同じ事業所へ3年を超えて引き続き同じ派遣スタッフを派遣することができます。もちろん、事業所単位の期間制限について、派遣可能期間が延長されていなければなりません。逆に、派遣可能期間を延長していても、個人単位の期間制限を超えて、同じ派遣スタッフを引き続き同じ組織単位に派遣することはできません。

たとえ、派遣スタッフの従事する業務が変わっても、同じ組織単位であれば派遣期間は通算されます。

22 派遣可能期間延長のための意見聴取手続き

▼過半数労働組合等からの意見聴取を行う

正しい延長手続きを

事業所単位の期間制限（21参照）については、事業所の過半数労働組合（過半数労働組合がない場合は労働者の過半数代表者）からの意見聴取を行うことで延長することができます。（派遣法40条の2第3項）

意見聴取の結果、過半数労働組合等から異議があった場合でも延長できますが、派遣先は派遣受入れについての会社の対応方針等を説明しなければなりません。

なお、過半数代表者の選出については、実際に投票等は行わず形式的に決めてしまう会社もあるでしょう。しかし、この取り扱いをいい加減にしてしまうと「労働契約申込みみなし」（67参照）の対象となることもありますから、必ず正しく実施しましょう。

まず意見聴取

派遣先は、事業所単位の期間制限の抵触日の1か月前までに、事業所の過半数労働組合等からの意見を聴きます。ただし、過半数労働組合等に十分な考慮期間を設けなければなりません。派遣先が意見を聴くときは、「延長しようとする事業所」「延長しようとする期間」の事項を書面で通知する必要があります。

派遣先が意見を聴く際は、事業所の派遣スタッフの受入れの開始以来の派遣スタッフ数や派遣先が無期雇用する労働者数の推移等の過半数労働組合等が意見を述べるために参考となる資料を提供しなければなりません。また、過半数労働組合等が希望する場合は、部署ごとの派遣スタッフの数、個々の派遣スタッフの受入期間等の情報を提供することが好ましいとされています。

さらに派遣先は、意見を聴いた後、次の事項を書面に記載し、延長しようとする派遣可能期間の終了後3年間保存し、また事業所の労働者に周知しなければなりません。

①意見聴取した過半数労働組合等の名称等
②書面で通知した日・事項
③意見聴取した日・意見の内容
④意見聴取し延長期間を変更したときは、その変更期間

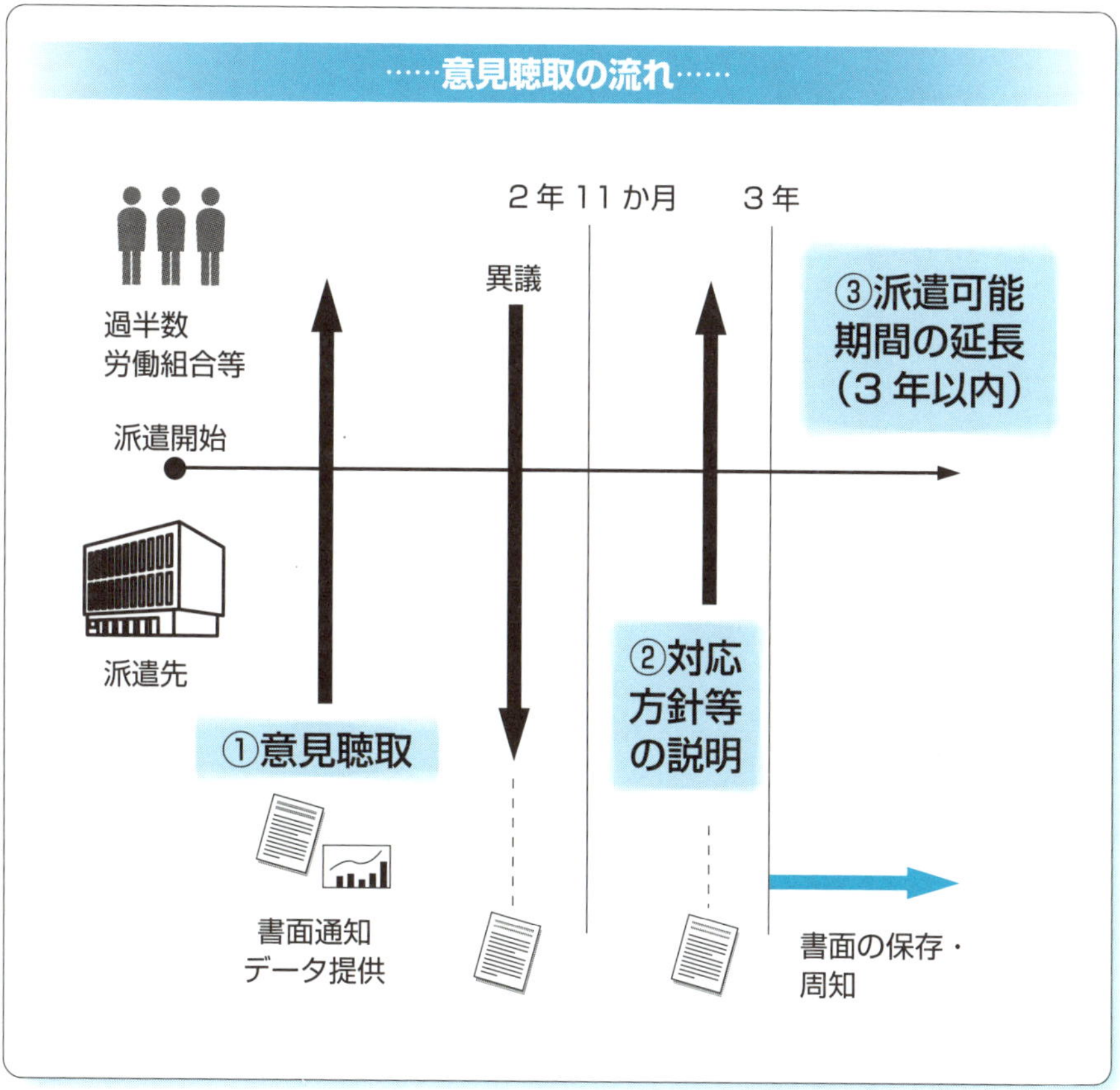

異議があれば対応方針の説明

派遣先は、意見を聴いた過半数労働組合等が異議を述べたときは、延長しようとする派遣可能期間の終了日までに、「派遣可能期間の延長理由・延長期間」「異議への対応方針」について説明しなければなりません。なお、派遣先は、説明した日および内容を書面に記載し、延長しようとする派遣可能期間の終了後3年間保存し、また事業所の労働者に周知しなければなりません。

派遣可能期間の延長

派遣可能期間を延長できるのは3年間までです。延長した派遣可能期間を再延長することも可能です。意見聴取を行うことで、原則としてすべての労働者派遣の派遣可能期間が一律に延長になります。なお、3年の範囲で任意の延長期間としたり、個別スタッフごとに延長の幅を設定することも可能です。

23 やってはいけない人材派遣（専《もっぱ》ら派遣）

▼許可が受けられないことがある

専《もっぱ》ら派遣は禁止

派遣法では、人材派遣を特定の派遣先（1つであると複数であるとを問わず特定の会社）に限って行うことを禁止しています（派遣法第7条1項1号）。

つまり、派遣元であるA社がX社にのみ派遣を行い、X社以外の会社には派遣を行わないということは違法です。派遣先が1社の場合に限らず、複数の場合であっても、対象が特定されていれば同じです。このような派遣を「専ら派遣」といいます。

専ら派遣が自由に行われると、企業は、本来であれば自ら雇用するべき労働者を雇用せず、外部の子会社などを自社専用の労働力供給機関として、柔軟に労働力の供給を受けるようになってしまいます。これでは、正社員として雇用される可能性がある労働者の雇用の機会を減らすことになり、派遣法の趣旨に反することになりますから、禁止されているのです。

専ら派遣を目的として派遣が行われている場合、一定の事由に該当する場合を除いて、厚生労働大臣は派遣元事業主に対し、人材派遣事業の目的または内容を変更するよう勧告することができます（派遣法第48条2項）。

専ら派遣の判断基準

専ら派遣とみなされる判断基準は、図表のとおりです。

不特定の者に対して行うことを目的として事業運営を行っていながら、結果として、特定の者に対してしか人材派遣をすることができなかったときは、専ら派遣とはみなされません（ただし「グループ派遣」24の問題はあります）。

②「派遣先の確保のための努力が客観的に認められない場合」とは、不特定の者を対象とした派遣先の確保のための宣伝、広告などを正当な理由なく随時行っていない場合です。

行政の勧告

厚生労働大臣は、事業目的および運営の方法を変更するように、派遣元事業主に勧告することができます（派遣法第48条2項）。

……専《もっぱ》ら派遣……

……専ら派遣の判断基準……

次に掲げるいずれかに該当する場合は、「専ら派遣」であると判断する。

①定款、寄附行為、登記簿の謄本等に、事業の目的が専ら派遣である旨の記載等が行われている場合
②派遣先の確保のための努力が客観的に認められない場合
③人材派遣を受けようとする者からの依頼に関し、特定の者以外からのものについては、正当な理由なくすべて拒否している場合

ただし、派遣元が雇用する派遣スタッフのうち、60歳以上の者（他の事業主の事業所を60歳以上の定年により退職した後雇い入れられた者に限る）が、10分の3以上であるときは、専ら派遣の勧告の対象とはなりません（派遣則第1条の4）。

24 やってはいけない人材派遣（グループ派遣）

▼グループ企業派遣の規制を明確化へ

専ら派遣の判断を明確化

前の23で説明したように、特定の企業への派遣を目的とする「専ら派遣」は禁止されています。しかし、判断基準が曖昧であるという批判から、平成24年10月の法改正により、専ら派遣に加えて、明確な基準で規制されることになりました。

8割規制の導入

グループ企業などの関係派遣先に労働者を派遣するときは、その派遣の割合を80％以下とすることが義務付けられました（派遣法第23条の2）。

これは、専ら派遣を目的としていなくても、事業年度単位で、グループ企業に対し8割を超えて派遣することを禁止するもので、派遣割合、グループ企業などの関係派遣先についても明確に定義されました。

まず、規制の対象となるグループ企業などの関係派遣先とは、派遣元の親会社やその傘下となる子会社が対象で、図表のとおりです（派遣則第18条の3第1項～3項）。

次に、派遣割合の算定方法は、1つの事業年度における派遣就業の労働時間から図表のように求めます。

関係派遣先へ派遣割合の報告

派遣元は事業年度終了後3か月以内にこの関係派遣先への派遣割合を厚生労働大臣に報告しなければならなくなりました（派遣則第17条の2）。

厚生労働大臣の指示と許可の取消等

厚生労働大臣は関係派遣先への派遣割合規制や報告義務に違反した派遣元に対し、指導または助言をした場合において、なお違反したときは必要な措置をとるよう指示することができることになっています（派遣法第48条3項）。

専ら派遣の禁止が、そもそも派遣事業の許可要件に反することから速やかな是正が求められるのに対し、8割規制については、たまたまその事業年度に8割を超えてしまった場合に配慮し行政処分の流れが異なります。

……グループ企業などの関係派遣先とは……

①連結決算を導入している場合
- ・派遣元の親会社
- ・派遣元の親会社の連結子会社

（親子関係は連結決算の範囲により判断する）

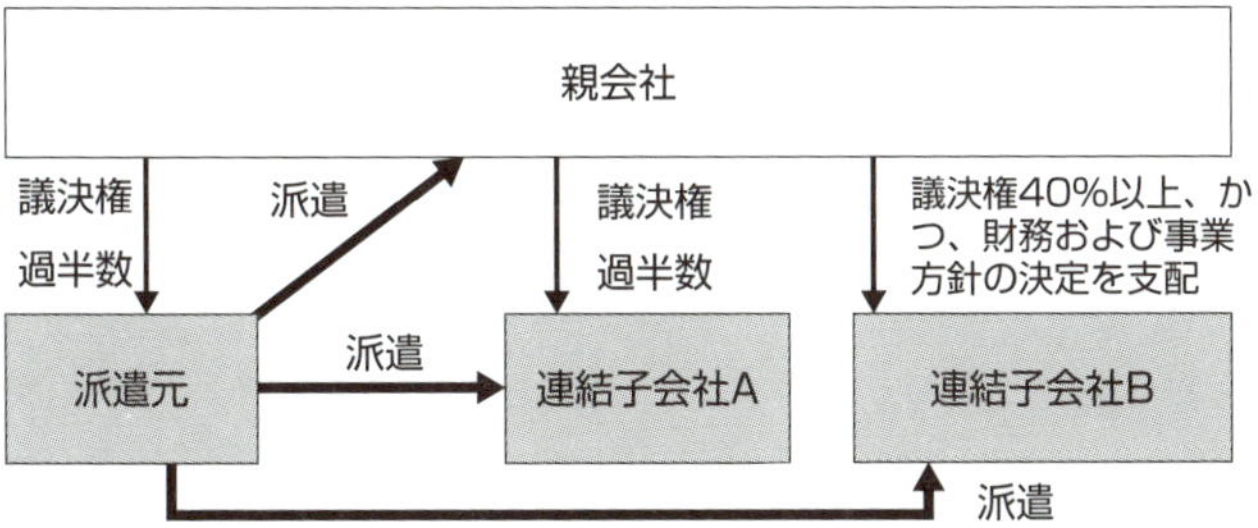

②連結決算を導入していない場合
- ・派遣元の親会社

（派遣元の議決権の過半数を所有している者、資本金の過半数を出資している者、およびこれらと同等以上の支配力を有している者）
- ・派遣元の親会社の子会社

（派遣元の親会社が議決権の過半数を所有している者、資本金の過半数を出資している者、およびこれらと同等以上の支配力を有している者）

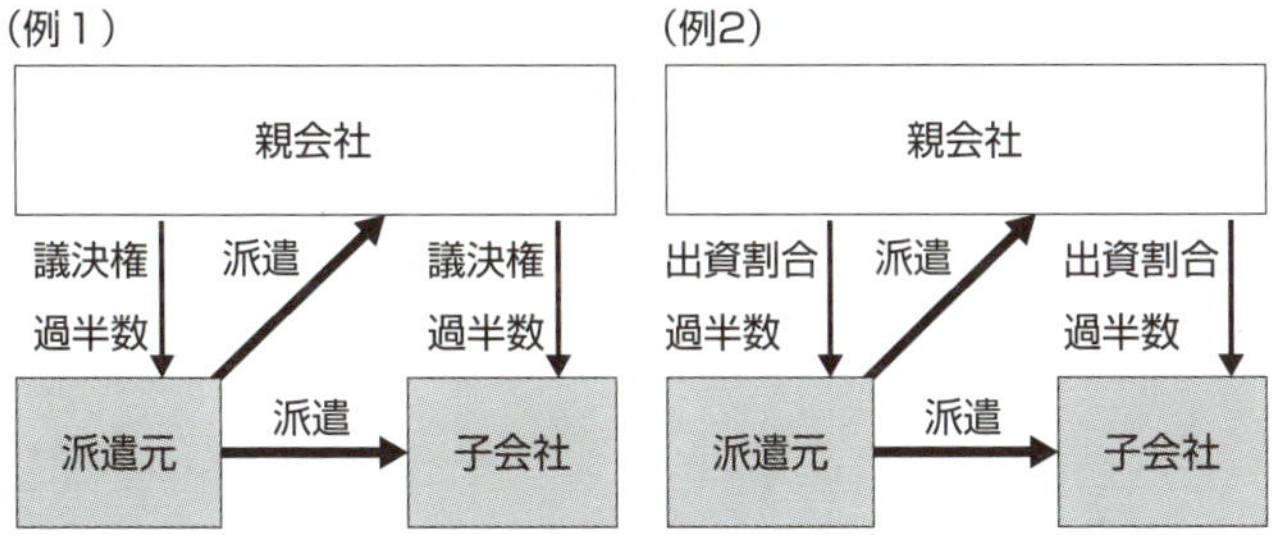

……派遣割合（事業主全体）の算定方法……

$$派遣割合＝\frac{関係派遣先に対する派遣就業の総労働時間（60歳以上の定年退職者を除く）}{すべての派遣就業の総労働時間}$$

※%表記で小数点以下一位未満の端数があるときは、これを切り捨て

25 やってはいけない人材派遣（二重派遣）

▼スタッフの労働環境を守るために禁止されている

二重派遣は違法

臨時に労働者を派遣したい会社（B社）があるとします。このような場合、一定の能力を持つ人材を迅速に用意したり、雇用することのリスクを負うよりも、図表のように、A社からB社に人材派遣を受け、さらにB社がC社に派遣するというケースが考えられます。このような形態は一般に「二重派遣」と呼ばれています。

派遣法で認めている人材派遣とは、「自己の雇用する労働者」を派遣するものであり、事例のような場合、B社は自己の雇用する労働者ではない者を派遣することになります。よって、職業安定法で禁止している労働者供給とみなされるため、二重派遣は禁止されているのです。

そもそも日本では、請負など、いくつかの取引関係を通して業務が処理されることが多くあります。このような関係において、労働者の健全な労働環境を維持するために、原則として職業安定法では労働者供給事業を禁止しています。

派遣法で許されている人材派遣は、一定の労働環境を保障するために、いくつものルールを定めていますが、二重派遣では法律上の責任がますます不明確になるため、労働者の労働環境が劣悪なものとなったり、中間業者が入ることで賃金が不当に引き下げられる恐れがあります。

よって、二重派遣を行った場合は、供給元（B社）と供給先（C社）ともに、職業安定法違反として罰せられることになるのです（職安法第44条）。

請負契約の場合は可能

図表のように、B社とC社の間が請負契約であったとすると、人材派遣を受けたB社が、その派遣スタッフを用いて請負により事業を行うことは、二重派遣とはならず、問題はありません（業務取扱要領）。

同様に、建設業で多く見られるような、A社、B社、C社いずれの間もが請負である場合も、問題はありません。

ただし、自社では請負と呼んでいながら、実態が行政の示す判断基準

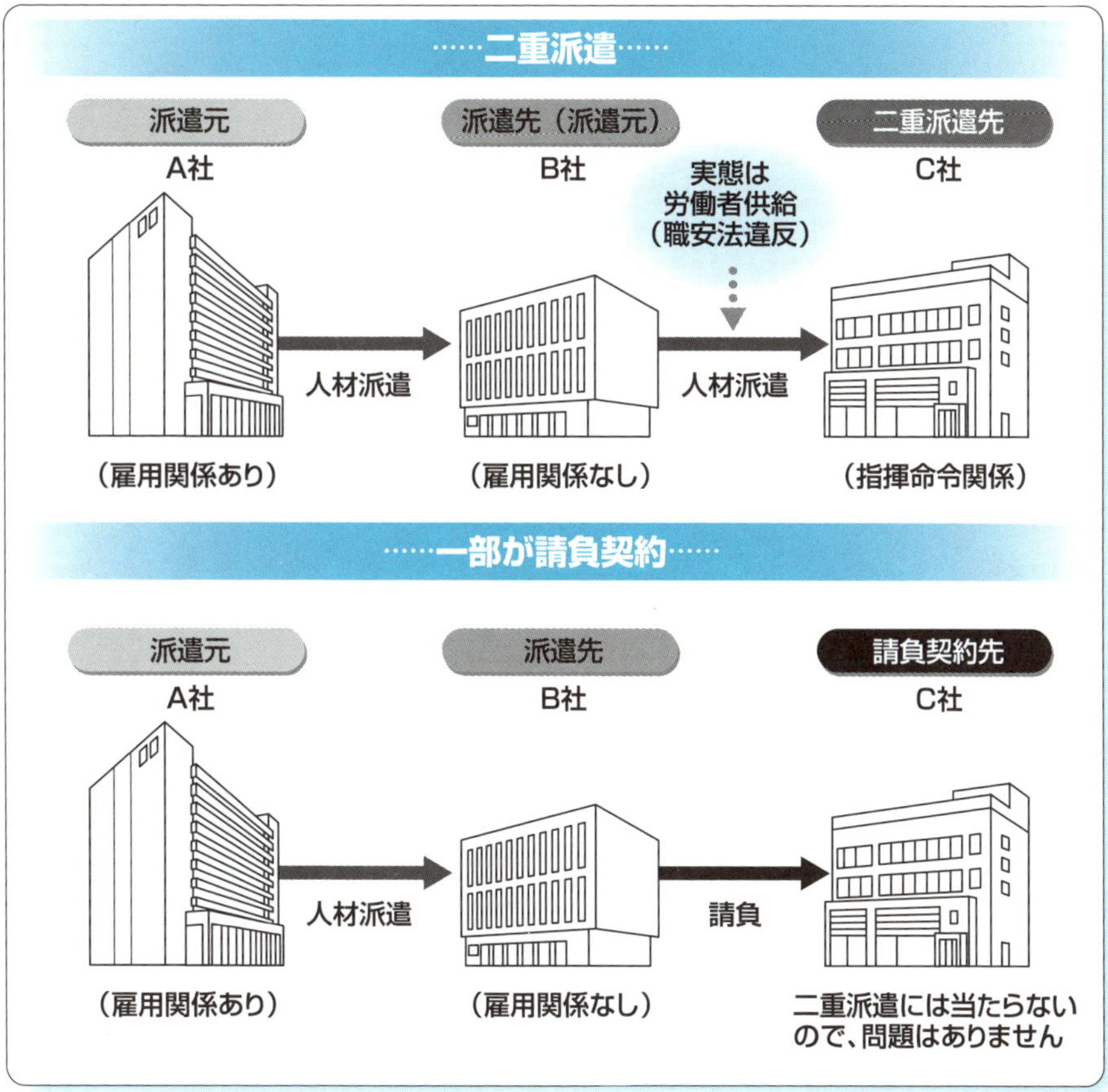

（13参照）にあるような正しい請負となっていないケースもありますから、注意が必要です。

26 日雇派遣は原則禁止

▼一部の例外を除き、日雇派遣は原則禁止へ規制強化

日雇派遣の規制強化

日雇派遣とは、一般に派遣会社に登録して、仕事があるたびに日々雇われて派遣される働き方をいいます。

日雇派遣は、自分の都合に合わせて気軽に仕事が見つかるため、学生や主婦などに人気がありますが、一方で正社員になるまでのつなぎとして始めたもののなかなか抜け出せないという労働者も増加し、ワーキングプアと呼ばれ社会問題となっていました。

また、本来は人材派遣が認められていない港湾運送や建設業務への違法な派遣などの事件をきっかけに、日雇派遣は規制強化へ動き出すこととなりました。これまで、平成20年4月には派遣法施行規則が改正され、日雇派遣指針が設けられました。

そして、平成24年10月より、派遣法が改正され、日雇派遣は原則禁止となりました。ただし、例外規定も設けられたため、「原則禁止」であり、例外的に行う場合は一定のルールに基づき行うことになったのです。

日雇派遣の定義

平成24年10月より原則禁止となった「日雇派遣」とは「日々または30日以内の期間を定めて雇用する労働者を派遣すること」です。つまり、30日を超える労働契約の労働者を日々違う派遣先に派遣することなどは禁止されていません。

ただし、31日の労働契約を締結し、その間の派遣が1日しか行われないなど「社会通念上明らかに適当でない」場合は認められません。例えばパートタイマーの場合、労働契約31日、週平均20時間以上の場合などは「適当」と行政は判断を示しています。また長期の派遣を契約満了し、都合により30日以内の延長をする場合も、この延長期間は日雇派遣に当たり禁止されています。

禁止の例外

日雇派遣の禁止には、2つの例外が認められています。

1つ目の例外は、「その業務を迅速かつ的確に遂行するために専門的な知識、技術または経験を必要とする業務のうち、日雇派遣の派遣労働

……日雇労働者の適正な雇用管理に支障を及ぼすおそれがないと認められる業務……

ソフトウエア開発 ／ 機械設計 ／ 事務用機器操作 ／
通訳、翻訳、速記 ／ 秘書 ／ ファイリング／
調査 ／ 財務処理 ／ 取引文書作成 ／
デモンストレーション ／ 添乗／
受付・案内（※「駐車場の管理の業務」等は含まれない）／
研究開発 ／ 事業の実施体制の企画、立案 ／
書籍等の制作・編集 ／ 広告デザイン ／
ＯＡインストラクション ／
セールスエンジニアの営業、金融商品の営業 ／ 看護業務

……雇用の機会の確保が特に困難であると認められる労働者の雇用継続等を図るために必要であると認められる場合等……

①高齢者（60歳以上である場合）
②昼間学生（専門学校・各種学校を含む学校の学生）である場合（定時制に在学する者等※を除く）
※その他厚生労働省令（派遣則28条の2）で定める者
a）卒業予定者であって雇用保険適用事業に雇用され、卒業した後も引き続き雇用されることになっている者
b）休学中の者
c）a）b）に準ずる者
③副業（生業収入の額が500万円以上である場合）
④主たる生計者でない者（生計を1つにする配偶者等の収入により生計を維持する者で世帯収入が500万円以上ある場合）

者を従事させてもその労働者の適正な雇用管理に支障を及ぼす恐れがないと認められる業務」の場合です。

これまで専門的業務として政令で定められた派遣受入期間の制限を受けない「専門的26業務」の中から、日雇派遣禁止の例外業務として選ばれた業務です（図表参照）。

2つ目は、「雇用の機会の確保が特に困難であると認められる労働者の雇用継続等を図るために必要であると認められる場合」等です。禁止しない方が労働者にとって有利であるという観点から、図表の4つが例外として認められています。

派遣元は、日雇派遣の禁止の例外に当たるかどうか、住民票など公的書類で確認することが基本とされ、合理的な理由によりやむを得ない場合は本人の申告（誓約書の提出）でも差支えないとされています。ただし、合理的な理由とは、本人が提出したくないなどをいうものではありません。

日雇派遣指針のポイント

平成20年4月より、日雇派遣指針が施行されています。当然、通常の派遣元・派遣先指針も適用されますから、日雇派遣をする場合の追加的な事項となります。

主なポイントは次のとおりです。

【日雇派遣指針のポイント】
○派遣元と派遣先双方による就業場所の巡回確認
○労働・社会保険の適用促進
○就業条件の事前明示の徹底（図表参照）
○不適正な賃金控除の禁止
○拘束時間も含めた適正な時間管理
○派遣料金・教育訓練など情報提供（図表参照）
○日雇であることを派遣先に説明

安全衛生教育

平成24年10月の派遣法改正にともない、日雇派遣指針も「安全衛生教育」に関する事項等の改正がおこなわれています。

労働安全衛生法では、「雇入れ時の安全衛生教育（第59条1項）」、「危険有害業務就業時の安全衛生教育（第59条3項）」を定めています。

改正日雇派遣指針では、「雇入れ時の安全衛生教育」については、派遣元が派遣先から具体的業務内容を確実に聴取し、これに即した教育を行うこととされました。

派遣先には、派遣元が雇入れ時の安全衛生教育ができるように積極的に情報提供するとともに、派遣元から教育の委託の申込みがあった場合は、可能な限りこれに応じるよう努めること、また派遣元が雇入れ時の教育を行ったかどうかを確認することが求められています。

「危険有害業務就業時の安全衛生教育」については、派遣先に実施義務があるため、派遣元は派遣先が行ったかどうか確認することとされました。

……携帯メールによる就業条件明示の例……

（派遣労働者名）殿
××株式会社　千代田区霞ヶ関○－○－○　電話０３－××××－××××

次の条件で労働者派遣を行います。
業務内容　荷物の仕分け作業

就業場所　株式会社○○東京支店　千代田区霞ヶ関○－○－○

指揮命令者　東京支店第１班リーダー　××××

派遣期間　令和○年６月１日から令和○年６月３０日まで

派遣受入期間制限抵触日　令和○年７月３１日

就業日　令和○年６月１日から令和○年６月３０日までの土、日を除く平日

就業時間　８時３０分から１７時３０分まで

休憩時間１２時から１３時まで
安全及び衛生　重量のある荷物運搬の際の腰痛防止の指導
時間外労働　有　１日２時間以内

休日労働　無

賃金　日給××××円（詳細は別途の労働条件明示による）

派遣元責任者　営業部営業第１課長　××××

派遣先責任者　東京支店総務課長　×××××

福利厚生施設の利用等　職員休憩所、職員食堂の利用可

苦情の処理・申出先　派遣元　営業部営業第１課長　××××　電話０３－××××－××××
派遣先　東京支店総務課長　×××××　電話０３－××××－××××

……情報提供の例……

労働者派遣の実績

労働者派遣の実績	内容
派遣先の件数	285件
派遣労働者数	4,435人（1日平均）
日雇派遣労働者数	1,873人（1日平均）

教育訓練

教育訓練の種類	内容
パソコン研修	ワープロソフト、表計算ソフトの操作方法
派遣前講習	新規採用時の関係法令の講習

これらの情報について次の方法で公開する
①ホームページに掲載する
②説明用の文書を用意する等

派遣料金の額、派遣労働者の賃金の額

実績	派遣料金（1日（8時間当たり）の額）	賃金（1日（8時間当たり）の額）
全体	15,577円	10,571円
日雇派遣	13,998円	9,500円
事務用機器操作	14,479円	10,060円
ファイリング	13,372円	9,172円
販売	13,404円	9,096円
製造業務	12,597円	8,549円

事業報告書に記載したものと同様のこと、またはさらに詳細な情報を公開する

27 離職1年以内の元従業員の派遣禁止

▼元従業員を派遣スタッフとして受け入れることを禁止

離職後1年間は元の会社で派遣禁止

人材派遣の制度は、広く労働者の需給調整を図ることを目的に創設されたものであるため、例えば、リストラ等で退職させた元従業員を派遣スタッフとして元の会社に戻すような行為ができてしまえば、制度の趣旨に反し、労働者の雇用を不安定にすることになります。

そこで今回の改正では、派遣先は、受け入れようとする派遣スタッフが、その派遣先を1年以内に離職した者であるときは、受け入れてはならないことになりました（派遣法第40条の9第1項）。

禁止の対象は派遣先事業者であって、同じ事業者の異なる事業所であっても禁止されています。また、改正法の施行前に離職した労働者であっても、施行日後の離職1年以内の派遣禁止の対象となります。

この離職後1年間の派遣禁止については、例外が定められています。「60歳以上の定年退職者」については、「雇用の機会の確保が特に困難であり、その雇用の継続等を図る必要があると認められる者」であるとして、除外されました（派遣則第33条の10第1項）。

なお、派遣元についても、派遣先が人材派遣を受けたならばこの定めに違反することになるときは、その人材派遣を行ってはならないと定めています（派遣法第35条の5）。

離職1年以内の派遣スタッフであれば通知義務

派遣先は、派遣元から派遣スタッフの氏名等の通知（派遣法第35条）（37参照）を受け、離職1年以内の労働者の派遣受入禁止の規定に違反することになると知ったときは、速やかにその旨を派遣元に通知しなければなりません（派遣法第40条の9第2項）。

この通知は、書面の交付、ＦＡＸや電子メールの送信により行うこととされています（派遣則第33条の10第2項）。

……離職1年以内の元従業員の派遣禁止……

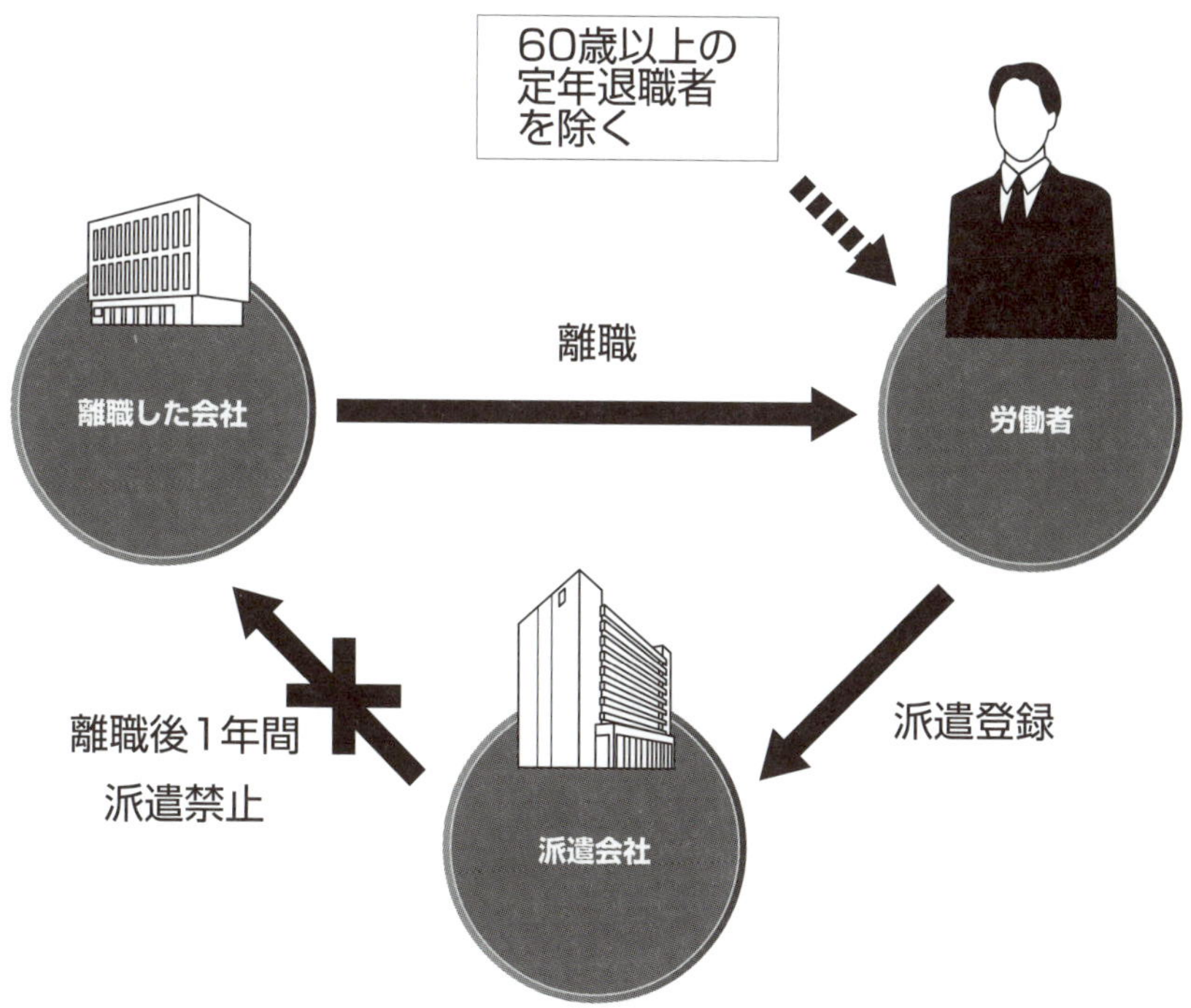

28 紹介予定派遣の許可要件

▼紹介予定派遣は有料職業紹介と人材派遣の許可が必要

紹介予定派遣とは

紹介予定派遣とは、平成12年12月から実施が認められるようになった制度で、派遣スタッフと派遣先に対し、職業紹介を行うことを予定して行う人材派遣をいいます（派遣法第2条4号）。

派遣先にとっては、派遣期間中にその派遣された者のスキルや人格が自社に適しているかを見極めることができ、派遣スタッフにとっては、派遣先が正社員として働いていける企業であるか、職場環境などを見極めることができます。このように、企業と労働者双方にとって、新たな人材確保策または就職活動の手段として、非常に注目されています。

有料職業紹介事業を兼ねる

派遣元が、紹介予定派遣を行うには、人材派遣業としての許可の他、有料職業紹介事業の許可（または届出）を受け、兼業の体制を整える必要があります。ただし、この兼業については、次のいずれにも該当することが必要です。

①労働者の希望に基づき個別の申込みがある場合を除き、同一の者について派遣に係る登録と求職の申込みの受付を重複して行わず、かつ相互に入れ換えないこと。

②派遣の依頼者または求人者の希望に基づき個別の申込みがある場合を除き、派遣の依頼と求人の申込みを重複して行わず、かつ相互に入れ換えないこと。

③派遣スタッフと求職者に係る個人情報が別個に作成され別個に管理されること。

④派遣の依頼者と求人者に係る情報が別個に管理されること。

⑤派遣の登録のみをしているスタッフに職業紹介を行わず、かつ求職申込みのみをしている求職者に派遣を行わないこと。

⑥派遣の依頼のみを行っている者に職業紹介を行わず、かつ求人申込みのみをしている求人者に派遣を行わないこと。

⑦紹介予定派遣を行う場合を除き、求職者に対して職業紹介する手段として派遣をするものではないこと。

……紹介予定派遣……

……有料職業紹介事業の許可基準……

1 事業を健全に遂行するに足りる財産的基礎を有すること

2 個人情報を適正に管理し、求人者、求職者等の秘密を守るために必要な措置が講じられていること

3 事業を適正に遂行することができる能力を有すること

①代表者および役員（法人の場合に限る）は、欠格事由に該当する者その他適正な事業遂行を期待し得ない者でないこと

②職業紹介責任者は、欠格事由に該当する者その他適正な事業遂行を期待し得ない者でないこと

③有料職業紹介事業を行う事業所はその位置、面積、構造、設備からみて職業紹介事業を行うに適切であること

④その他適正な事業運営に関する要件を満たすこと

……派遣契約書などで紹介予定派遣について記載すべき事項……

①紹介予定派遣である旨

②紹介予定派遣を経て派遣先が雇用する場合に予定される従事すべき業務の内容および労働条件など

③紹介予定派遣を受けた派遣先が、職業紹介を受けることを希望しなかった場合、または職業紹介を受けた者を雇用しなかった場合には、それぞれのその理由を、書面の交付、ファクシミリ等で、派遣元に明示する旨

④紹介予定派遣を経て派遣先が雇用する場合に、年次有給休暇および退職金の取扱いについて、派遣期間を勤続期間に含める場合はその旨

29 紹介予定派遣の運営に当たって留意すること

▼事前面接も認められている

紹介予定派遣は特別扱いが多い

紹介予定派遣は、図表のような流れで実施されます。紹介前に行われる派遣についても、一般の派遣と違う点が多いので、確認しておきましょう。

事前面接など労働者の特定行為

派遣法では、派遣先の事前面接など、労働者を特定する行為を、原則として禁止していますが（32参照）、紹介予定派遣では、派遣後の採用の可能性を高めるためにも、その禁止規定から除外されています。

なお、労働者を特定する行為において、労働者の年齢や性別などを理由として、その労働者を排除するようなことをしてはいけません。

ただし、「長期のキャリア形成を図る観点から新卒などの特定年齢層を対象とする場合」など、労働施策総合推進法の趣旨から年齢制限が許されているものもあります（派遣先指針第2の18（3）②）。

また、女性の少ない職場の状況を改善する場合など、いわゆるポジティブ・アクションを目的とする場合は、女性を優先的に求めることが許されています。

紹介予定派遣の派遣期間

紹介予定派遣により派遣を行う場合、本来の目的は採用ですから、その派遣期間はあまり長期になる必要はないはずです。そのため、派遣期間は6か月を超えないものとされています（派遣元指針第2の15）。

派遣就業期間の短縮

当初予定していた紹介予定派遣の派遣期間が終了していない段階においても、派遣スタッフ（求職者）または派遣先（求人者）が職業紹介を希望する場合については、三者（派遣スタッフ、派遣先、派遣元）の合意のもとで派遣契約を終了させ、職業安定法に基づき職業紹介を行うことができます。

派遣先が雇用を希望しないとき

派遣元は、紹介予定派遣により派遣を受けた派遣先が、職業紹介を

……紹介予定派遣の流れ……

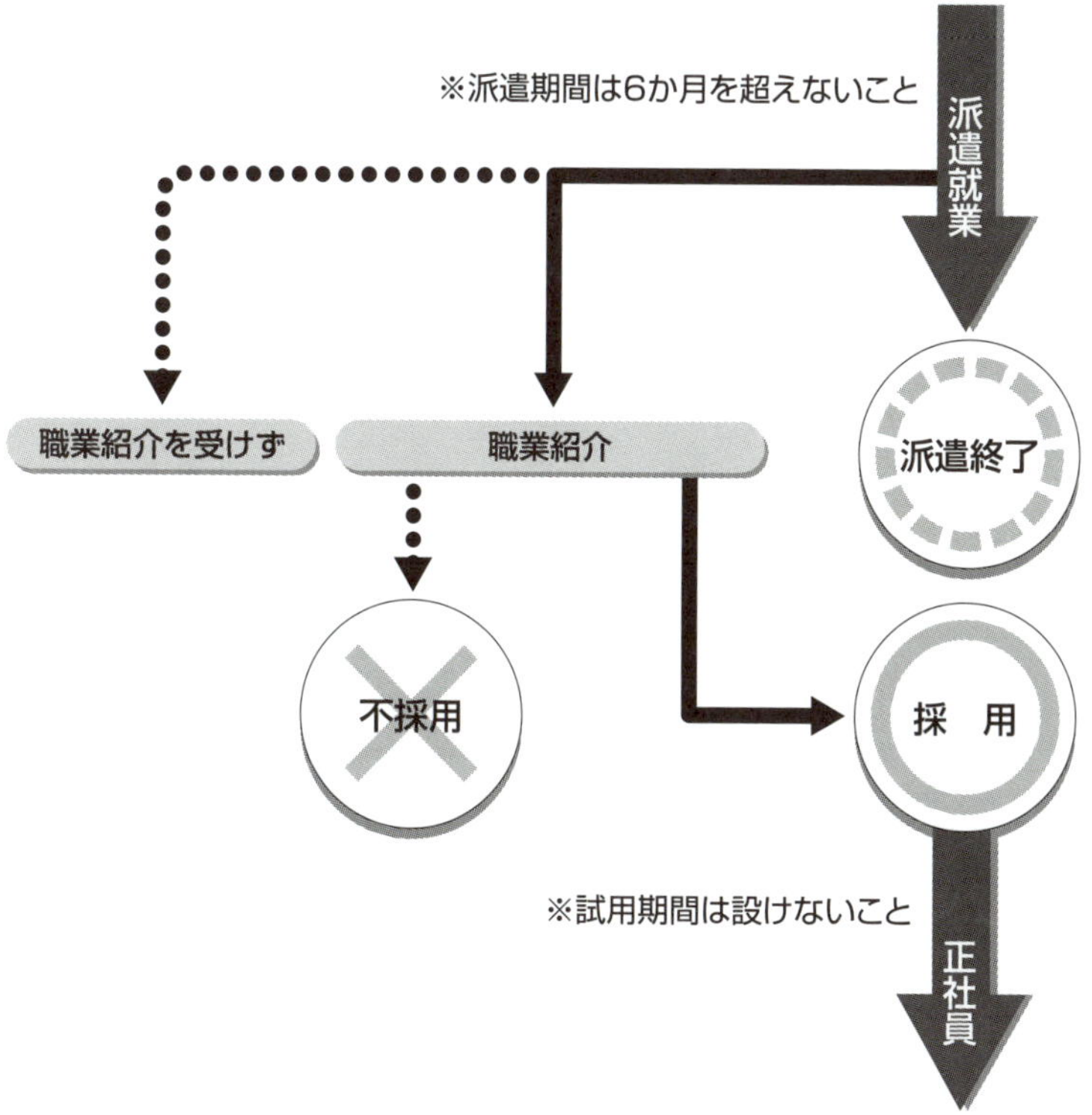

受けることを希望しないとき、または職業紹介を受けた者を雇用しないときは、派遣スタッフの求めに応じて、書面、電子メール、ファクシミリなどで、その旨を明示するよう求めるものとなっています。そして、派遣先から明示された理由は、派遣元から派遣スタッフに対して、書面などで明示しなければなりません（派遣元指針第2の15）。

試用期間の設定

派遣先は、紹介予定派遣により雇い入れた労働者については、試用期間を設けないように行政の指導がなされています。

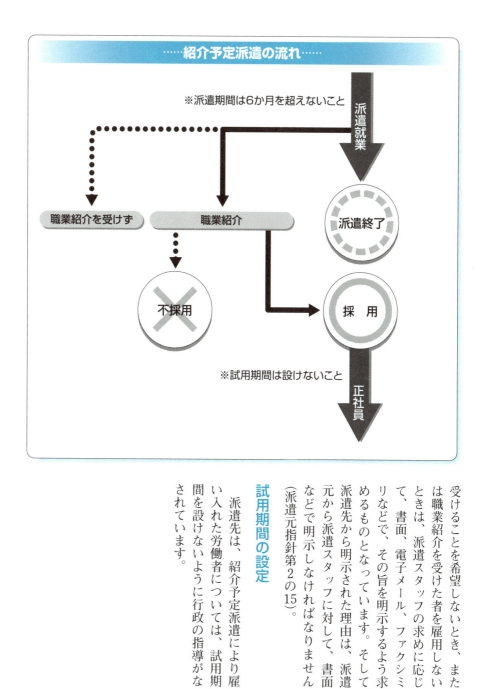

第4章

派遣スタッフの登録と派遣先の決定

30 派遣スタッフの登録と個人情報

▼個人情報は収集も管理も厳密に

派遣法と個人情報保護法の関係

平成17年4月1日の個人情報保護法の完全施行（108ページ参照）により、企業における個人情報の取り扱いのルールが整備されました。

特に人材派遣では、派遣スタッフの登録あるいは就業において、個人情報に係わることが非常に多いため、以前から派遣法とその指針により取り扱い上の注意がなされてきましたが、個人情報保護法の施行により両法が補完して具体的な取り扱いのルールを強化する形となりました。

つまり、派遣元の事業主は個人情報保護法の適用される「個人情報取扱事業者」として、その法定の義務を遵守することはもちろん、たとえ該当しない場合でも適正な取り扱いの確保に努めることとされています（派遣元指針第2の11（3））。

収集・使用・保管

個人情報については、収集・使用・保管がその目的の範囲に限られます（派遣法第24条の3第1項）。つまり、収集できる情報は、氏名、現住所、電話番号などの基本情報や、希望職種、職務経験、持っている資格・技術などの仕事に関係があるものなどです。

仕事と無関係な、本籍地や家族の職業、スリーサイズなどのプライバシー情報（図表参照）を収集してはいけません（派遣元指針第2の11（1））。ただし、禁止項目に当てはまるものでも、仕事上特別に必要で、その目的を説明して本人から収集する場合は、例外として認められることがあります。

なお、派遣元が派遣先に提供できる個人情報は、氏名・性別・社会保険などの加入の有無など（派遣法第35条）のほか、業務遂行能力に関する情報に限られています（派遣元指針第2の11（1））。

個人情報保護法では、原則として本人の同意を得ずに個人情報を第三者に提供してはならないとし、その例外として「法令に基づく場合」としています。そのため、法令で定められた氏名等の事項を派遣先に提供することは適法ですが、派遣が確定していないスタッフの履歴書を見せ

……収集を禁止されている個人情報……

①人種、民族、社会的身分、門地、本籍、出生地その他社会的差別の原因となる恐れのある事項

②思想および信条

③労働組合への加入状況

……個人情報を適正に管理するために講じなければならない措置……

1）個人情報の保管・使用に関する次の措置

①個人情報を正確かつ最新のものに保つための措置

②個人情報の紛失、破壊および改ざんを防止するための措置

③正当な権限を持つ者以外、個人情報へアクセスできないようにする措置

④不必要になった個人情報を破棄または削除するための措置

2）派遣スタッフなどの個人情報の厳重管理

3）個人情報適正管理規程の作成

4）個人情報の取り扱いに関する苦情の処理

……個人情報管理規程に規定しなければならない事項……

①個人情報を取り扱うことができる者の範囲

②個人情報を取り扱う者に対する研修等教育訓練

③本人から求められた場合の個人情報の開示または訂正、削除

④個人情報の取り扱いに関する苦情の処理（苦情処理担当者を定める）

たり、一般的に派遣では必要のない個人情報まで派遣先へ提供する場合は、本人の同意を得なければならないことになります。

個人情報の適正管理

派遣元事業主は、個人情報を適正に管理するための措置を講じなければなりません（派遣法第24条の3第2項）。具体的には、指針により図表のように定められています（派遣元指針第2の11（2））。なお、個人情報管理規程には図表にある事項を含まなければなりません（規程例は106ページ）。

秘密を守る義務

派遣元、スタッフその他の使用人は、業務上知り得た秘密を他に漏らしてはなりません（派遣法第24条の4）。この秘密とは、派遣スタッフおよび派遣先に関する個人情報をいいます。

個人情報適正管理規程

(目的)
第１条　この規程は、人材派遣事業を行うに当たり、派遣スタッフ(登録申込者を含む)の個人情報の保護を目的として、その取り扱い方法その他必要な事項を定めたものである。
(個人情報の範囲)
第２条　この規程において個人情報とは、氏名、住所、その他派遣スタッフ個人に関する一切の情報をいう。
(個人情報の取扱者)
第３条　個人情報を取り扱う者の範囲は、営業課、総務課に属する社員とし、その他の社員は許可なく個人情報を閲覧したり、収集、データの持ち運びなどを行ってはならない。
２．　個人情報の取扱責任者は総務部長とする。
(個人情報の収集・保管・使用)
第４条　派遣スタッフとなろうとする者を登録する際にはその者の希望および能力に応じた就業の機会の確保を図る目的の範囲内で、派遣スタッフとして雇用し派遣を行う際にはその者の適正な雇用管理を行う目的の範囲内で、その者の個人情報を収集、保管および使用することとし、次の個人情報を収集してはならない。ただし、特別な業務上の必要性があることその他業務の目的の達成に必要不可欠であって、収集目的を示して本人から収集する場合はこの限りではない。
① 人種、民族、社会的身分、門地、本籍、出生地その他社会的差別の原因となる恐れのある事項
② 思想および信条
③ 労働組合への加入状況
(個人情報の適正管理)
第５条　会社は、個人情報の保管または使用に関し、次の措置を講ずるものとし、派遣スタッフから請求があったときは、当該措置の内容を説明するものとする。
① 個人情報を目的に応じ必要な範囲において正確かつ最新の

ものに保つための措置

② 個人情報の紛失、破壊および改ざんを防止するための措置

③ 正当な権限を有しない者による個人情報へのアクセスを防止するための措置

④ 収集目的に照らして保管する必要がなくなった個人情報を破棄または削除するための措置

(個人情報の開示)

第6条 第3条第2項の個人情報取扱責任者は、派遣スタッフから、本人の個人情報について開示の請求があった場合は、その請求に基づき本人が有する資格や職業経験等客観的事実に基づく情報の開示を遅滞なく行うこととする。

2. 前項の開示請求に基づく訂正または削除の請求があった場合は、当該請求の内容が客観的事実に合致するときは、遅滞なく訂正または削除を行うこととする。

3. 派遣元責任者は、個人情報の開示または訂正に係る取扱いについて、派遣スタッフへの周知に努めるものとする。

(苦情処理)

第7条 派遣スタッフの個人情報に関して、当該情報に係る本人からの苦情の申出があった場合については、苦情処理担当者は誠意を持って適切な処理をすること。なお、個人情報に係る苦情処理担当者は派遣元責任者とする。

(守秘義務)

第8条 社員は、業務上知り得た個人情報を、正当な理由なく他に漏らしてはならない。なお、会社を退職し社員でなくなった後も同様とする。

(取扱者への教育・研修)

第9条 派遣元責任者は、個人情報の取扱いに関する教育・指導を、第3条第1項に定める個人情報の取扱者に対し、毎年計画的に実施するものとする。

(派遣元責任者の講習受講)

第10条 派遣元責任者は少なくとも5年に1回は行政の実施する派遣元責任者講習を受講し、個人情報の保護に関する事項等の知識・情報を得るよう努めることとする。

個人情報保護法とは

個人情報保護法（正しくは「個人情報の保護に関する法律」という）とは、個人情報の取扱いに関するルールを定めた法律です。国際的には、1980年のOECD（経済協力開発機構）の勧告により問題が提起されてきましたが、我が国では、情報技術が急激に進歩するなかでの相次ぐ個人情報流出という企業の不祥事や、「住基ネット」の導入に伴う行政等からの個人情報流出の危惧が高まったことなどから、行政や独立行政法人に関する法律などいわゆる「個人情報保護関連5法」と併せて成立しました。一部行政等の規定は先行して施行されてきましたが、民間企業に準備を促すための期間を経て、平成17年4月に全面施行されました。ただし、この個人情報保護法は、「個人情報に一切触れてはならない」というものではなく、有効的に個人情報を活用するうえで、適正に取り扱われるためのルールを定めたものです。したがって、個人のプライバシーを侵害したことの損害賠償などについては、これまでどおり、民法第709条の不法行為責任などの規定に頼ることになります。

個人情報とは

そもそも個人情報とは何でしょうか。プライバシー情報だと考えがちですが、完全に同じものではありません。プライバシー情報とは、①私生活上の事実　②一般の人が知らないこと　③本人が公開を望まないこと…のすべての条件を満たすものだと定義されています。一方、個人情報については、「特定の個人を識別できる情報」と定義され、プライバシー情報も含まれますが、例えば、氏名、住所、電話番号、名刺、カルテ…なども個人情報です。この法律では、個人情報を、さらに次の図のように3つの段階で定義しています。

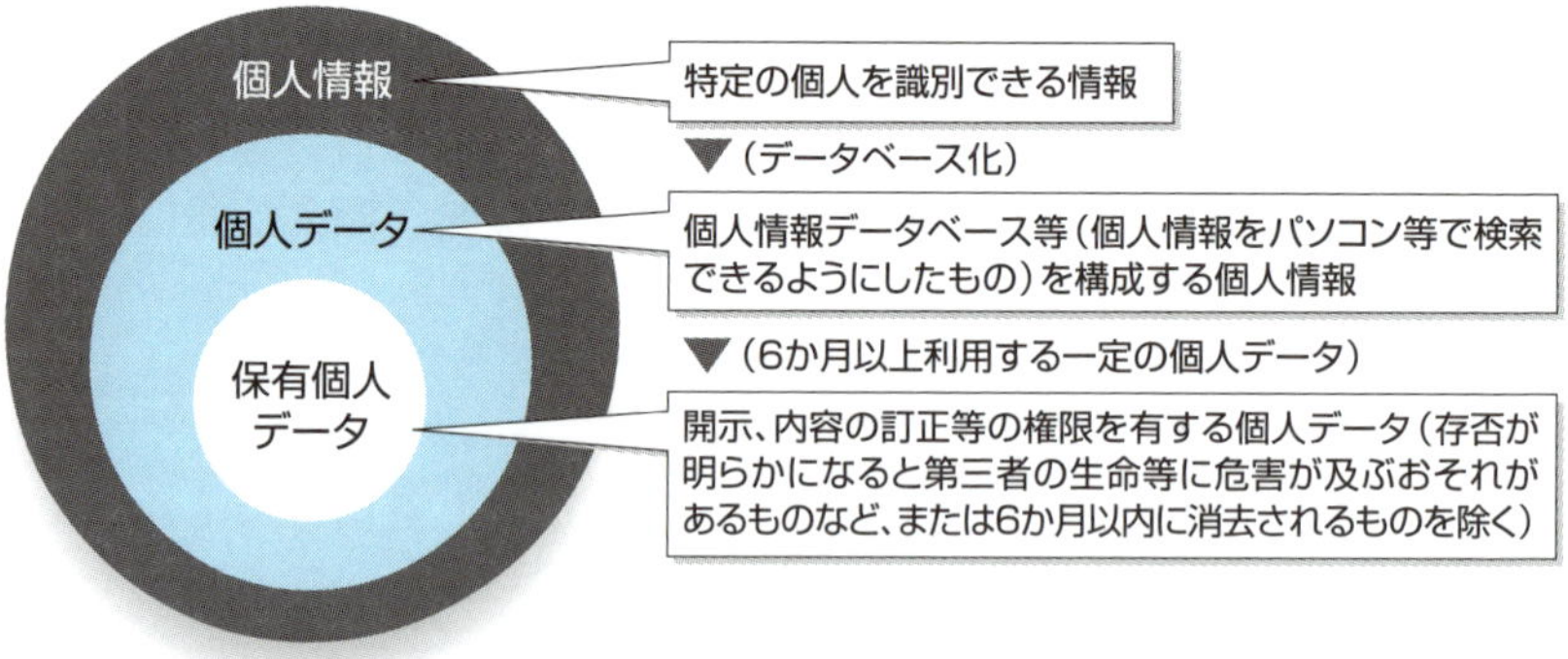

例えば、パソコンを購入し、ユーザー登録用のハガキのアンケートが入っていたとします。これを企業が回収したとき、ハガキの内容は個人情報です。それを、社内のデータベースに取り込んだときから、個人情報は個人データとなり、さらに6か月以内に消去されなければ、保有個人データとなります。

個人情報取扱事業者とは

個人情報取扱事業者とは、個人情報データベース等を事業の用に供している者をいいます。ただし、国の機関、独立行政法人等は除かれます。

個人情報保護法の概要

個人情報取扱事業者の義務

個人情報について

①利用目的の特定（第15条）…個人情報を取り扱うときは、利用目的をできる限り特定すること。
②利用目的による制限（第16条）…あらかじめ本人の同意を得ないで、利用目的の範囲を超えて個人情報を取り扱わないこと（一定の場合を除く）。
③適正な取得（第17条）…偽りその他不正な手段で個人情報を取得してはならない。
④取得に際しての利用目的の通知等（第18条）　（ホームページでOK!）
…個人情報を取得したときは、利用目的を通知または公表すること（あらかじめその利用目的を公表している場合を除く）。また、本人と契約締結に伴って契約書等の書面に記載された個人情報を取得する場合、その他本人から直接書面に記載された個人情報を取得する場合は、あらかじめ、本人に利用目的を明示すること。ただし、これらについて、取得の状況からみて利用目的が明らかであると認められる場合などは適用しない。

> 例えば、ラーメン屋が、お客にアンケートをお願いする場合、「サービス向上のため」などと、利用目的を通知する必要があります。しかし、出前を頼まれた場合に、配達のために住所や名前を聞くときは、目的が明らかなため、通知の必要はありません。

⑤苦情の処理（第35条）…個人情報の取扱いに関する苦情の適切かつ迅速な処理に努めること。

個人データについて

⑥データ内容の正確性の確保（第19条）…個人データを正確かつ最新の内容に保つよう努めなければならない。
⑦安全管理措置（第20条）…漏えい、滅失、き損、その他個人データの安全管理のために必要な措置を講じること。
⑧従事者・委託先の監督（第21条、第22条）…個人データを取り扱わせる従事者・委託先に、個人データの安全管理が図られるよう監督すること。
⑨第三者提供の制限（第23条）

原則 …本人の同意を得ずに個人データを第三者に提供してはならない（税務調書など法令に基づく場合を除く）。

例外「オプトアウト方式」…本人の求めに応じて停止するとしている場合であって、「利用目的」「個人データの項目」「提供の手段」などについて、あらかじめ、本人に通知または本人が容易に知り得る状態に置いているときは、個人データを第三者に提供することができる。　（住宅地図業者や名簿業者のため!）

例外 …個人データの取扱いを委託する場合、事業の承継、共同して利用する場合において、個人データの提供を受ける者は、第三者に該当しない。

保有個人データについて

⑩保有個人データに関する事項の公表等（第27条）…保有個人データに関し、一定の事項について、利用目的等を本人の知り得る状態にすること。
⑪開示（第28条）…保有個人データについて、本人から開示を求められたときは、一定の場合を除き書面（本人が同意すればその方法）により、遅滞なく開示しなければならない。
⑫訂正等（第29条）…本人から、保有個人データの内容が事実でないという理由によって、内容の訂正等を求められた場合、一定の場合を除き、保有個人データの内容の訂正等を行わなければならない。
⑬利用停止等（第30条）…本人から、「利用目的による制限（第16条）」「適正な取得（第17条）」の規定に違反しているという理由によって、求められた場合であって、その求めに理由があることが判明したときは、遅滞なく、保有個人データの利用停止等を行わなければならない。

31 派遣スタッフの福祉の増進など

▼派遣元は派遣スタッフの希望に適した派遣に努めなければならない

福祉の増進

派遣スタッフは一時的・臨時的な労働力であるため、一般（常用雇用）の社員よりも就業条件の面で不利な立場になることが懸念されています。

そのため、派遣元には、派遣スタッフの能力や経験などに最も適した派遣先を決定すること、就業期間、日、時間、場所、派遣先における就業環境などについても派遣スタッフの希望に合ったものを確保するよう努めなければならないとされています（派遣法第30条の4）。

また、派遣元は、就業の機会と密接に関連する教育訓練の機会を確保するよう努めなければなりません。

例えば、派遣元が労働者派遣事業の許可を受けようとする際に提出する事業計画書中の「教育訓練に関する計画」に基づいて、適切に教育訓練を実施することが求められています。

さらに、賃金、労働時間、安全衛生、災害補償などの労働条件について、よりよい条件のもとでの就業機会の確保、社会保険・労働保険の適用の促進、福利厚生施設の充実などにも努めなければなりません。

適正な派遣就業の確保

派遣元は、派遣先が派遣スタッフを使用するに当たり、派遣法や労働基準法などに違反することがないように、また、派遣就業が適正に行われるように、必要な措置を講じ、適切な配慮をしなければなりません（派遣法第31条）。具体的には図表のとおりです。

派遣先が定める就業条件にしたがって派遣スタッフを労働させれば労働基準法上の労働時間、休憩、休日、深夜業、危険有害業務の就業制限等の規定や、労働安全衛生法上の就業制限、病者の就業禁止等の規定に抵触することとなる場合に、派遣スタッフを派遣し現実に派遣先が法の規定に抵触した場合には、派遣元も派遣先と同様に罰せられることとなるので注意が必要です。

……派遣元の適正な派遣就業の確保のために必要な措置・配慮……

1 派遣先との連絡体制の確立

●派遣先を定期的に巡回するなどにより、派遣スタッフの就業状況が労働者派遣契約の定めに反していないかの確認を行う。

●派遣法、労働基準法などの、関係者への周知の徹底、説明会の実施、文書の配布などの措置を講ずる。

2 適正な配慮の内容

●法違反の是正を派遣先に要請する。

●法違反を行う派遣先に対する派遣を停止し、またはその派遣先との派遣契約を解除する。

●派遣先に適用される法令の規定を習得する。

●派遣元責任者に派遣先の事業所を巡回させ法違反がないよう事前にチェックする。

●派遣先との密接な連携のもとに、派遣先で発生した派遣就業に関する問題について迅速かつ的確に解決を図る。

32 事前面接や履歴書送付などの禁止

▼派遣先は年齢、性別などの指定および事前面接などを要求してはいけない

事前面接などの禁止

派遣先がスタッフの派遣を受けるに当たって、事前面接を行ったり、派遣元に履歴書の送付を要請する、若年者に限定するなど、派遣スタッフを特定することを目的とする行為は禁止されています（派遣法第26条6項）。違反しても罰せられるわけではありませんが、そのように努めなければならないとされています。

さらに、派遣元が、派遣先からのこのような要請に協力することも、好ましくないとされています（派遣元指針第2の11、派遣先指針第2の3）。

例えば、派遣元に提出した履歴書が、派遣契約を結ぶ前に派遣先で回覧されているといった例は、これらのルールに反することとなります。

ただし、派遣スタッフの希望による職場見学や、派遣スタッフの氏名などの通知（派遣法第35条。37参照）の後、業務打合せのために派遣スタッフが派遣先を訪れることは、認められています。

なお、紹介予定派遣（28参照）については、派遣終了後の直接雇用が本来の目的であることから、平成16年3月の派遣法改正により、事前面接が認められるようになりました。

年齢や性別を理由に対象外とすることは禁止

派遣先は、年齢や性別、障害者であることを理由として、派遣スタッフに差別的な取扱いを行ってはなりません（派遣先指針第2の4、職安法第3条）。

これらを理由に派遣就業の対象外としたり、受入れを拒否したりしてはならないことになっていますが、図表の①②（労働施策総合推進法施行規則第1条の3第1項）に該当するケースについては、例外的に派遣先が派遣元に対して年齢の限定を行うことが認められています（業務取扱要領）。

しかし、この場合でも、派遣元に対し、年齢制限の理由について説明するものとされています。

……事前面接や差別の禁止……

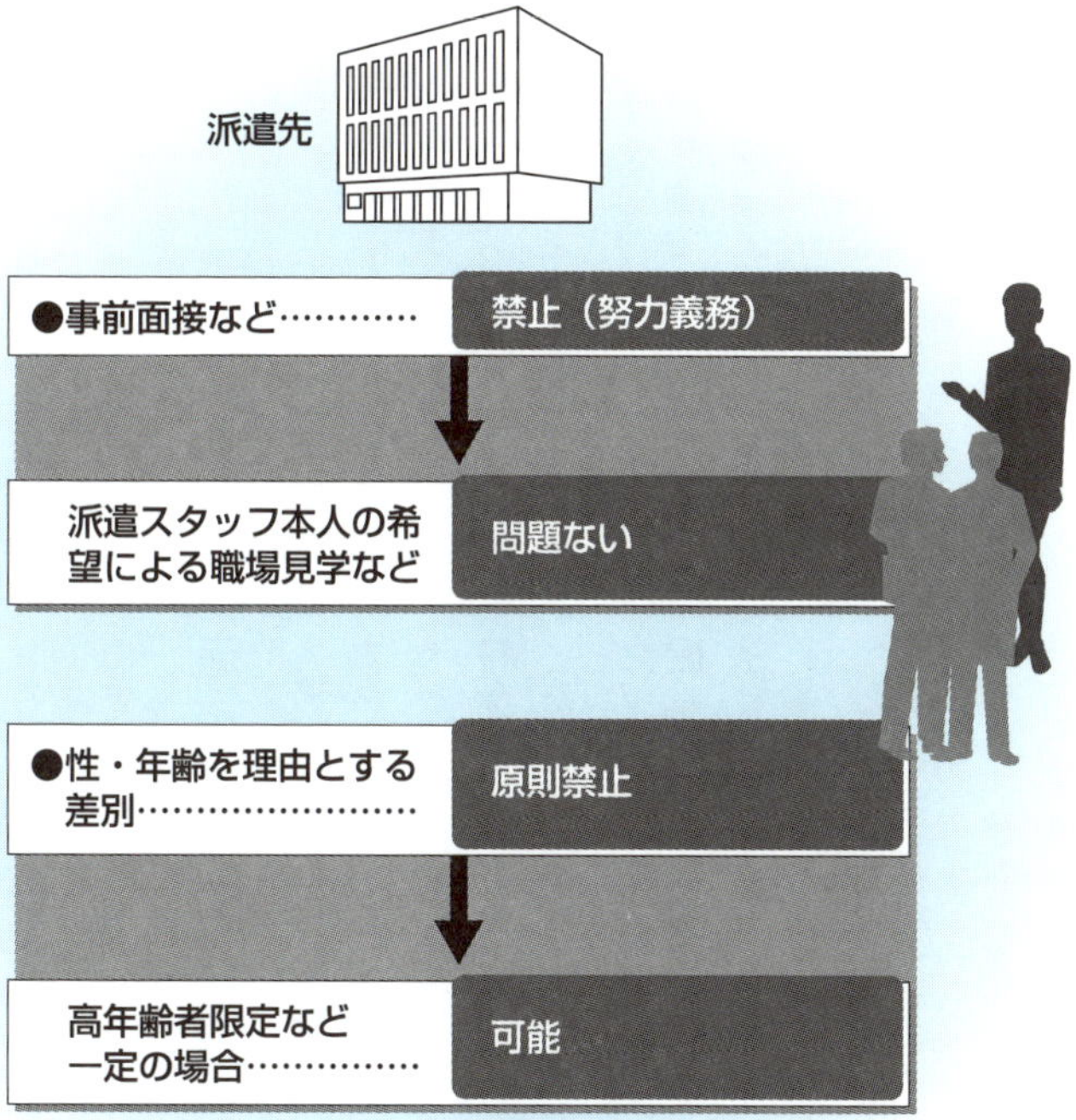

……労働施策総合推進法施行規則「年齢制限が認められる場合」（抜粋）……

①60歳以上の高年齢者または行政機関の施策をふまえて特定の年齢層に限定して募集・採用する

【例】特定の年齢層の雇用促進を目的とする助成金の対象となる年齢層の労働者を募集・採用する場合など

②労働基準法などの法令により、特定の年齢層の就業などが禁止または制限されている業務について、禁止または制限されている年齢層の労働者を除いて募集・採用する

【例】危険物の取扱いなどを行う業務に就く者として18歳以上の者を募集・採用する場合など

33 派遣元と派遣先で派遣契約を結ぶ

▼人材派遣に必要な契約と通知

人材派遣の契約

人材派遣を開始するに当たり、人材派遣の契約、すなわち派遣先が派遣スタッフに指揮命令できる根拠となる契約が結ばれます。ここには派遣先と派遣スタッフの間で結ばれる契約は何もなく、すべて派遣元を中心として行われます。

さらに人材派遣では、派遣法のみならず労働基準法までもが係わってくることから、それぞれの法律で定めている手続きを実施する必要があり、いくつもの書類を作成しなければなりません。

ここではその概要だけを説明することにしましょう。詳細についてはこの後、順に説明していくことにします。

派遣元と派遣先の契約

最初に、人材派遣では、派遣元がスタッフを派遣し、派遣先は派遣スタッフを業務に従事させる代わりに料金を支払うという契約を結びます。

ただし、派遣法では、派遣スタッフの保護を図るために派遣契約書に記載すべき事項を定めており（派遣法第26条1項）、これらの事項は必ず盛り込む必要があります。

この派遣契約書は、1枚の契約書にしてもよいのですが、多くの場合、同時に複数のスタッフを派遣したり、短期の派遣を繰り返すことから、料金など派遣の仕組みの大枠を定めた基本契約書（34参照）と、個々の派遣における就業条件など詳細を定めた個別契約書（35参照）に分けています。このうち、法律が記載事項を定めている契約書とは、後者の個別契約を指します。

派遣スタッフとの雇用契約

人材派遣は派遣元と雇用関係にある者を派遣するわけですから、派遣元は、登録スタッフと雇用契約（36参照）を結びます。常用型の場合は、派遣スタッフとは既に雇用契約が結ばれていますから、ここでは必要ありません。

なお、このときの雇用条件は、派遣契約で結ばれた休日、休暇などの就業条件となります。

……派遣先に指揮命令権を与える契約の仕組み……

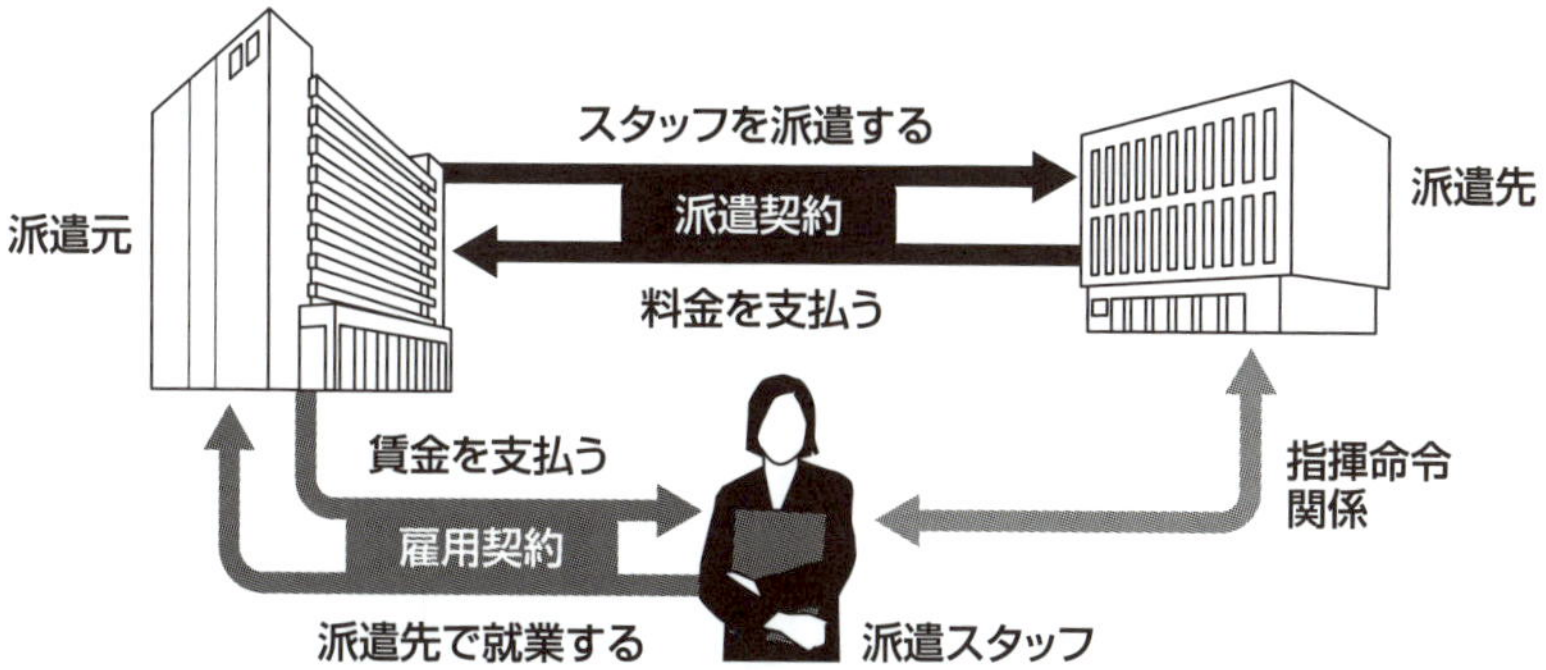

……派遣に必要な契約と文書の流れ……

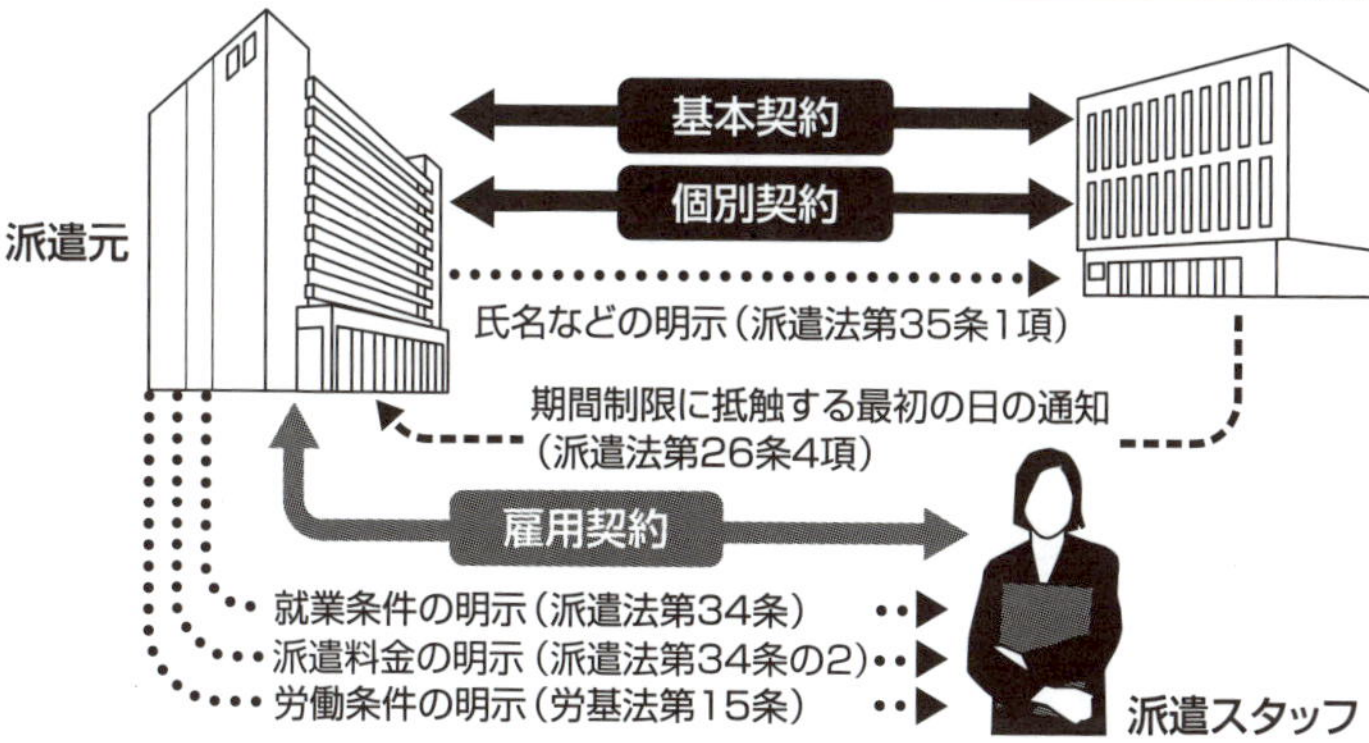

文書による明示事項

契約書の締結のほかにも、文書を作成し通知すべき事項が、派遣法と労働基準法で定められています。

まずは派遣スタッフの氏名など、どのような人物が派遣されるのかということを派遣先に通知します（37参照）。派遣契約では、派遣元の社員を派遣することを契約するのであって、人物の特定はされないからです。

次に、派遣スタッフにも、労働基準法で定める労働条件と、派遣法で定める就業条件を明示します（36参照）。

最後に、派遣先がスタッフを受け入れることができる期間（派遣受入期間）には限度が定められているため、派遣先から、派遣元に、法律で定められた事項を通知します（38参照）。

34 人材派遣（基本）契約書に記載する事項

▼派遣料金の計算方法、支払いの時期などは基本契約書に定める

基本契約は自由に決められる

33で述べたとおり、派遣法が求める労働者の保護に関する事項については、個別契約書に盛り込む必要があります。

それ以外の派遣料金、債務不履行の場合の損害賠償責任などについては、派遣元と派遣先の当事者が自由に決めることができ、基本契約に盛り込むのが一般的です。

派遣元、派遣先としては、法律に定められている事項を遵守することはもちろんですが、その他の基本契約に定める事項が、事業を行ううえでは切実な問題であり、自由に定めることができるからこそ、十分な検討を要するものなのです。

主な契約事項

「人材派遣（基本）契約書」の例は、図表のようなものです。後日のトラブルを防止するために、確認すべき事項を網羅しておくべきです。少なくとも、次のような事項が必要になってきます。

①契約書の目的…人材派遣を目的とする契約である旨（例・第1条）。
②個別契約書への委任規定…具体的な派遣の実施および基本契約に定める以外の事項は個別契約書を締結する旨（例・第2条）。
③派遣料金の設定、集計、支払いの時期…具体的に誰が計算しても同額となるように、また時間外労働については、派遣元は派遣スタッフに労働基準法の割増賃金を支払う必要があるため料金の割増計算について、率または額で取り決めるべきです（別途料金を定める場合の例・第5条）。
④派遣スタッフの休暇の取り扱い…スタッフの休暇の取得がスムーズに行われるために必要な事項を確認します（例・第11条）。
⑤守秘義務…派遣就業において知った情報などについて他に漏らさないことを確認しておきます（例・第13条）。
⑥基本契約書の契約期間…基本契約としての有効期間（例・第19条）。

……人材派遣基本契約書（例）……

人材派遣基本契約書

○○○○株式会社（甲）と□□□□株式会社（乙）は、次のとおり労働者派遣に関する基本契約を締結する。

（目的）
第１条　本契約は、乙が自己の雇用する労働者（以下「派遣労働者」という）を当該雇用関係のもとに甲へ派遣し、甲の指揮命令を受けて労働に従事させることを目的とする。

（個別契約）
第２条　個別具体的な派遣期間、従事する業務、人数、就業条件など派遣法により派遣契約に定めるべき事項、その他派遣就業に必要な事項については、甲と乙が労働者派遣契約（以下「個別契約」という）を締結し決定する。

（適用範囲）
第３条　本契約は、特に定めのない限り、本契約有効期間中に甲乙間で締結されるすべての個別契約に適用する。
２．　本契約は、紹介予定派遣契約（乙が派遣労働者を甲に職業紹介することを予定して行う労働者派遣）にも適用する。

（法令遵守）
第４条　甲および乙は、労働基準法、労働者派遣法、その他の法令を遵守し、適正な派遣労働者の就業に必要な措置を講じなければならない。

（派遣料金）
第５条　甲は乙に対し、労働者派遣の対価として、別途定める派遣料金を支払うものとする。
２．　甲が、派遣労働者を所定就業時間を超えて、または所定就業日以外に就業させたときは、別途定める割増料金を支払うものとする。
３．　甲の責に帰すべき事由により、所定の就業日に派遣労働者が就業することができなかった場合も、乙は甲に派遣料を請求することができる。
４．　派遣労働者の甲の業務への遅刻・欠勤等による不就労については、その時間分の派遣料を乙は甲に請求できない。

（派遣料金の支払方法）
第６条　前条の派遣料金は、毎月月末に締め切り、翌月15日までに乙の指定する口座に甲が振り込んで支払うものとする。

（適正な派遣労働者の選定等）
第７条　乙は、甲の求める業務に対し、適正な能力、経験、人格を備える派遣労働者を選定し派遣するよう努めるものとする。
２．　乙は、派遣労働者が甲の指揮命令に従い、甲の職場における諸規則等を遵守するように、教育・指導その他必要な措置を講ずるものとする。

（適正な就業の確保等）
第８条　甲は、派遣労働者の就業に当たり、派遣先責任者および指揮命令者をとおして、良好な職場環境の提供、適切な業務指導を行い、派遣労働者が効率的な業務を行えるよう必要な措置を講ずるものとする。
２．　甲は、派遣労働者の就業が適正かつ円滑に行われるため、甲の施設（診療所・給食設備等）で派遣労働者の利用が可能なものについては、一般の従業員と同様に利用させるよう便宜の供与に努めるものとする。

（派遣先責任者）

第９条　甲は、事業所その他派遣就業の場所ごとに、自己の雇用する労働者（役員を含む）の中から派遣先責任者を選任し、派遣法の定める派遣労働者の就業に必要な措置を講じなければならない。

（指揮命令者）

第10条　甲は、就業場所ごとに、自己の雇用する労働者（役員を含む）の中から指揮命令者を選任し、派遣労働者が安全かつ適切に業務を処理できるよう指導しなければならない。

２．　指揮命令者は、本契約および個別契約の定める事項を守って派遣労働者を指揮命令し、契約外の業務に従事させてはならない。ただし、甲の職場の規律維持のために必要な事項を派遣労働者に指示することができる。

（休暇および代替者の確保）

第11条　派遣労働者が乙の就業規則に定める年次有給休暇および特別休暇を申請した場合、乙は、原則として甲へ事前に通知するものとし、甲は、当該休暇の取得に協力するものとする。

２．　甲は、前項の休暇の取得が業務の運営に支障を来すときは、乙に取得予定日の変更、または必要な場合の代替者の派遣を要求することができる。

（派遣労働者の交替）

第12条　派遣労働者が、甲の業務上の指揮命令に従わない、または著しく業務能率が低いなど、労働者派遣の目的を達成できないときは、派遣労働者の交替を要請することができる。ただし、当該派遣労働者の交替が必要な理由を示して要請するものとし、甲と乙が協議して改善が見込めるときは、その改善のための対処を優先する。

（守秘義務）

第13条　乙および派遣労働者は、本契約に基づく派遣就業において知り得た甲の業務上の秘密事項を、派遣中はもちろん派遣終了後であっても、他に漏らしてはならない。なお、乙は、派遣労働者が秘密事項を他に漏らさぬよう適切な指導をしなければならない。

（個人情報）

第14条　甲は、派遣労働者の個人情報を派遣就業の目的以外で使用したり外部に漏えいしてはならない。

２．　乙は、派遣労働者に対し、派遣就業をとおして使用する個人情報を無断で漏えい、第三者提供などをしないよう指導するものとし、派遣労働者のこれら行為について責任を負うものとする。

（重責業務の事前通知）

第15条　甲は、派遣労働者を、現金や有価証券などの貴重品を取り扱う業務、自動車を使用した業務、その他個別契約に定める業務の範囲であっても派遣労働者の故意または過失により重大な損失が生じる業務に従事させるときは、乙に対し事前に通知のうえ、甲乙間で別途必要な取扱いを定めるものとする。

（雇用の禁止）

第16条　甲は、個別契約に定める派遣期間中は、当該派遣に従事する乙の派遣労働者を雇用してはならない。甲が派遣契約期間中に当該派遣労働者の雇入れを行おうとするときは、甲乙および派遣労働者の三者の合意のもと、当該個別契約を解除し、新たに紹介予定派遣契約を締結するものとする。

（損害賠償）

第17条　乙は、派遣労働者が甲における指揮命令および諸規程に反し、もしくは故意または重大な過失により甲に損害を与えたときは、その損害を賠償することとする。ただし、甲の責に帰すべき事由による場合はこの限りではない。

2．　乙は、派遣労働者が、正当な理由なく派遣就業を怠り、甲に損害を与えたときは、その損害を賠償することとする。

（契約の解除）

第18条　甲または乙は、相手方が正当な理由なく本契約および個別契約の定めに違反した場合、是正を催告し、相当な期間内に是正がないときは、契約の全部または一部を解除することができる。

2．　甲または乙は、相手方が、手形交換所の取引停止、租税公課の滞納処分、その他財産の差し押さえ等を受けたときは、何ら催告を要さず、本契約を解除することができる。

3．　本契約は、将来に向かってのみ解除することができる。

（労働契約申込みみなし制度）

第19条　甲が派遣法第40条の6第1項各号のいずれかに該当する行為を行った場合には、同条の定めにより、派遣労働者に対しその時点におけるその者の労働条件と同一の労働条件により労働契約を申し込んだものとみなされる。ただし、甲が派遣法第40条の6第1項各号のいずれかに該当することを知らず、かつ知らなかったことに過失がないときは、この限りではない。

2．　乙は、前項の規定により甲から求めがあった場合においては、速やかに同項の規定により労働契約の申込みをしたものとみなされた時点における当該派遣労働者の労働条件の内容を通知するものとする。

（有効期間）

第20条　本契約の有効期間は、令和○年○月○日から令和○年○月○日とする。ただし、本契約が満了する1か月前までに甲または乙から本契約を更新しない旨の通知がないときは更に1年間更新するものとし、以降同様とする。

2．　個別契約書に定める派遣期間中に本契約の有効期間が満了したときは、当該個別契約の期間の満了まで本契約の有効期間を延長する。

上記のとおり契約が成立したので、本契約書を2通作成し、甲乙各1通保有する。

令和○年○月○日

（甲）　東京都○○区－－－－－－－－－
○○○○株式会社
代表取締役　○○○○　㊞

（乙）　東京都□□区－－－－－－－－－
□□□□株式会社
代表取締役　□□□□　㊞
許可番号（派○○－○○○○○○）

35 人材派遣（個別）契約書に記載する事項

▼法定の記載事項は個別契約書に定める

個別契約に定める事項

人材派遣において、派遣スタッフの適正な就業条件を確保するため、派遣法では、派遣契約を締結するに当たり定めるべき事項が図表のとおり決められています（派遣法第26条1項、派遣則第21条、第22条）。

ここまで説明してきたように、人材派遣では契約書を基本契約書と個別契約書に分ける場合があり、この場合に、個々の派遣スタッフの就業に関するものは個別契約であるため、法律が規定している契約とは、個別契約をいうものとされています（業務取扱要領）。

派遣会社によっては、個別契約書を「覚書」と称したり、法定の事項以外を盛り込んでいるところもあります。

法律を遵守するためには、特に派遣期間などの規制をよく確認し、契約書を作成する必要があります。

なお、派遣契約の締結に当たっては、異なる業務を一括して契約する場合は総人数を定めるのではなく、業務の内容の違いに応じて派遣スタッフの人数を定めることとされています。

派遣契約期間の制限

派遣契約を結ぶ場合、派遣可能期間の制限とは別に、個々の派遣契約期間について制限があります。

この制限については、58 59で説明します。

許可済みであることの明示

派遣元は、人材派遣の契約を締結するに当たっては、あらかじめ派遣先に対して、派遣事業の許可を済ませてある旨を明示することとされています（派遣法第26条3項）。

……派遣法により派遣（個別）契約書に定めるべきとされている事項……

①派遣するスタッフの人数
②従事する業務の内容
③責任の程度
④従事する事業所の名称および所在地その他就業の場所、組織単位
⑤就業中の派遣スタッフを直接指揮命令する者に関する事項
⑥派遣期間および派遣就業をする日
⑦派遣就業の開始および終了の時刻ならびに休憩時間
⑧安全衛生に関する事項
⑨苦情の処理に関する事項
⑩派遣契約の解除に当たって講ずる措置

※99ページ参照

⑪紹介予定派遣に係るものである場合には、従事する業務の内容、労働条件、その他紹介予定派遣に関する事項
⑫派遣元責任者および派遣先責任者に関する事項
⑬⑥派遣就業日または⑦所定就業時間以外に就業させる日または延長時間
⑭派遣スタッフの福祉の増進のための便宜の供与に関する事項
⑮派遣先が派遣終了後にそのスタッフを雇用する場合の紛争防止措置
⑯協定対象派遣スタッフに限定するか否かの別
⑰派遣スタッフを無期雇用または60歳以上の者に限定するか否かの別
⑱派遣業務が派遣可能期間の制限の除外業務である場合、それぞれ次の事項

・満60歳以上の者である場合はその旨
・「プロジェクト業務」の場合、派遣法第40条の2第1項3号イに該当する旨
・「就業日数が少ない業務」の場合、派遣法第40条の2第1項3号ロに該当する旨、派遣先でその業務が1か月に行われる日数、派遣先に雇用される通常の労働者の1か月の所定労働日数
・「育児の代替業務」または「介護の代替業務」の場合、休業する労働者の氏名・業務、休業の開始および終了予定日

……労働者派遣（個別）契約書（例）……

労働者派遣（個別）契約書

○○○○株式会社（甲）と□□□□株式会社（乙）は、甲と乙の間に締結された令和○年○月○日付け労働者派遣基本契約に基づき、次のとおり個別契約を締結する。

（業務内容）

第1条　甲は、派遣労働者に次の業務に従事させるものとし、本契約以外の業務に従事させてはならない。

業務	種類	内容	備考
A業務	事務用機器の操作	パソコン等の事務用機器の操作による販売管理資料の作成	派遣令第4条1項第3号該当
B業務	営業業務	情報関連機器の顧客への販売、折衝、相談および新規顧客の開拓を行う業務ならびにそれらに付帯する業務とする。	派遣法第40条の2第1項

（派遣人員）

第2条　派遣労働者の派遣人員は、次のとおりとする。

業務	派遣人員
A業務	2人
B業務	1人

（責任の程度）

第3条　派遣労働者の責任の程度は、次のとおりとする。
副リーダー（部下2名、リーダー不在の間における緊急対応が週1回程度有）

（就業場所、組織単位）

第4条　　派遣労働者の就業場所は、次のとおりとする。

業務	事業所の名称・所在地・就業場所	組織単位
A業務	甲本社（〒110-0010 千代田区霞が関○-○-○ TEL ○○○○－○○○○） 総務部経理課経理係　（内線 ○○○○）	**総務部経理課** **（○○課長）**
B業務	同上 情報通信部営業課販売促進係　（内線 ○○○○）	**情報通信部営業課** **（○○課長）**

（指揮命令者）

第5条　　甲において、派遣労働者に具体的な業務の指揮命令をする者は、次の者とする。

業務	指揮命令者
A業務	総務部経理課経理係長 ○○○○
B業務	情報通信部営業課係長 ○○○○

（派遣期間）

第6条　　派遣労働者の派遣期間は、次のとおりとする。

業務	派遣開始	派遣終了
A業務	**令和○年○月○日から**	**令和○年○月○日まで**
B業務	**令和○年○月○日から**	**令和○年○月○日まで**

（所定就業日）

第7条　　派遣労働者の所定就業日は、次の休日を除く会社の所定労働日とする。

休日	毎週土・日曜日、夏季・年末年始その他会社の休日

（所定就業時間）

第8条　派遣労働者の所定就業時間は、休憩時間を除き、次の始業時刻から終業時刻とする。

始業時刻	終業時刻
9時	18時

（休憩時間）

第9条　派遣労働者の休憩時間は、次のとおりとする。

12時から	13時まで

（安全および衛生）

第10条　派遣労働者は、甲の安全衛生に関する諸規則を遵守しなければならない。

2.　派遣労働者は、次のとおり業務ごとに必要な安全衛生事項を守って就業するものとする。

業務	安全衛生事項
A業務 B業務	派遣労働者がワードプロセッサーを連続して操作する時間は1時間までとし、1時間連続して操作したときには、少なくとも10分間は他の業務に従事する。

（派遣労働者からの苦情の処理）

第11条　派遣労働者からの苦情の申出を受ける者は、甲乙それぞれ次の者とする。

甲	総務部秘書課人事係主任 ○○○○ TEL ○○○○－○○○○ 内線 ○○○○
乙	派遣事業運営係主任 ○○○○ TEL ○○○○－○○○○ 内線 ○○○○

2.　苦情処理方法、連携体制等

①甲の前項の者が苦情の申出を受けたときは、ただちに派遣先責任者へ連絡することとし、当該派遣先責任者が中心となって、苦情の適切かつ迅速な処理を図ることとし、その結果について必ず派遣労働者に通知することとする。

②乙の前項の者が苦情の申出を受けたときは、ただちに派遣元責任者へ連絡することとし、当該派遣元責任者が中心となって、苦情の適切迅速な処理を図ることとし、その結果について必ず派遣労働者に通知することとする。

③甲および乙は、自らでその解決が容易であり、即時に処理した苦情の他は、相互に遅滞なく通知するとともに、密接に連絡調整を行いつつ、その解決を図ることとする。

（労働者派遣契約の解除に当たって講ずる措置）

第12条　甲は、専ら甲に起因する事由により、本契約の契約期間が満了する前の解除を行おうとする場合には、乙の合意を得ることはもとより、あらかじめ相当の猶予期間をもって乙に解除の申入れを行うこととする。

2.　甲および乙は、本契約の契約期間が満了する前に派遣労働者の責に帰すべき事由によらない解除を行った場合には、甲の関連会社での就業をあっせんする等により、当該派遣労働者の新たな就業機会の確保を図ることとする。

3.　甲は、甲の責に帰すべき事由により本契約の期間が満了する前に解除を行おうとする場合には、派遣労働者の新たな就業機会の確保を図ることとし、これができないときには、少なくとも解除に伴い乙が派遣労働者を休業させること等を余儀なくされたことにより生じた損害の賠償を行わなければならないこととする（例えば、乙が派遣労働者を休業させる場合は休業手当に相当する額以上の額について、乙がやむを得ない事由により派遣労働者を解雇する場合は、甲による解除の申入れが相当の猶予期間をもって行われなかったことにより乙が解雇の予告をしないときは30日分以上、予告をした日から解雇の日までの期間が30日に満たないときは解雇の日の30日前の日から予告の日までの日数分以上の賃金に相当する額以上の額について、損害の賠償を行わなければならないこととする）。その他甲は乙と十分に協議した上で適切な善後処理方策を講ずることとする。また、乙および甲の双方の責に帰すべき事由がある場合には、乙および甲のそれぞれの責に帰すべき部分の割合についても十分に考慮することとする。

4.　甲は、本契約の契約期間が満了する前に解除を行おうとする場合であって、乙から請求があったときは、当該解除理由を乙に対し明らかにすることとする。

（派遣先が派遣労働者を雇用する場合の紛争防止措置）

第13条　甲が労働者派遣の役務の提供終了後に、当該派遣労働者を雇用する場合には、職業紹介を経由して行うこととし、手数料として甲は乙に支払われた賃金額の○分の○に相当する額を支払うものとする。ただし、引き続き6か月を超えて雇用されたときは、6か月間の賃金額の○分の○に相当する額とする。

（派遣労働者の限定）

第14条　派遣する労働者について、限定をするか否かは次のとおりとする。

①協定対象派遣労働者に限定する（限定しない）

②無期雇用派遣労働者に限定する（限定しない）

③60歳以上に限定する（限定しない）

（派遣元責任者）

第15条　乙は、次の者を派遣元責任者として選任する。

派遣事業運営係長 ○○○○ TEL ○○○○－○○○○ 内線 ○○○○

（派遣先責任者）

第16条　甲は、次の者を派遣先責任者として選任する。

総務部秘書課人事係長 ○○○○ TEL ○○○○－○○○○ 内線 ○○○○

（時間外労働）

第17条　乙は、労働基準法第36条の協定を締結し行政官庁へ届出するものとし、甲は、第８条の所定就業時間を超えて、また第７条の所定就業日以外に、派遣労働者を就業させることがある。ただし、当該所定就業時間外の就業は1日2時間、週6時間、所定就業日以外の就業は１月１日の範囲で命ずるものとする。

（派遣労働者の福祉の増進）

第18条　甲は、甲が雇用する一般の労働者が利用する診療所、給食施設、レクリエーション施設等の施設を、派遣労働者が利用することができるよう便宜供与をする。

（その他）

第19条　甲は、職業紹介を受けることを希望しなかったまたは職業紹介を受けた者を雇用しなかった場合には、その理由を乙に対して書面により明示する。

紹介予定派遣を経て甲が雇用する場合には、年次有給休暇および退職金の取り扱いについて、労働者派遣の期間を勤務期間に含めて算入することとする。

上記のとおり契約が成立したので、本契約書を2通作成し、甲乙各１通保有する。

令和○年○月○日

（甲）－－－－－－－－－－－－－－－
－－－－－－－－－－－－－－－　㊞
（乙）－－－－－－－－－－－－－－－
－－－－－－－－－－－－－－－　㊞
許可番号（派○○－○○－○○○○）

36 派遣スタッフを雇用するときに明示する事項

▼労働条件と就業条件を明示しなくてはならない

派遣として雇用されることを明示する

派遣会社は、派遣先との契約に基づき、登録スタッフの中から対象者を選び、まずは自社の社員として雇用契約を結びます。このとき、派遣スタッフという身分で雇用されることと、紹介予定派遣であるときはその旨を、事前に明示しなければなりません（派遣法第32条1項）。

派遣スタッフではない労働者を既に雇用していて、新たに派遣の対象にしようとするときも、あらかじめ労働者にその旨を明示し、同意を得る必要があります（派遣法第32条2項）。

労働条件を明示する

労働基準法では、企業が労働者を雇用する際に、労働条件を明示することを定めています（労基法第15条）。明示に際しては、図表のとおり、口頭で伝えてもよいものと、文書で伝えなければならないものがあります。一般には「労働条件通知書」などを交付して明示します。

就業条件を明示する

一方、派遣法でも、派遣元は派遣就業に際してスタッフに、派遣先での就業条件をあらかじめ書面で明示することが定められています。明示すべき就業条件は図表のとおりです（128ページ参照）。なお、緊急の必要があるため書面による交付ができない場合、書面以外の方法によることもできます。ただし、派遣スタッフが請求した場合や、派遣期間が1週間以上に及ぶ場合は、派遣開始後にあらためて書面で交付しなければなりません（派遣法第34条、派遣則第26条、派遣元指針第2の6）。

労働基準法の労働条件の明示と、派遣法の就業条件の明示は重複する事項が多いですから、1枚の「労働条件通知書兼就業条件明示書」として交付してもかまいません（129ページ参照）。

派遣料金を明示する

派遣元は、派遣スタッフを雇い入れるときに、スタッフに対し派遣先

……派遣法により明示すべきとされている労働条件……

①従事する業務の内容
②責任の程度
③従事する事業所の名称および所在地その他派遣就業の場所、組織単位
④就業中の派遣スタッフを直接指揮命令する者に関する事項
⑤派遣期間および派遣就業をする日
⑥派遣就業の開始および終了の時刻ならびに休憩時間
⑦安全および衛生に関する事項
⑧苦情の処理に関する事項
⑨派遣契約の解除に当たって講ずる措置
⑩紹介予定派遣に係るものである場合には、従事する業務の内容、労働条件、その他紹介予定派遣に関する事項
※99ページ参照
⑪個人単位の期間制限に抵触する最初の日（期間制限のない労働者派遣に該当する場合はその旨）
⑫派遣先の事業所単位の期間制限に抵触する最初の日（期間制限のない労働者派遣に該当する場合はその旨）
⑬派遣元責任者および派遣先責任者に関する事項
⑭⑤派遣就業日または⑥所定就業時間以外に就業させる日または延長時間
⑮派遣スタッフの福祉の増進のための便宜の供与に関する事項
⑯派遣先が派遣終了後にその派遣スタッフを雇用する場合に雇用意思を事前に派遣元に対し示し、派遣元が職業紹介事業者である場合は職業紹介により紹介手数料を支払うことなど派遣終了後の紛争防止措置
⑰健康保険の資格取得届等の書類が行政機関に提出されていない場合その理由
⑱期間制限の除外業務である場合、それぞれ次の事項

・「プロジェクト業務」の場合、派遣法第40条の2第1項3号イに該当する旨
・「就業日数が少ない業務」の場合、派遣法第40条の2第1項3号ロに該当する旨、派遣先でその業務が1か月に行われる日数、派遣先に雇用される通常の労働者の1か月の所定労働日数
・「育児の代替業務」または「介護の代替業務」の場合、休業する労働者の氏名・業務、休業の開始および終了予定日

……労働基準法により明示すべきとされている労働条件……

【文書により明示すべき事項】
①労働契約の期間
②就業の場所
③従事する業務の内容
④始業および終業の時刻、休憩時間、就業時転換、所定労働時間を超える労働の有無
⑤休日
⑥休暇
⑦賃金の決定、計算および支払いの方法、賃金の締切りおよび支払いの時期
⑧退職

【口頭で明示してもよい事項】
⑨昇給
⑩退職手当の適用労働者の範囲、決定、計算および支払いの方法、支払時期
⑪臨時に支払われる賃金・賞与、それに準ずる賃金
⑫最低賃金
⑬労働者に負担させる食費、作業用品その他
⑭安全および衛生
⑮職業訓練
⑯災害補償および業務外の傷病扶助
⑰表彰および制裁
⑱休職

が支払う派遣料金の額を明示しなければなりません（派遣法第34条の2）。

派遣料金の額は、「その労働者本人に関する派遣料金（日額、月額等を問わない）」か「事業所の平均的な派遣料金（1人1日当たりの額）」のいずれかにより明示します（派遣則第26条の3第3項）。

派遣受入期間の制限に抵触する日の通知

派遣元は、派遣先から後に説明する派遣可能期間を定めたこと、または変更したことの通知（38参照。派遣法第40条の2第7項）を受けたときは、遅滞なく、その通知に係る事業所の派遣可能期間の制限に抵触することとなる日を明示しなければなりません（派遣法第34条2項）。

……就業条件明示書（例）……

就業条件明示書

令和　　年　　月　　日

　　　　　　　　　　　　　　殿

事業所　名　称

　　　　所在地

使用者　職氏名　　　　　　　　　㊞

次の条件で労働者派遣を行います。

業務内容	
責任の程度	
就業場所	事業所、部署名 所在地　　　　　　　　（電話番号　　　　）
組織単位	（組織単位における期間制限に抵触する日）令和　年　月　日
指揮命令者	職名　　　　氏名
派遣期間	令和　　年　　月　　日から令和　　年　　月　　日まで （派遣先の事業所における期間の制限に抵触する日）令和　年　月　日
就業日および就業時間	就業日 就業時間　　　時　　分から　　時　　分まで （うち休憩時間　　時　　分から　　時　　分まで）
安全および衛生	
時間外労働および休日労働	時間外労働（無／有）→（1日　　時間／週　　時間／月　　時間） 休日労働　（無／有）→（1月　　回）
派遣元責任者	職名　　　　氏名　　　　　　（電話番号　　　　）
派遣先責任者	職名　　　　氏名　　　　　　（電話番号　　　　）
福利厚生施設の利用等	
苦情の処理・申出先	申出先　派遣元：職名　　　氏名　　　　（電話番号　　　　） 　　　　派遣先：職名　　　氏名　　　　（電話番号　　　　）
派遣契約解除の場合の措置	
派遣先が派遣労働者を雇用する場合の紛争防止措置	
備考	※労働・社会保険の資格取得届が提出されていないときは、その理由 ※期間制限のない労働者であるときは、その該当事項

……労働条件通知書兼就業条件明示書（例）……

労働条件通知書兼就業条件明示書

令和　　年　　月　　日

＿＿＿＿＿＿＿＿＿＿＿＿＿＿殿

事業所　名　称
所在地
使用者　職氏名　　　　　　　　　　㊞

契約期間	令和　　年　　月　　日から令和　　年　　月　　日まで
派遣期間	令和　　年　　月　　日から令和　　年　　月　　日まで （派遣先の事務所における期間制限に抵触する日）令和　　年　　月　　日
契約更新の有無	契約更新の有無　・更新する場合がある （○更新の判断基準 ・勤務成績、勤務態度、業務能力　・会社の経営状況など）
就業場所	事業所　　　部署名 所在地　　　　　　（電話番号　　　　）
組織単位	（組織単位における期間制限に抵触する日）令和　　年　　月　　日
指揮命令者	職名　　　　氏名
派遣元責任者	職名　　　　氏名　　　　（電話番号　　　　）
派遣先責任者	職名　　　　氏名　　　　（電話番号　　　　）
業務の内容	（責任の程度　　　　）
就業日および就業時間	就業日：休日を除く各日 就業時間　　　時　　分から　　時　　分まで （うち休憩時間　　時　　分から　　時　　分まで）
時間外労働	時間外労働（無／有）→（1日　　時間／週　　時間／月　　時間） 休日労働　（無／有）→（1月　　　回）
休　日	毎週　　曜日、国民の休日、その他（　　　　）
休　暇	①年次有給休暇：6か月継続勤務した場合→　　　日付与 ②特別休暇：慶弔休暇、産前産後休暇、（　　　　）
賃　金	①賃金額　時給・日給（　　　円） ＿＿＿手当（　　　円） ＿＿＿手当（　　　円） ②割増賃金率　時間外労働（　　）％　深夜労働（　　）％ 休日労働　（　　）％　休日深夜労働（　　）％ ③締切および支払い　毎月　　日締切　　日支払い
安全および衛生	
福利厚生施設の利用等	
苦情の処理・申出	申出先　派遣元：職名　　　氏名　　　（電話番号　　　） 派遣先：職名　　　氏名　　　（電話番号　　　）
派遣契約解除の場合の措置	
派遣先が派遣労働者を雇用する場合の紛争防止措置	
退　職	①定年（無／有）→（　　　歳に達したとき） ②自己都合により申し出たとき（退職する　　　日以上前に届け出ること） ③就業規則の定めにより解雇するとき
備　考	※労働・社会保険の資格取得届が提出されていないときは、その理由 ※期間制限のない労働者であるときは、その該当事項

37 派遣元から派遣先へ通知すべき事項

▼派遣元はあらかじめ派遣スタッフの氏名などを派遣先に通知する

派遣先への通知

人材派遣の基本契約および個別契約に基づき、派遣元はスタッフを派遣します。ただし、これら派遣契約では、契約の範囲でスタッフを派遣すればよく、誰を派遣するのかなどは派遣元が決定し、派遣先は、派遣元が定めた派遣スタッフを就業条件に従って就業させることになります。

しかし、若年者や女性について労働基準法などで禁止された労働もありますから、どのような人が派遣されてくるのか、最低限の情報は知っておかなければ、適切な就業を指示することはできません。そのため、派遣元から派遣先に対して、派遣されるスタッフの氏名のほか、図表のとおり、必要な情報を通知することとさせています（派遣法第35条1項、派遣則第27条の2第1項、派遣則第28条）。

協定対象者であったかどうか、有期・無期の変更があったときも遅滞なく通知が必要です。④の事項は各書類が行政に提出されていることの有無であり、「無」の場合は、「加入手続中」「被保険者に該当しない」などと、その具体的な理由を記載する必要があります（派遣則第27条の2第2項）。なお、派遣の開始後に加入手続きが完了したときは、派遣元はその旨を派遣先に通知するものとされています。

通知の手続き

派遣スタッフについての通知は、あらかじめ通知すべき事項を書面（または電子メール、ファクシミリ）に記載し、派遣先に交付する方法が原則です。

ただし、緊急の必要があるため、書面などを交付できない場合は、通知すべき事項を、口頭などによって通知すればよいこととなっています（派遣則第27条2項、3項）。この場合、その派遣の個別契約において従事する業務など、就業条件の組み合わせが複数ある場合であって、派遣期間が2週間を超えるときは、派遣開始後に遅滞なく、書面などを派遣先に交付しなければなりません。

……派遣元から派遣先へ通知すべき事項……

①派遣スタッフの氏名および性別。
※派遣スタッフが18歳未満、45歳以上、60歳未満の場合その旨。

②派遣スタッフが協定対象（46参照）であるか否か。

③派遣スタッフが期間を定めないで雇用する者か否かの別。

④60歳以上の者であるか否かの別。

⑤社会保険などの加入の有無。
※派遣スタッフが健康保険・厚生年金・雇用保険の被保険者となったことの確認の有無（「無」の場合はその具体的な理由）。

⑥派遣契約の就業条件と異なる場合の就業条件。
※派遣スタッフの就業条件の内容が、その派遣契約の就業条件のうち「派遣期間および派遣就業をする日」「就業開始および終了の時刻、休憩時間」「派遣元責任者および派遣先責任者」「所定外就業」に限る）の内容と異なる場合、その内容。

……派遣先への通知（例）……

令和○年○月○日

株式会社△△△△
○○○○様

株式会社○○派遣

労働者派遣契約に基づき下記のとおり派遣します。

記

1 派遣期間　令和○年○月○日から令和○年○月○日まで
2 派遣労働者の氏名等

業務区分		A業務	A業務	B業務
氏名		○○○○	×××××	◎◎◎◎
性別		女	女	男
法定年齢通知事項		60歳未満	18歳未満	60歳未満
社会保険等加入の有無				
	健康保険	有	無（資格なし）	無（加入手続中）
	厚生年金	有	無（資格なし）	無（加入手続中）
	雇用保険	有	有	無（加入手続中）
雇用期間		無期	有期	有期
協定対象		対象	対象	対象
備考			就業時間は、13時から18時まで	

3 個別契約書と異なる就業条件
派遣元責任者を令和○年○月○日より「○○○○」とする。ただし、所属、連絡先は同じ。

38 派遣先から派遣元へ通知すべき事項

▼期間制限に抵触する日を通知する

派遣可能期間の制限の通知

派遣先は、派遣元から派遣可能期間を超えて継続して人材派遣を受けることはできません。また事業所等の組織単位ごとの業務について3年を超えて継続して同じ派遣スタッフに働いてもらうことはできません（20参照）。

新たな人材派遣を行う際に、派遣先において既に別の派遣会社から派遣が行われていたとしても、派遣元は把握することができないため、派遣可能期間を超えて人材派遣を行ってしまうおそれがあります。そこで、派遣可能期間の制限がない場合を除き、派遣先は派遣契約の締結に当たり、あらかじめ派遣元に対し事業所の期間制限に抵触することとなる最初の日を通知しなければなりません（派遣法第26条4項）。

なお、人材派遣の開始後に、派遣先が派遣可能期間（22参照）を変更したときは、同様に派遣元へ通知しなければなりません（派遣法第40条の2第7項）。

この通知は、通知すべき事項を記載した書面（または電子メール、ファクシミリ）により行わなければなりません（派遣則第24条の2）。

派遣元では、この通知をしない派遣先との間で、派遣契約を締結してはならないこととされています（派遣法第26条5項）。

離職1年以内の通知

派遣先を離職して1年以内の者を派遣スタッフとして受け入れることは禁止されています（27参照）。そこで派遣先は、派遣元から派遣スタッフの氏名等の通知（37参照）を受け、離職1年以内の労働者であることを知ったときは、速やかにその旨を派遣元に通知しなければなりません（派遣法第40条の9第2項）。

……「派遣可能期間の制限に抵触する最初の日の通知」のルール……

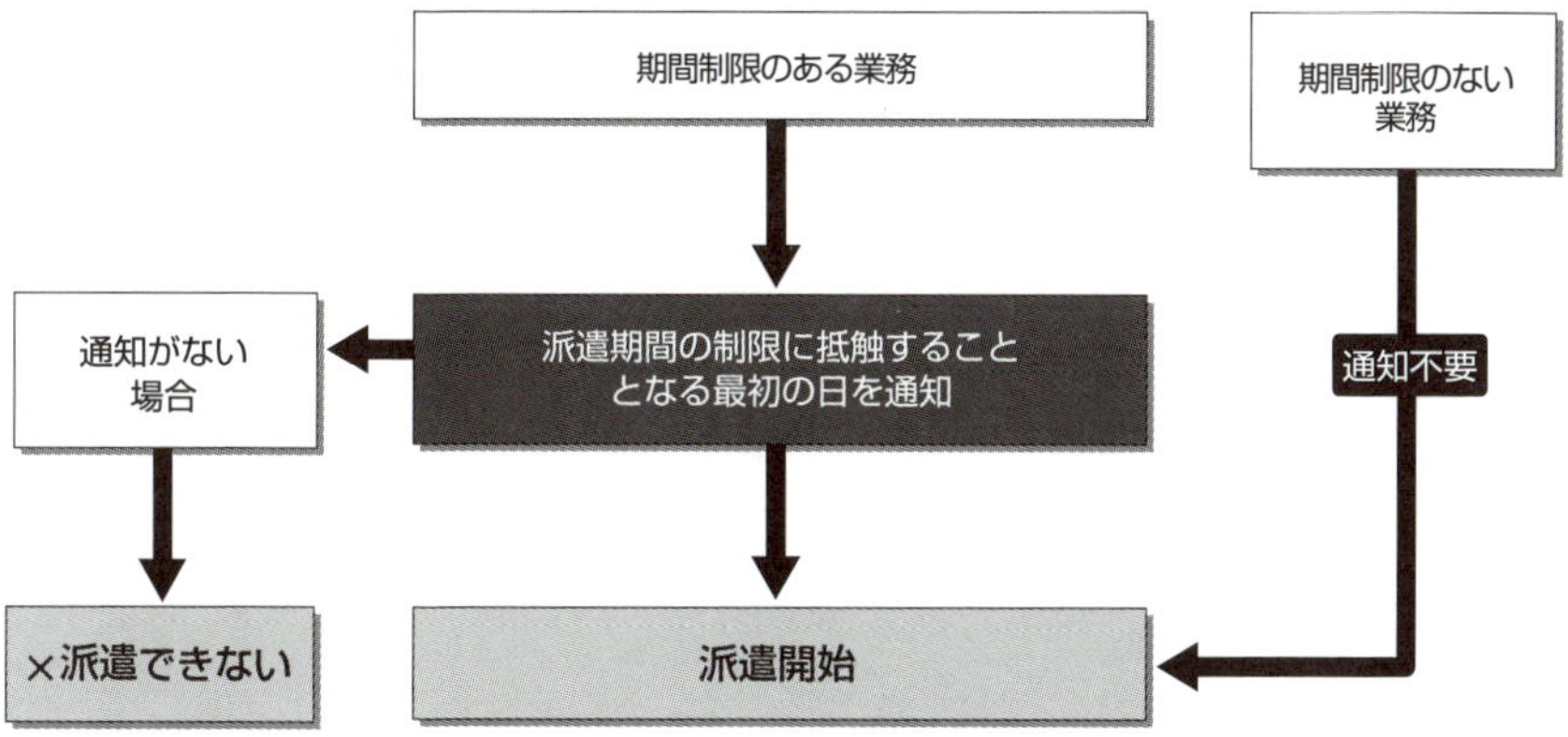

……派遣可能期間の制限の通知（例）……

令和○年○月○日

株式会社○○派遣
○○○○様

株式会社△△△△
○○○○

労働者派遣法第26条第4項に基づき、労働者派遣契約による派遣業務の制限期間に抵触する日を、下記のとおり通知いたします。

記

1 派遣受入予定場所：　渋谷区恵比寿0−0−0
営業推進本部

2 派遣可能期間の制限の規定に抵触することとなる最初の日：令和○年○月○日

以上

39 海外派遣の特別事項

▼1か月を超える海外派遣をする場合、派遣元は労働局に届出をする

海外派遣の届出

人材派遣が海外の派遣先に行われる場合、日本国内の法律が適用されない海外でも派遣スタッフの適正な就業を確保するため、派遣法では、派遣元に事前の届出をするよう定めています（派遣法第23条4項）。

ここでいう海外派遣とは、海外の事業所やその他の施設で指揮命令を受けて派遣就業させることを目的とする限り、海外の法人または個人はもちろん、日本国内の法人または個人の海外支店などにおいて派遣就業させるときもこれに該当します。

ただし、派遣就業の場所が一時的に国外となる場合であったとしても、出張などの形態により業務が行われ、主に指揮命令を行う者が日本国内にいて、その業務が国内にある事業所の責任により行われている場合は、海外派遣には当たりません。

また、派遣期間がおおむね1か月を超えないものについても、海外派遣に該当しないので、届出をする必要はありません（業務取扱要領）。

届出の方法

海外派遣の届出は、あらかじめ、海外派遣届出書を事業所を管轄する都道府県労働局に提出することにより行います（派遣則第18条）。

この場合、図表のとおり「派遣先が講ずべき措置」（派遣則第23条）を定め、その書面の写しを添付します（派遣則第18条）。

海外派遣の場合の派遣契約

海外派遣を行う派遣元は、その派遣契約の締結に際して、国内の派遣契約に定めるべき事項のほか、「派遣先が講ずべき措置」を書面（または電子メール、ファクシミリ）に記載して必ず派遣先に交付しなければなりません（派遣法第26条2項、派遣則第23条、則第24条）。

派遣先がこの派遣契約の定めに反した場合、その契約について債務不履行となり、派遣元はその履行を派遣先に求めることができ、また、それを理由に人材派遣契約を解除することができます。

……海外派遣で「派遣先が講ずべき措置」として定めるべき事項……

①派遣先責任者を選任すること。

②派遣先管理台帳の作成、記載および通知を行うこと。

③派遣スタッフに関する派遣契約の定めに反することのないように適切な措置を講ずること。

④派遣スタッフの派遣先における就業に伴って生ずる苦情等について、派遣元に通知し、その適切かつ迅速な処理を図ること。

⑤教育訓練の実施等必要な措置（派遣法第40条2項）と同様の規定。

⑥福利厚生施設の利用の機会の付与（派遣法第40条3項）と同様の規定。

⑦疾病、負傷等の場合における療養の実施その他派遣スタッフの福祉の増進に係る必要な援助を行うこと。

⑧事業所単位の期間制限に係る派遣可能期間の制限に抵触することとなる最初の日の通知、および離職した労働者についての労働者派遣の役務の受入れの禁止に関する通知を行うこと。

⑨派遣可能期間の制限のある業務以外の労働者派遣を行う場合において、スタッフが労働者派遣に係る労働に従事する事業所その他派遣就業の場所における組織単位の業務について継続して1年以上、同一の特定有期雇用派遣スタッフに係る労働者派遣の役務の提供を受けた場合であって、引き続き同一の業務に労働者を従事させるため、労働者を雇い入れようとするときの、特定有期雇用派遣スタッフの雇用に関する措置。

⑩同一の事業所等において、派遣元から1年以上の期間継続して同一の派遣スタッフに係る労働者派遣の役務の提供を受けた場合において、その場所において通常の労働者の募集を行う時は、その募集情報の提供に関する措置。

⑪離職後1年以内の派遣スタッフの受入れ禁止について、派遣先が派遣元事業主より派遣する労働者名等の通知を受けたときに、その者を受け入れたときに離職後1年以内の受け入れ禁止規定に抵触する場合は、速やかにその旨を通知する旨。

⑫その他派遣就業が適正に行われるため必要な措置を行うこと。

40 関係者に対する情報提供の義務

▼派遣事業の一定の情報を関係者に提供する

派遣事業について情報提供の義務

派遣元は、人材派遣事業の業務に関する一定の事項について、関係者（派遣スタッフ、派遣先など）に対し、あらかじめ情報の提供を行わなければなりません（派遣法第23条5項）。

これは、派遣スタッフの労働条件を向上させるため、より賃金の高い派遣元を選ぶことができるようにするためです。また、派遣先も、優良な派遣元であることを確認できるわけです。

平成20年から、指針のうえでは求められていましたが、平成24年の改正により正式に法律で義務化されました。

情報提供の範囲

関係先に提供すべき情報は、図表のとおりです（派遣法第23条5項、派遣則第18条の2第3項）。

なお、マージン率については、直前の事業年度の実績により、1人1日（8時間）当たりの額を、図表のように求めることになっています。

この場合、事業所単位が原則ですが、他の事業所と経費が共通で処理されているなど一体的な経営を行っている事業所は、その範囲内で算定することもできます（派遣則第18条の2第2項、業務取扱要領）。

その他の参考となる事項とは、派遣スタッフによる派遣元事業者の選択に資するものであって、福利厚生や派遣先とのマッチングの状況などをいいます。

インターネットなどを利用する

事業内容についての情報提供は、事業所に書類を備え付ける、インターネットの利用その他の適切な方法により行うべきとされています（派遣則第18条の2第1項）。

なお、指針により、インターネットによる方法が原則とされています。

……情報提供の範囲……

①事業所ごとの派遣スタッフの数
②派遣先の数
③派遣料金の平均額
④派遣スタッフの賃金の平均額
⑤マージン率
⑥労使協定（46参照）を締結しているか否かの別
⑦キャリア形成支援制度に関する事項

……マージン率の計算方法……

$$\text{マージン率} = \frac{\text{派遣料金の平均額}-\text{派遣スタッフの賃金の平均額}}{\text{派遣料金の平均額}}$$

※1人1日8時間当たりの額。%表記で小数点以下一位未満の端数は四捨五入

平均方法は単純平均ではなく加重平均で計算します。例えば、1万円、1万円、3万円の3名では、次のように計算します。

（1万円＋1万円＋3万円）÷３人。

第5章

派遣の開始と就業のルール

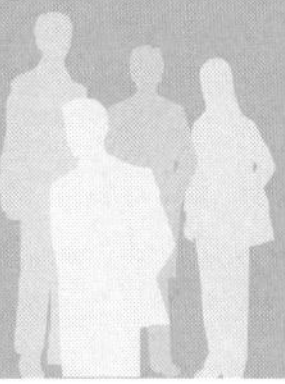

41 社会保険、労働保険を適用する

▼登録型の派遣スタッフも社会保険・労働保険などに加入する

派遣スタッフも保険に加入

登録型の派遣スタッフであっても、図表のような社会保険（健康保険・厚生年金）、労働保険（雇用保険・労災保険）の適用基準を満たす場合には、これらの保険に加入する必要があります。

派遣スタッフの社会保険などへの加入手続きは、雇用関係にある派遣元が行い、派遣元がその責任を負います（派遣元指針第2の4）。

また、派遣先は、これらの保険に加入している派遣スタッフを受け入れるよう求められており（派遣先指針第2の8）、派遣元は、派遣スタッフの被保険者資格の有無などを派遣先に通知することになっています（派遣法第35条1項）（37参照）。

労災保険は派遣元で当然に適用

労災保険法の適用を受ける労働者は、職業の種類を問わず、労災保険の適用事業に使用される労働者であって、賃金を支払われる者です。

ですから、派遣スタッフの場合は派遣元で当然に適用されます。一定期間以上使用されていたかどうかや、労働時間などは問われず、1日だけの雇用であっても適用されます。

なお、労災保険の保険料は事業の種類によって決まりますが、派遣の場合は「ファイリング」など主な派遣業務により決まります。

待機期間の社会保険

派遣期間が終了し、次の仕事を始めるまでの待機期間中の社会保険は、原則としてスタッフが自分で「国民健康保険」（または任意継続）に加入し、「国民年金（第1号）」の被保険者となります。ただし、次の①②のいずれの条件も満たせば、例外的に派遣期間中と同じ被保険者資格を継続できます。

①待機期間が1か月を超えない。
②次の仕事も同じ派遣元で働くことが見込まれる。

1か月以内に次の雇用契約が締結されなかった場合には、直前の派遣就業の終了時に遡るのではなく、雇用契約が締結されないことが確実に

……登録型派遣スタッフの社会保険などの適用基準……

雇用保険

次の1および2いずれにも該当する場合に被保険者となります。

1 反復継続して派遣就業する者であること

次の①または②に該当する場合、これに当たります。

①1つの派遣元事業主に31日以上引き続き雇用されることが見込まれるとき。
②1つの派遣元事業主との間の雇用契約が31日未満で①に当たらない場合であっても雇用契約と次の雇用契約の間隔が短く、その状態が通算して31日以上続く見込みがあるとき。この場合、雇用契約については派遣先が変わっても差し支えありません。

2 1週間の所定労働時間が20時間以上であること

社会保険（健康保険・厚生年金）

※500人超（令和4年10月からは100人超、令和6年10月からは50人超）規模の企業の社会保険の適用基準は、週20時間以上勤務、賃金月額8.8万円など

次の1および2いずれにも該当する場合に被保険者となります。

1 原則2か月超の雇用期間。ただし、2か月以内の期間を定めて雇用される者であっても、更新によってこの期間を超えた場合には、被保険者資格が得られます。

2 1日または1週間の労働時間、および1か月の労働日数が、正社員のおおむね4分の3以上ある場合。登録型派遣スタッフの場合は、派遣元で同じような仕事に従事している者と比較して判断します。

なった日、または1か月を経過した日のいずれか早い日をもって被保険者資格を喪失します。

42 就業条件明示書の内容と派遣先で行う内容

▼派遣先の事業主は派遣契約と派遣法の遵守のために措置を講ずること

契約内容に反してはいけない

欧米のような契約社会に比べ、我が国では「仕事を教えて育ててあげるのだから多少の無理は我慢しなさい」と労働条件が使用者により一方的に変更される「親方と弟子」のような関係が、根強く残っています。しかし、人材派遣にこのような考え方を持ち込んではなりません。

人材派遣は、他社の社員を一定の契約の範囲で使用するものですから、実際の派遣で従事する内容が派遣契約の定めに反していたり、異なったりしてはならないのです。

派遣先におけるトラブルで一番多いのは、契約にないことまで頼まれるといった「業務内容」に関することですから、トラブルを防止するためには、派遣を実施する前に、就業条件の確認を十分に行い、派遣スタッフに指揮命令する社内の者にもその内容を周知徹底しておく必要があります。このことについては特に注意するべきでしょう。

派遣法では、このようなトラブルがないように派遣先に適切な措置を講じるよう定めています（派遣法第39条）。具体的な措置の内容として、図表のように、「就業条件の周知徹底」「就業場所の巡回」「就業状況の報告」「契約の内容の遵守に係る指導」その他派遣先の実態に即した適切な措置を講ずることとしています（派遣先指針第2の2）。

また、派遣先の事業主は、自社において派遣契約の定めに違反する派遣スタッフの就業の事実を知った場合には、これを早急に是正するとともに、派遣契約の定めに反する行為を行った者および派遣先責任者に対し派遣契約を遵守させるために必要な措置を講ずるなど適切な措置を講ずることとされています（派遣先指針第2の5）。

連絡体制の確立

派遣実施におけるトラブルを予防するためには、派遣元と、派遣先の協力関係が大切です。これについては派遣元指針で、派遣元は、派遣先を定期的に巡回するなどにより、派遣スタッフの就業の状況が派遣契約

……派遣先が講ずべき就業条件の確保措置……

1 就業条件の周知徹底

派遣契約で定められた就業条件について、その派遣スタッフの業務の遂行を指揮命令する職務上の地位にある者その他の関係者に就業条件を記載した書面を交付し、または就業場所に掲示する等により、周知の徹底を図ること

2 就業場所の巡回

定期的に派遣スタッフの就業場所を巡回し、その派遣スタッフの就業の状況が派遣契約に反していないことを確認すること

3 就業状況の報告

派遣スタッフを直接指揮命令する者から、定期的にその派遣スタッフの就業の状況について報告を求めること

4 派遣契約の遵守に係る指導

派遣スタッフを直接指揮命令する者に対し、派遣契約の内容に違反することとなる業務上の指示を行わないようにすること等の指導を徹底すること

の定めに反していないことの確認を行い、派遣スタッフの適正な就業の確保のためにきめ細かな情報提供を行うなど派遣先との連絡調整を的確に行うものとされています（派遣元指針第2の5）。

43 スタッフのキャリアアップ措置を実施する

▼教育訓練とキャリア・コンサルティングが派遣元の義務となる

キャリアアップ措置が必須に

派遣元には、雇用している派遣スタッフに対し、「教育訓練（段階的かつ体系的なもの）」と「希望者に対するキャリア・コンサルティング」により、キャリアアップのための措置を実施する義務があります（派遣法30条の2第1、2項）。

これは平成27年9月の改正により新たに設けられたものです。登録型や日雇派遣の場合などでも、労働契約が締結されたところで実施する義務があります。

教育訓練とは

派遣スタッフに行う教育訓練は、段階的かつ体系的なものとされています。具体的には派遣事業の許可要件となっている「キャリア形成支援制度」（15参照）として策定した教育訓練計画に基づいて行います。結局は派遣元が内容を決めればよいのですが、法定の要件を満たした教育訓練かどうかは図表の事項から判断されます。

作成した訓練計画は、派遣事業の許可・更新を行った年については、その際に提出した計画書に基づき実施することになりますが、年度変わり等に随時見直すことが許されています。なお、変更の度に労働局へ届出までする必要はありません。

全員を対象にしなければなりませんが、実施する訓練内容について十分な能力があることが明らかな人であれば受講済みとして扱うことが許されています。例えば就労経験のない人を対象としたマナー研修について正社員経験がある人を受講したものとするといったものです。

1年以上の雇用見込みがあり、フルタイム勤務のスタッフについては、少なくとも最初の3年間は毎年1回、概ね8時間以上の訓練機会の提供が必要とされています。短時間勤務であれば、その勤務時間に比例した訓練時間とし、1年以上の雇用の見込みがない人には、少なくとも入職時に実施しなければなりません。

派遣先は、派遣元が教育訓練の実施に当たり希望した場合には、派遣スタッフが教育訓練を受けられるように可能な限り協力し、また必要な

……キャリア形成支援制度の判断基準……

1 教育訓練の実施

派遣スタッフのキャリア形成を念頭に置いた段階的かつ体系的な教育訓練の実施計画を定めていること
<教育訓練計画の内容>
①雇用するすべての派遣スタッフを対象としたものであること
②有給かつ無償で行われるものであること
③派遣スタッフのキャリアアップに資するものであること
④派遣スタッフとしての入職時の教育訓練が含まれたものであること
⑤無期雇用の派遣スタッフに対して行う教育訓練は、長期的なキャリア形成を念頭に置いたものであること

2 キャリア・コンサルティング相談窓口

相談窓口には、キャリア・コンサルティングの知見がある担当者が配置され、雇用するすべての派遣スタッフが利用でき、希望するすべての派遣スタッフが受けられること

3 派遣先の提供

派遣スタッフのキャリア形成を念頭に置いた派遣先の提供のための事務手引、マニュアル等が整備されていること

4 教育訓練の時期・頻度・時間数等

①派遣スタッフ全員に対する入職時の教育訓練は必須。キャリアの節目などの一定の期間ごとにキャリアパスに応じた研修等が用意されていること
②実施時間数については、フルタイムで1年以上の雇用見込みの派遣スタッフ1人当たり、毎年概ね8時間以上の教育訓練の機会を提供すること
③派遣元は教育訓練計画の実施に当たって、教育訓練を適切に受講できるように就業時間等に配慮すること

便宜を図るよう努めなければなりません。

キャリア・コンサルティング

キャリア形成支援制度として設置する相談窓口の担当者は、資格が必要なものではありませんが、キャリア・コンサルティングの経験などキャリア・コンサルティングについての知見が求められます。

また、派遣スタッフの意向に沿ったキャリア・コンサルティングが実施されることが必要です。

キャリア・コンサルティングは、希望に応じて行うものであることから、希望があるにもかかわらず実施しないことは認められません。実施方法については派遣元の裁量に委ねられるため、対面のみならず電話等で行うことも差し支えありません。

44 派遣スタッフの「同一労働同一賃金」（不合理な待遇の禁止）の概要

▼派遣先の労働者との均等・均衡待遇の確保のための措置

「同一労働同一賃金」とは

令和2年4月から、「働き方改革関連法」の一環として、派遣スタッフの「同一労働同一賃金」のルールが始まりました。これは、同じ仕事をする人は同じ賃金を受け取るべきという考えを表す言葉ですが、法律では同じ仕事をするすべての人に同じ額の賃金を支払うということまでは求めてなく、「不合理な待遇差」を禁止すること、つまり理由のつかない格差を禁止するものとなっています。

44から46で説明していきます。

均等・均衡待遇の確保

派遣法では、「均等」「均衡」の2つのケースで待遇の確保を求めています。

まず、派遣元は、雇用する派遣スタッフの基本給、賞与その他の待遇について、派遣先に雇用される通常の労働者との間において、不合理な待遇の格差を禁止しています。つまり、派遣スタッフの「同一労働同一賃金」は、雇用される派遣元の同様の仕事をする労働者ではなく、就業場所となる派遣先の同様の仕事に従事する労働者と比較するということが原則です。また、比較する待遇は、賃金に限らず、教育訓練、福利厚生、安全衛生、災害補償等のすべての労働条件についてです。

ただし、登録型の一般的な派遣スタッフなどは、「パート有期雇用労働法」によって派遣元の正社員などの通常の労働者との「同一労働同一賃金」も実現しなければなりません。もちろん派遣スタッフは様々な点で正社員と異なるのですから、注意すべきケースは少ないとは思います。

◆均衡待遇◆

「均衡（バランス）待遇」とは、次の①から③のそれぞれに照らして、不合理と認められる相違を設けてはならないとしています（派遣法第30条の3第1項）。例えば、「職務の内容」に差がある場合、その難易度や責任などの程度（バランス）に応じて賃金等の待遇が確保され、不合理といえるほどの差がないようにするものです。

……均衡待遇と均等待遇……

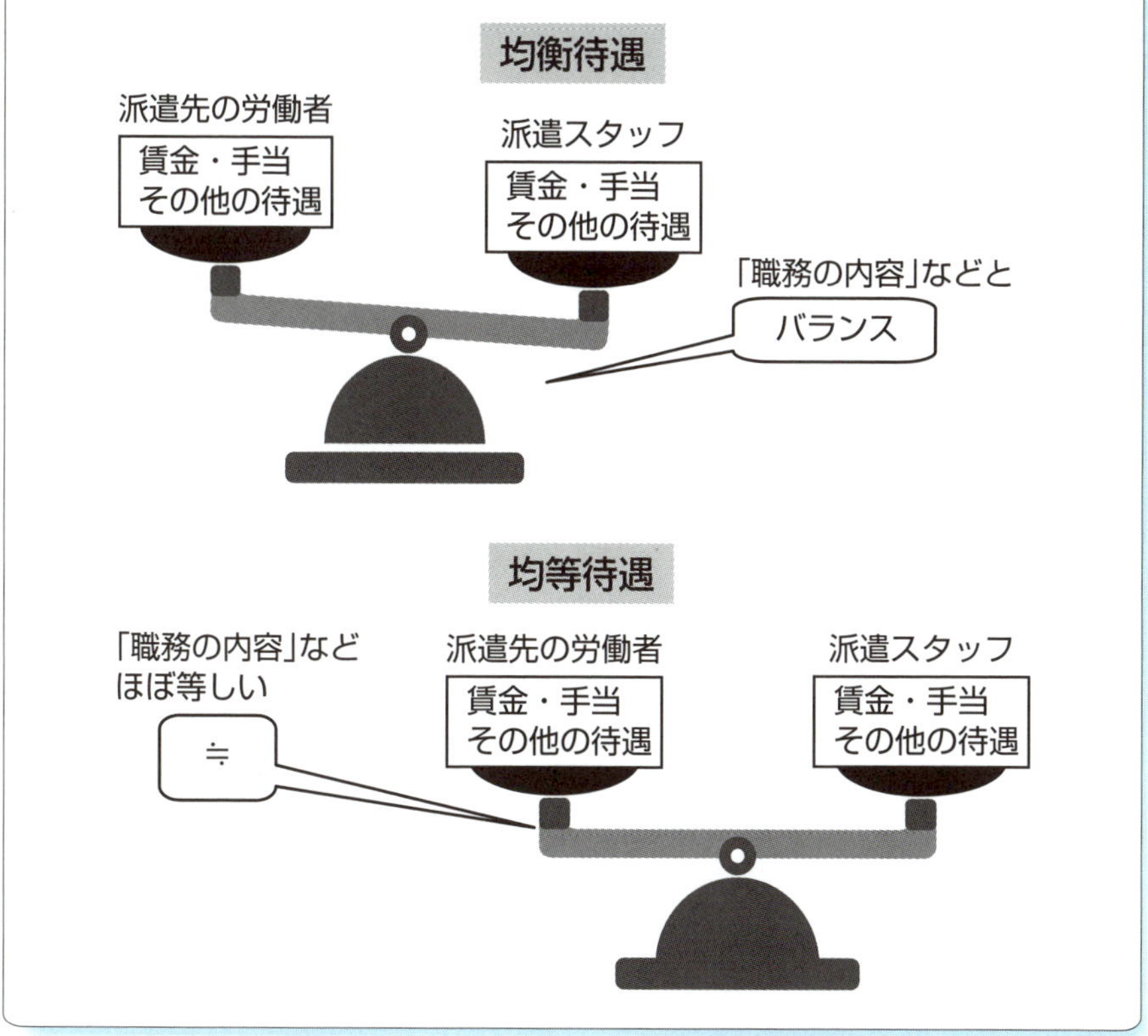

Aさんの職務内容を100とし、Bさんが80であれば、Bさんの賃金はAさんの80%程度になるわけです。

①職務の内容

②職務変更・配置転換（職務の内容および配置の変更）の範囲

③その他の事情

◆均等待遇◆

次に「均等待遇」です。次の2つの要件に該当するとき、つまり、ほとんど同じ仕事と考えられる場合は、不利な待遇差を設けてはならない（同等にしなければならない）としています（派遣法第30条の3第2項）。

①「職務の内容」が派遣先に雇用される通常の労働者と同一であること

②「職務変更・配置転換（職務の内容および配置の変更）の範囲」が、その派遣就業が終了するまでの全期間において、派遣先に雇用される通常の労働者と同一であること

……裁判例や「同一労働同一賃金」のガイドラインを参考に！……

どう比較するのか？

実在の労働者を比較し、「同一労働同一賃金」に関し不合理な格差があるかどうかを判断するには、どう見ていくかの共通のモノサシ（ルール）が必要です。正社員と、パートタイマーや派遣労働者など非正規労働者の待遇差をどう考えるべきかについて、最高裁を含め重要な裁判の判決も出揃ってきています。

さらに、これら裁判例などを参考に、厚生労働省がガイドラインを作成して具体的な事例も示されましたので、見ていきましょう。

最高裁の判決では

平成30年6月1日の同日に最高裁で出た2つの判決「長澤運輸事件」「ハマキョウレックス事件」などで正規・非正規労働者の賃金格差の判断のポイントが示されています。いくつかポイントをあげましょう。

ポイント① 「職務の内容」「職務変更・配置転換の範囲」「その他の事情」が考慮される。

ポイント② 複数の賃金項目から構成されている場合、個々の賃金項目ごとにその趣旨が異なるのだから、不合理かどうかの判断は賃金項目ごとに見るべき。

ポイント③ ある賃金項目の有無・内容が、他の賃金項目の有無・内容を踏まえて決定される場合もあるので、そのような事情も不合理かどうかの判断で考慮される。

ポイント④ 違反する場合、非正規労働者の労働条件が正社員の労働条件と同一になるものではない。不法行為に当たるとして損害賠償請求を考える問題である。

ガイドラインで具体例を確認

厚生労働省のガイドライン（短時間・有期雇用労働者及び派遣労働者に対する不合理な待遇の禁止等に関する指針）では、不合理と認められる待遇差について、基本的な考え方と具体例（問題となる例、ならない例）を示しています（251ページ参照）。

基本的には、均等・均衡に応じた支給が求められますが、通勤手当のような「職務内容」の違いなどにかかわらず支給されるものについては、当然、同様に支給することを求めています。

……「同一労働同一賃金」ガイドラインの概要……

基本給

労働者の能力・経験に応じて支給するものについては、派遣先の通常の労働者と同一の能力・経験を有する派遣労働者には、それに応じた部分につき、派遣先に雇用される通常の労働者と同一の基本給を支給しなければならない。また、能力または経験に一定の相違がある場合においては、その相違に応じた基本給を支給しなければならない。

賞与

賞与であって、派遣先および派遣元事業主が、会社（派遣先）の業績等への労働者の貢献に応じて支給するものについて、派遣先に雇用される通常の労働者と同一の貢献である派遣労働者には、貢献に応じた部分につき、同一の賞与を支給しなければならない。また、貢献に一定の相違がある場合においては、その相違に応じた賞与を支給しなければならない。

手当

①役職手当
役職の内容に対して支給するものについて、派遣先に雇用される通常の労働者と同一の内容の役職に就く派遣労働者には、同一の役職手当を支給しなければならない。また、役職の内容に一定の相違がある場合においては、その相違に応じた役職手当を支給しなければならない。
②通勤手当および出張旅費
派遣労働者にも、派遣先に雇用される通常の労働者と同一の通勤手当および出張旅費を支給しなければならない。

45 「派遣先均等・均衡方式」で派遣する

▼派遣先からの情報提供により不合理な待遇差をなくす

「派遣先均等・均衡方式」とは

人材派遣の「同一労働同一賃金」には、2つの方式（方法）がありますが、まずは、その1つ「派遣先均等・均衡方式」から説明します。これは、「派遣スタッフの基本給、賞与その他の待遇のそれぞれについて、職務の内容、職務変更・配置転換の範囲、その他の事情のうち、性質や目的に照らして適切と認められるものを考慮して、不合理と認められる相違を設けてはならないというものです（派遣法第30条の3第1項、2項）。

ただし、ほとんどの派遣については、2つの方式のうち46で説明する「労使協定方式」を取っているようです。「派遣先均等・均衡方式」は原則的な方法で、後述する「労使協定方式」が特例的（簡略式）な位置づけになります。

情報提供を受ける

派遣先は、派遣契約の締結にあたり、あらかじめ派遣元に対し、「比較対象労働者」の賃金その他の待遇に関する情報その他一定の情報を提供しなければなりません（派遣法第26条7項、10項）。

◆提供内容◆

①比較対象労働者の職務の内容、職種変更・配置転換の範囲、雇用形態

②比較対象労働者を選定した理由

③待遇の内容等（基本給、賞与、手当、通勤手当、福利厚生、教育訓練など）

「比較対象労働者」とは、派遣先の通常の労働者ですが、原則として派遣すべきスタッフと「職務の内容」「職務変更・配置転換の範囲」が同じ通常の労働者です。

厚生労働省が情報提供の書式サンプルを提供していますから、これを参考にすればよいでしょう。

この情報提供を受けて、派遣元は派遣スタッフの賃金等の待遇を不合理と認められないよう設定するわけです。しかし、派遣料金が安すぎて派遣元がこの水準で賃金を支払えなくなってはいけませんから、派遣先

……【派遣先均等・均衡方式】の流れ……

①比較対象スタッフの待遇情報の提供（派遣先）【法第26条７項・10項】

↓

②派遣スタッフの待遇の検討・決定（派遣元）【法第30条の３】

↓

③派遣料金の交渉（派遣先は派遣料金に関して配慮）【法第26条11項】

↓

④労働者派遣契約の締結（派遣元および派遣先）【法第26条１項等】

↓

⑤派遣スタッフに対する説明（派遣元）
  a．雇入れ時
    ・待遇情報の明示・説明【法第31条の２第２項】
  b．派遣時
    ・待遇情報の明示・説明【法第31条の２第３項】
    ・就業条件の明示【法第34条１項】

※求めに応じての対応
・派遣スタッフに対する比較対象労働者との待遇の相違等の説明（派遣元）【法第31条の２第４項】
・派遣先の労働者に関する情報、派遣スタッフの業務の遂行の状況等の情報の追加提供の配慮（派遣先）【法第40条５項】

に、これを考慮し派遣料金を決定すべきとされています（派遣法第26条11項）。

「派遣先均等・均衡方式」の全体的な流れは図表のとおりです。

説明責任もある

派遣元は、その雇用する派遣スタッフから求めがあったときは、当該派遣労働者に対し、比較対象労働者との間の待遇の相違の内容、理由、その他講ずべきこととされている一定の措置を決定するにあたり考慮した事項を説明しなければならないとされています（派遣法第31条の２第４項）。

46 「労使協定方式」で派遣する

▼労使が合意して、国の統計資料から不合理な待遇差をなくす

労使協定方式とは

派遣元は、労働者の過半数代表者と書面により協定し、雇用する派遣スタッフの待遇について、一定の事項、つまり、厚生労働省の示す一定額以上の賃金を支払うこと（左ページ図表（上）参照）を定めたときは、その協定の対象者について、45で説明した「派遣先均等・均衡方式」は適用しないというものです（派遣法第30条の4第1項）。

ただし、この協定は賃金に関するものですから、「教育訓練」「福利厚生施設（食堂、休憩室、更衣室）」に関しては、同様に情報提供を受けなければなりません（派遣法第26条7項、10項）。

「労使協定方式」の全体的な流れは156ページの図表のとおりです。また、労使協定のサンプルは157ページ以降を参考にしてください。

2つの方式を比較する

44から「同一労働同一賃金」を見てきましたが、多くの場合、「労使協定方式」を実施することになるでしょう。

手続きの複雑さはもちろんですが、派遣元事業者としても、顧客に「御社の給与を教えてください」とは言いにくいものでしょう。

ここで、「派遣先均等・均衡方式」と「労使協定方式」の大きな違いを見ておきましょう（左ページ図表（下））。「労使協定方式」を用いる場合、手当等を個別にみる必要がなくなるため、ここまで見てきた内容とだいぶ違う（簡単になる）と思われるでしょう。全体的にご理解いただけなければ、法律が何を求めているかが分からないと思いますから、順に説明してきたわけです

なお、「労使協定方式」の場合、労働者代表の選出手続きなどが正しく行われていないときは、原則である「派遣先均等・均衡方式」が適用されることがあるため、注意してください。

……労使協定で定めるべき事項……

①労使協定の対象となる派遣スタッフの範囲
②賃金の決定方法（次のアおよびイに該当するものに限る）
　ア 派遣スタッフが従事する業務と同種の業務に従事する一般労働者の平均的な賃金の額と同等以上の賃金額となるもの
　イ 派遣スタッフの職務の内容、成果、意欲、能力又は経験等の向上があった場合に賃金が改善されるもの
　　※イについては、職務の内容に密接に関連して支払われる賃金以外の賃金、例えば、通勤手当、家族手当、住宅手当、別居手当、子女教育手当を除く。
③派遣スタッフの職務の内容、成果、意欲、能力または経験等を公正に評価して賃金を決定すること
④「労使協定の対象とならない待遇（教育訓練、福利厚生施設）および賃金」を除く待遇の決定方法（派遣元に雇用される派遣スタッフを除く通常の労働者との間で不合理な相違がないものに限る）
⑤派遣スタッフに対して段階的・計画的な教育訓練を実施すること
⑥その他の事項
　・有効期間（2年以内が望ましい）
　・労使協定の対象となる派遣スタッフの範囲を派遣スタッフの一部に限定する場合は、その理由
　・特段の事情がない限り、一の労働契約の期間中に派遣先の変更を理由として、協定の対象となる派遣スタッフであるか否かを変えようとしないこと

……2つの方式の比較……

	「派遣先均等・均衡方式」	「労使協定方式」
比較対象となる労働者※1	派遣先の労働者	国の通知する賃金額等
各種手当等の検討方法	各種手当等を個別に検討	各種手当等を総額で検討
派遣先が提供すべき情報	比較対象労働者を選定し、賃金等を含む待遇の提供	教育訓練、福利厚生施設（食堂、休憩室、更衣室）

※1　パートタイム・有期契約労働者の場合、派遣元の通常の労働者との比較も必要

……労使協定の締結の流れ……

46 で解説した「労使協定方式」は簡略式といいましたが、労使協定を作成するまでの流れはやや複雑です。

厚生労働省が様々なケースの規定例のサンプルを提供していますから、これを参考に必要事項をまとめればよいのですが、統計資料に基づいて賃金水準を決定することが、やや難しいかもしれません。

まず、毎年、厚生労働省が「同種の業務に従事する一般労働者の賃金水準」を公表しますので、ここにある資料から次の区分で決定していきます。

「基本給・賞与・手当等」 職種別の基準値×能力・経験調整指数×地域指数

①職種別の基準値 … 賃金構造基本統計調査、職業安定業務統計などから、派遣しようとする職種に一致するものを選び、基準値（基本給・賞与・手当等の合計額）を決めます。**図表A**
②能力・経験調整指数 … 勤続０年を 100 とした場合の勤続年数別の指数を掛けた数値を入れます。**図表B**
③地域指数 … 資料にある地域指数（都道府県及び公共職業安定所の管轄地域別）を選び、掛けています。**図表C**

このように基本給等について統計値から各種指数を掛けた額を労使協定の別表にまとめます。次に自社の派遣スタッフの業務を洗い出し**図表D**、相応しい経験年数（簡単なものは０年、中間は３年、難しいものは 10 年など）に当てはめ**図表E**、実在者の基本給等が統計値等から導いた水準を上回るよう決定します。**図表F**

「通勤手当」 ①または②

①実費支給 … ②所定労働時間１時間当たり②を下回る場合は②による
②一般の労働者の通勤手当に相当する額 … 71 円（令和４年度）統計の時給換算額

「退職金」 次の①②③のいずれか選択したもの

①退職手当制度で比較する場合 … 厚生労働省の統計資料の中から選択した職種、勤続年数、支給額などを比較し自社の退職金制度が下回らないこと
②一般の労働者の退職金に相当する額 … 「基本給・賞与等」×一般退職金割合（6%）（令和４年度）
③中小企業退職金共済制度等に加入する場合 … 中退共の掛金を②とする

……「基本給等」の統計資料からの別表作成の流れ……

別表1　同種の業務に従事する一般の労働者の平均的な賃金の額

＜基本給及び賞与の関係＞

			基準値及び基準値に能力・経験調整指数を乗じた値						
			0年	1年	2年	4年	5年	10年	20年
1	プログラマー (A)	通達に定める賃金構造基本統計調査	1,253	1,464	1,571	1,623	1,714 (B)	1,972	2,466
2	地域調整	北海道 92.2	1,156	1,350	1,449	1,497 (C)	1,581	1,819	2,274

別表2　対象従業員の基本給、賞与及び手当の額

等級	職務の内容	基本給額	賞与額	手当額	合計額		対応する一般の労働者の平均的な賃金の額	対応する一般の労働者の能力・経験
Aランク	上級プログラマー(AI関係等高度なプログラム言語を用いた開発)	1,600〜	320	50	1,970〜	≧	1,819	10年
Bランク	中級プログラマー（Webアプリ作成等の中程度の難易度の開発）	1,250〜	250	30	1,530〜	≧	1,497	3年
Cランク	初級プログラマー（Excelのマクロ等、簡易なプログラム言語を用いた開発）	1,000〜	200	20	1,220〜	≧	1,156	0年

D　F　E

……【労使協定方式】の流れ……

<労使協定の整備>

①通知で示された最新の統計を確認
②労使協定の締結（派遣元）【法第30条の４第１項】
③労使協定の周知等（派遣元）
　a．労働者に対する周知【法第30条の４第２項】
　b．行政への報告【法第23条１項】

↓

④待遇情報の提供（派遣先）【法第26条７項、10項】

↓

⑤派遣料金の交渉（派遣先は派遣料金に関して配慮）【法第26条11項】

↓

⑥労働者派遣契約の締結（派遣元および派遣先）【法第26条１項等】

↓

⑦派遣スタッフに対する説明（派遣元）
a．雇入れ時
　・待遇情報の明示・説明【法第31条の２第２項】
b．派遣時
　・待遇情報の明示・説明【法第31条の２第３項】
　・就業条件の明示【法第34条１項】

※求めに応じての対応
・労働者に対する労使協定の内容を決定するに当たって考慮した事項等の説明（派遣元）【法第31条の２第４項】
・派遣先の労働者に関する情報、派遣スタッフの業務の遂行の状況等の情報の追加提供の配慮（派遣先）【法第40条５項】

労働者派遣法第30条の４第１項の規定に基づく労使協定

○○人材サービス株式会社（以下「甲」という。）と○○人材サービス労働組合（以下「乙」という。）は、労働者派遣法第30条の４第１項の規定に関し、次のとおり協定する。

（対象となる派遣労働者の範囲）

第１条　本協定は、派遣先でプログラマーの業務に従事する従業員（以下「対象従業員」という。）に適用する。

２　対象従業員については、派遣先が変更される頻度が高いことから、中長期的なキャリア形成を行い所得の不安定化を防ぐ等のため、本労使協定の対象とする。

３　甲は、対象従業員について、一の労働契約の契約期間中に、特段の事情がない限り、本協定の適用を除外しないものとする。

（賃金の構成）

第２条　対象従業員の賃金は、基本給、賞与、時間外労働手当、深夜・休日労働手当、通勤手当及び退職手当とする。

（賃金の決定方法）

第３条　対象従業員の基本給及び賞与の比較対象となる「同種の業務に従事する一般の労働者の平均的な賃金の額」は、次の各号に掲げる条件を満たした別表１の「２」のとおりとする。

（一）比較対象となる同種の業務に従事する一般の労働者の職種は、令和○年10月20日職発1020第３号「令和○年度の「労働者派遣事業の適正な運営の確保及び派遣労働者の保護等に関する法律第30条の４第１項第２号イに定める「同種の業務に従事する一般の労働者の平均的な賃金の額」」等について」以下「通達」という。）に定める「令和○年賃金構造基本統計調査」（厚生労働省）の「プログラマー」とする。

（二）地域調整については、派遣先の事業所所在地が北海道内に限られることから、通達別添３に定める「地域指数」の「北海道」を用いるものとする。

（三）通勤手当については、基本給、賞与及び手当とは分離し実費支給とし、第６条のとおりとする。

第４条　対象従業員の基本給、賞与及び手当は、次の各号に掲げる条件を満たした別表２のとおりとする。

（一）別表１の同種の業務に従事する一般の労働者の平均的な賃金の額と同額以上であること

（二）別表２の各等級の職務と別表１の同種の業務に従事する一般の労働者の平均的な賃金の額との対応関係は次のとおりとすること

Aランク：10年　Bランク：３年　Cランク：０年

２　甲は、第９条の規定による対象従業員の勤務評価の結果、同じ職務の内容であったとしても、その経験の蓄積及び能力の向上があると認められた場合には、基本給額の１～３％の範囲で能力手当を支払うこととする。

また、より高い等級の職務を遂行する能力があると認められた場合には、その能力に応じた派遣就業の機会を提示するものとする。

第５条　対象従業員の時間外労働手当、深夜・休日労働手当は、社員就業規則第○条に準じて、法律の定めに従って支給する。

第６条　対象従業員の通勤手当は、通勤に要する実費に相当する額を支給する。

第７条　対象従業員の退職手当は、別途定める退職金規則に従って支給する。

２　前項の退職手当の費用は、別表１の２に定める額の６％の額以上のものとし、その計算方法については労使の協議により別途定める。

（賃金の決定に当たっての評価）

第８条　基本給の決定は、半期ごとに行う勤務評価を活用する。勤務評価の方法は社員就業規則第○条に定める方法を準用し、その評価結果に基づき、第４条第２項の昇給の範囲を決定する。

２　賞与の決定は、半期ごとに行う勤務評価を活用する。勤務評価の方法は社員就業規則第○条に定める方法を準用し、その評価結果に基づき、別表２の備考１のとおり、賞与額を決定する。

（賃金以外の待遇）

第９条　教育訓練（次条に定めるものを除く。）、福利厚生その他の賃金以外の待遇については正社員と同一とし、社員就業規則第○条から第○条までの規定を準用する。

（教育訓練）

第 10 条　労働者派遣法第 30 条の２に規定する教育訓練については、労働者派遣法に基づき別途定める「○○社教育訓練実施計画」に従って、着実に実施する。

（その他）

第 11 条　本協定に定めのない事項については、別途、労使で誠実に協議する。

（有効期間）

第 12 条　本協定の有効期間は、○年○月○日から○年○月○日までの○年間とする。

２　本有効期間終了後に締結する労使協定についても、労使は、労使協定に定める協定対象派遣労働者の賃金の額を基礎として、協定対象派遣労働者の公正な待遇の確保について誠実に協議するものとする。

○年○月○日

甲 取締役人事部長 ○○○○ 印

乙 執行委員長 ○○○○ 印

別表１　同種の業務に従事する一般の労働者の平均的な賃金の額

<基本給及び賞与の関係>

			基準値及び基準値に能力・経験調整指数を乗じた値						
			0年	1年	2年	4年	5年	10年	20年
1	プログラマー	通達に定める賃金構造基本統計調査	1,253	1,464	1,571	1,623	1,714	1,972	2,466
2	地域調整	北海道 92.2	1,156	1,350	1,449	1,497	1,581	1,819	2,274

別表２　対象従業員の基本給、賞与及び手当の額

等級	職務の内容	基本給額	賞与額	手当額	合計額		対応する一般の労働者の平均的な賃金の額	対応する一般の労働者の能力・経験
Aランク	上級プログラマー（AI関係等高度なプログラム言語を用いた開発）	1,600～	320	50	1,970～	≧	1,819	10年
Bランク	中級プログラマー（Webアプリ作成等の中程度の難易度の開発）	1,250～	250	30	1,530～	≧	1,497	3年
Cランク	初級プログラマー（Excelのマクロ等、簡易なプログラム言語を用いた開発）	1,000～	200	20	1,220～	≧	1,156	0年

47 派遣スタッフの福利厚生施設の利用

▼他の社員が利用する施設を利用できるよう便宜を図ること

派遣先による適正な就業環境の維持

派遣スタッフが派遣先で十分な能力を発揮するには、派遣先での良好な人間関係や就業環境が必要です。その意味では、診療所や食堂などの福利厚生施設の利用など、可能な限り、派遣先の他の社員と同じ条件を派遣スタッフに与えて、それらの社員と溶け込んで働いて欲しいものです。

派遣法では、派遣先は、派遣スタッフの就業が適正かつ円滑に行われるように、適切な就業環境の維持、診療所、食堂などの派遣先の他の社員が通常利用している施設の利用に関する便宜の供与など、必要な措置を講ずるように配慮しなければならないとしています（派遣法第40条4項）。

このような派遣就業の確保を行うために、具体的には、図表のとおり、派遣先の他の社員が通常利用している診療所などの施設の利用に関する便宜の他にも、セクシュアル・ハラスメントの防止など適切な就業環境の維持、必要に応じた教育訓練に係る便宜を図るように努めなければならないとされています。

また、派遣元が求めるときは、派遣スタッフの従事するものと同種の業務に従事する労働者の賃金水準、教育訓練、福利厚生等の実状を把握するために必要な情報を提供するとともに、派遣元が派遣スタッフの職務の成果等に応じた適切な賃金を決定できるよう、派遣スタッフの職務の評価等に協力するよう努めることとされています（派遣先指針第2の9）。

説明会の実施

また、派遣先は、派遣スタッフの受入れに際し、説明会を実施するなどして、図表のとおり、派遣スタッフが利用できる派遣先の各種の福利厚生に関する措置の内容などについて説明することとされています（派遣先指針第2の12）。

……派遣先による適正な就業環境の維持……

①適切な就業環境の維持、福利厚生など

・セクシュアル・ハラスメントの防止など適切な就業環境の維持
・診療所、給食施設などの施設の利用に関する便宜

②教育訓練・能力開発

・派遣元の行う教育訓練や派遣スタッフの自主的な能力開発等について、可能な限り必要に応じた教育訓練に係る便宜、など

……派遣先による派遣スタッフへの説明事項……

①
派遣スタッフが利用できる
派遣先の各種の福利厚生に
関する措置

②
派遣先の他の労働者との
業務上の関係

③
職場生活上
留意すべき事項、など

48 派遣元責任者の選任

▼事業所ごと派遣スタッフ１００人につき１人以上、専属の者を選任する

派遣元責任者が必要

派遣スタッフについて適正な雇用管理を行うため、派遣法では、派遣元の雇用管理上の責任者を明確にすることとして、「派遣元責任者」の選任を義務付けています。この派遣元責任者は、図表に掲げる事項を行うことになります（派遣法第36条）。

派遣元責任者の要件

労働者派遣事業では、派遣元責任者を図表の要件に該当する者から選任しなくてはなりません（派遣法第36条）。

派遣元責任者の選任方法

派遣元責任者は、事業所ごとに、派遣元が自ら雇用する労働者の中から事業所に専属の者を選任する必要があります（派遣則第29条）。

この場合の専属とは、派遣元責任者がその業務のみを行うということではなく、他の事業所の派遣元責任者と兼任しないという意味です。

また、派遣元事業主（法人の場合はその役員）を派遣元責任者にしてもかまいませんが、株式会社および有限会社の監査役については、使用人を兼ねてはいけないという制限があり、派遣元責任者として選任することはできません。そして、事業所の派遣スタッフ１００人までを１単位として、１単位について１人以上ずつ選任しなければなりません。

さらに、「物の製造の業務」については、「製造業務専門派遣元責任者」を選任しなければなりません（派遣則第29条3号）。

派遣元責任者講習

労働者派遣事業の派遣元責任者については3年ごとに、特定労働者派遣事業の派遣元責任者については可能な限り、派遣元責任者講習を受講することとされています。

……派遣元責任者の職務……

①派遣スタッフであることの明示など
②就業条件等の明示
③派遣先への通知
④派遣元管理台帳の作成、記載および保存
⑤派遣スタッフに対する必要な助言および指導の実施
⑥派遣スタッフから申出を受けた苦情の処理
⑦派遣スタッフの個人情報の管理に関すること
⑧派遣スタッフの教育訓練の実施、職業生活の設計に関する相談の機会の確保に関すること
⑨安全衛生に関すること
⑩派遣先との連絡・調整

……派遣元責任者の要件……

1　次のいずれにも該当しない者

①禁錮以上の刑に処せられ、または派遣元事業者の「許可の欠格事由」のうち一定の規定に違反し、または罪を犯したことにより、罰金の刑に処せられ、その執行を終わり、または執行を受けることがなくなった日から起算して5年を経過しない者
②破産者で復権を得ないもの
③労働者派遣事業の許可を取り消され、当該取消しの日から起算して5年を経過しない者
④労働者派遣事業の許可を取り消され、または特定労働者派遣事業の廃止命令を受けた者が法人の場合で、その取り消し等の処分の原因となった事項が発生した当時に法人の役員であった者で、取り消しまたは命令の日から５年を経過しないもの
⑤労働者派遣事業の許可の取り消し等の通知があった日から処分をする日または処分しないことを決定する日までの間に事業廃止の届出をした者で、その届出日から5年を経過していないもの
⑥⑤の期間内に廃止の届出をした者が法人である場合、聴聞の通知の日前60日以内にその法人の役員であった者で廃止届出の日から5年を経過しない者
⑦暴力団員または暴力団員でなくなった日から5年を経過しない者
⑧未成年者

2　法律で定める要件、手続きに従って選任されていること
3　住所および居所が一定しない等生活根拠が不安定でないもの
4　適正な雇用管理を行ううえで支障がない健康状態であること
5　不当に他人の精神、身体および自由を拘束する恐れのない者であること
6　公衆衛生または公衆道徳上有害な業務に就かせる行為を行う恐れのない者であること
7　派遣元責任者となり得る者の名義を借用して、許可を得ようとするものでないこと
8　一定の雇用管理経験を有する者であること
9　職業安定局長が委託する者が行う「派遣元責任者講習」を受講（3年以内）した者であること
10 精神の機能の障害により派遣元責任者の業務を適正に行うに当たって必要な認知、判断及び意思疎通を適切に行うことができない者でないこと
11 外国人にあっては、原則として、教授、芸術、永住者等のいずれかの在留資格(「出入国管理および難民認定法」別表第1の1、2、別表2）を有する者であること
12 苦情処理の場合に、派遣元責任者が日帰りで往復できる地域に労働者派遣を行うものであること

（2～12は労働者派遣事業の許可基準）

49 派遣先責任者の選任

▼就業の場所ごとに、派遣スタッフ100人につき1人以上、専属の者を選任する

派遣先責任者の選任

派遣元における派遣元責任者と同様、派遣法は、派遣先における派遣スタッフの適正な就業を確保するため、「派遣先責任者」の選任を義務付けています（派遣法第41条）。この派遣先責任者は、図表に掲げる事項を行います。

派遣先責任者の要件

派遣先責任者の選任に当たっては、派遣先は、①労働関係法令に関する知識を有する者であること、②人事・労務管理などについて専門的な知識または相当期間の経験を有する者であること、③派遣スタッフの就業に係る事項に関する一定の決定、変更を行い得る権限を有する者であることなど、派遣先責任者の職務を的確に遂行することができる者を選任するよう努めることとされています（派遣先指針第2の13）。

派遣先責任者の選任方法

派遣先責任者は、事業所とその他の派遣就業の場所ごとに、派遣先が自ら雇用する労働者の中から、専属の派遣先責任者として選任することとされています（派遣則第34条1号）。

この場合の専属とは、派遣先責任者の業務のみを行うということではなく、他の事業所の派遣先責任者と兼任しないという意味です。

また、派遣先事業主（法人である場合はその役員）を派遣先責任者にしてもかまいませんが、株式会社および有限会社の監査役については、使用人を兼ねてはいけないという制限があり、派遣先責任者として選任することはできません。

そして、事業所の派遣スタッフ100人までを1単位として、1単位について1人以上ずつ選任しなければなりません。

平成20年4月の施行規則改正により、派遣期間が1日だけの場合でも選任が義務づけられることになりました。

ただし、派遣スタッフの人数と派遣先が雇用する他の労働者を合わせた人数が5人以下のときは選任する必要はありません。

さらに、平成16年3月の派遣法改

……派遣先責任者の職務……

1 次に掲げる事項の内容を、派遣スタッフに指揮命令する者（派遣スタッフを直接指揮命令する者に限らず、派遣スタッフの就業の在り方を左右する地位に立つ者はすべて含む）、その他の関係者（派遣スタッフの就業に関わりのある者すべて）に周知すること

①派遣法および派遣法第3章第4節の「労働基準法等の適用に関する特例等」により適用される法律の規定（これらの規定に基づく命令の規定を含む）
②派遣スタッフに係る派遣法第39条に規定する労働者派遣契約の定め
③派遣スタッフに係る派遣元事業主からの通知

2 派遣可能期間の延長通知に関すること
3 派遣先における均等待遇の確保に関すること
4 派遣先管理台帳の作成、記録、保存および通知
5 派遣スタッフから申出を受けた苦情の処理
6 安全衛生に関すること
7 派遣元事業主との連絡調整

正で解禁された「物の製造の業務」について人材派遣が行われる場合に、派遣スタッフ50人以上を従事させるときは、「製造業務専門派遣先責任者」を選任（100人以上のときは100人を超えるごとに1人）し、製造の業務に従事するスタッフ専門に担当させなければなりません。ただし、その製造業務専門派遣先責任者が2人以上いるときには、1人はその他の派遣先責任者を兼務することができます（派遣則第34条3号）。

派遣先責任者講習

派遣先責任者には、派遣元責任者のように法定講習の受講義務はありません。ただし、適切な知識を取得させるため、派遣先に対し、派遣先責任者を新たに選任したとき、関係法令が改正されたときなどに、派遣先責任者講習を受講させることが望ましいとされています（業務取扱要領）。

50 派遣元管理台帳の作成と保存
▼スタッフの雇用管理のために、派遣元が作成する

派遣元管理台帳の作成

派遣元は、スタッフの派遣就業に関して適正な雇用管理を行うため、派遣スタッフごとに「派遣元管理台帳」を作成し、その台帳に、図表に掲げる事項を記載するよう義務付けられています（派遣法第37条１項、派遣則第30条3項、第31条）。

派遣元管理台帳は、派遣元の事業所ごとに作成しなければならず（派遣則第30条1項）、労働者派遣事業の事業主は、派遣スタッフの雇用管理が円滑に行われるよう、派遣スタッフを事業所に常時雇用される者とそれ以外の者に分けて作らなければなりません。

派遣元管理台帳の作成例は、図表（170ページ）のようなものです。

なお、労働者を使用する者は、「労働者名簿」（労基法第107条1項）や「賃金台帳」（労基法第108条）も作成しなければなりませんが、派遣元管理台帳とこれらの書類をあわせて作成することもできます。

しかし、賃金台帳は、給与計算の都度作成することが一般的ですから、別に作成する方が合理的でしょう。

労働者名簿を兼ねて作成する場合、労働基準法で定める労働者名簿の記載事項は図表のとおりです（労基法第107条、労基則第53条）。

最近ではコンピューターで事務処理される会社も多いことから、書面によらず必要事項をコンピューターに記録することも許されています。

この場合は、所定の事項が記録され、その記録を必要に応じて直ちに取り出せるシステムとなっており、取り出し方法などが明らかにされていればよいことになっています。

なお、「業務内容」と「就業の状況」に関しては、特に付随業務等に注意して詳細に記載するよう、行政からの指導があります。

派遣元管理台帳の保存

派遣元は、派遣元管理台帳を、それぞれの人材派遣の終了の日から3年間保存しなければなりません（派遣法第37条2項、派遣則第32条）。

……派遣元管理台帳の記載事項……

①派遣スタッフの氏名
②協定対象（46参照）派遣スタッフであるか否かの別
③無期雇用の派遣スタッフであるか有期雇用の派遣スタッフであるかの別（有期の場合その期間）
④60歳以上の者であるか否かの別
⑤派遣先の名称（個人の場合は氏名）
⑥派遣先の事業所の名称
⑦派遣先の事業所の所在地その他派遣就業の場所、組織単位
⑧スタッフ派遣の期間および派遣就業をする日
⑨始業および終業の時刻
⑩従事する業務の種類
⑪従事する業務に伴う責任の程度
⑫派遣スタッフから申出を受けた苦情の処理に関する事項
⑬紹介予定派遣の場合、紹介予定派遣に関する事項

- ・紹介予定派遣である旨
- ・職業紹介の時期および内容
- ・採否結果
- ・派遣先が、職業紹介を希望しなかった場合、または職業紹介を受けた者を雇用しなかった場合に、派遣から明示された理由

⑭派遣元責任者および派遣先責任者に関する事項
⑮所定就業日または所定就業時間以上に就業させる日または延長時間
⑯期間制限の除外業務である場合、それぞれ次の事項

- ・「プロジェクト業務」の場合、派遣法第40条の2第1項3号イに該当する旨
- ・「就業日数が少ない業務」の場合、派遣法第40条の2第1項3号ロに該当する旨、派遣先でその業務が1か月に行われる日数、派遣先に雇用される通常の労働者の1か月の所定労働日数
- ・「育児の代替業務」または「介護の代替業務」の場合、休業する労働者の氏名・業務、休業の開始および終了予定日

⑰派遣スタッフに係る健康保険、厚生年金保険および雇用保険の被保険者資格取得届の提出の有無（「無」の場合はその具体的理由）
⑱段階的かつ体系的な教育訓練を行った日時と内容
⑲キャリア・コンサルティングを実施した日と内容
⑳雇用安定措置を講ずるに当たって聴取した希望の内容
㉑雇用安定措置の内容

……労働者名簿の記載事項……

①労働者の氏名
②生年月日
③性別
④住所
⑤履歴
⑥従事する業務の種類
⑦雇い入れの年月日
⑧退職の年月日およびその事由（解雇の場合を含む）、死亡の場合の年月日および原因

51 派遣先管理台帳の作成と保存

▼スタッフの就業管理と派遣元への通知のために「派遣先管理台帳」を作成する

派遣先管理台帳の作成

派遣先は、派遣就業に関して、「派遣先管理台帳」を作成し、この台帳に、図表に掲げる事項を派遣スタッフごとに記載することが義務付けられています（派遣法第42条1項、派遣則第36条）。

派遣先管理台帳を作成する目的は、派遣先が派遣スタッフの就業実態を把握すること、そして台帳の記載内容を派遣元に通知することで、派遣元が適正な雇用管理を実施することにあります。

この派遣先管理台帳は、派遣スタッフの就業する事業所その他就業の場所ごとに作成しなければなりません（派遣則第35条1項）。平成20年4月の施行規則改正により、派遣期間が1日だけの場合でも作成が必要になりました。

ただし、事業所の派遣スタッフと派遣先が雇用する他の労働者を合わせた人数が5人以下のときは、派遣先管理台帳を作成する必要はありません（派遣則第35条3項）。

なお、この派遣先管理台帳は、派遣元管理台帳と同様に、コンピューターの記録に代えることもできます。

派遣先管理台帳の保存

派遣先は、派遣先管理台帳を、派遣の終了の日から3年間保存しなければなりません（派遣法第42条2項、派遣則第37条）。

派遣元事業主への通知

派遣先は、派遣先管理台帳の記載事項のうち、①「派遣スタッフの氏名」、②「派遣就業をした日」、③「就業した日ごとの始業・就業時刻」④「派遣就業をした場所」、⑤「従事した業務の種類」の事項を、1か月ごとに1回以上、一定の期日を定めて、書面（または電子メール、ファクシミリ）に記載して派遣元事業主に通知することとされています（派遣法第42条3項、派遣則第38条1項）。

また、派遣元から請求があった場合も、派遣スタッフごとに書面などにより遅滞なく通知することとされています（派遣則第38条2項）。

……派遣先管理台帳の記載事項……

①派遣スタッフの氏名
②派遣元事業主の名称（個人の場合は氏名）
③派遣元の事業所名
④派遣元の事業所の所在地
⑤協定対象派遣スタッフか否かの別
⑥無期雇用の派遣スタッフであるか
有期雇用の派遣スタッフであるかの別
⑦派遣就業をした日
⑧派遣就業をした日ごとの始業・終業時刻、休憩時間
⑨従事した業務の種類
⑩従事する業務に伴う責任の程度
⑪派遣先の事業所の名称および所在地
その他派遣就業をした場所、組織単位
⑫派遣スタッフから申出を受けた苦情の処理に関する事項
⑬紹介予定派遣の場合、紹介予定派遣に関する事項

- 紹介予定派遣である旨
- 派遣スタッフを特定する行為を行った場合その内容、複数人から派遣スタッフの特定を行った場合その基準
- 採否結果
- 職業紹介を希望しなかった場合または職業紹介を受けた者を雇用しなかった場合の理由

⑭業務内での計画的なOJTの教育訓練や業務外の教育訓練を行った日時及び内容
⑮派遣先責任者および派遣元責任者に関する事項
⑯期間制限の除外業務である場合、それぞれ次の事項

- 満60歳以上の者か否か
- 「プロジェクト業務」の場合、派遣法第40条の2第1項3号イに該当する旨
- 「就業日数が少ない業務」の場合、派遣法第40条の2第1項3号ロに該当する旨、派遣先でその業務が1か月に行われる日数、派遣先に雇用される通常の労働者の1か月の所定労働日数
- 「育児の代替業務」または「介護の代替業務」の場合、休業する労働者の氏名・業務、休業の開始および終了予定日

⑰派遣スタッフに係る健康保険、厚生年金保険および雇用保険の被保険者資格取得届の提出の有無（「無」の場合はその具体的な理由）

……派遣元管理台帳（例）……

派遣元管理台帳

派遣労働者氏名：○○ ○○ （60歳未満／協定対象派遣労働者）	有期雇用 （期間　令和○年○月○日～令和○年○月○日）
派遣先の名称	○○○○株式会社
派遣先の事業所の名称	○○○○株式会社××支店
就業の場所	〒100-1234 千代田区大手町1－2－3 ○ビル4階 TEL ○○○○－○○○○ 内線 571
組織単位	営業課
業務の種類	環境関連機器の顧客への販売、折衝、相談および新規顧客の開拓等の営業活動ならびにそれらに付随（社内電話応対等）する業務
責任の程度	副リーダー（部下２名、リーダー不在時の緊急対応が週１回程度有）
派遣元責任者	派遣事業運営係長 ○○○○ 内線 100
派遣先責任者	○○○○株式会社××支店人事課人事係長 ○○○○ 内線 5720
就業期間	令和○年○月○日から令和○年○月○日まで
就業する日	休日を除く各日
休日	毎週、土・日曜、夏季、年末年始、その他
就業時間	9時から18時まで
休憩時間	12時から13時まで
所定就業時間外の就業	就業時間外の労働１日2時間、週6時間の範囲で命ずることができる。
労働・社会保険の被保険者資格取得届の提出の有無	雇用保険（有） 健康保険（無、現在加入手続中）…○月○日手続完了、有 厚生年金保険（無、現在加入手続中）…○月○日手続完了、有
備考	育児休業取得者および業務：○○○○ 営業事務 休業の開始および終了の日：令和○年○月○日から令和○年○月○日まで

派遣労働者からの苦情処理状況	△月△日（火）：派遣先において社員食堂の利用に関して便宜が図られていないとの苦情。派遣先に法の趣旨を説明し、以後、派遣先の他労働者と同様に、派遣先内の施設が利用できるよう申入れ
教育訓練の内容	令和○年○月○日：入職時の基本業務の研修（エクセル、パワーポイントによるデモ資料作成等）
キャリア・コンサルティングの日時・内容	令和○年○月○日：キャリアコンサルタントによる能力の棚卸しの実施 令和○年○月○日：前回の能力の棚卸しに基づく今後のキャリアパスについて相談
雇用安定措置の内容	①派遣先への直接雇用の依頼 令和○年○月○日　文書により依頼 令和○年○月○日　受入可（雇用形態：正社員） ②他の派遣先の紹介 ③期間を定めない雇用の機会の確保 ④その他

就業の状況　※　別紙タイムシートによる。

……派遣先管理台帳（例）……

派遣先管理台帳

派遣労働者氏名：○○ ○○ （60歳未満／協定対象派遣労働者）	有期雇用 （期間　令和○年○月○日～令和○年○月○日）
派遣元事業主の名称	○○○○株式会社
派遣元事業主の事業所の名称	○○○○株式会社霞ヶ関支店
派遣元事業主の事業所の所在地	〒100-8988 千代田区霞ヶ関1－2－2 △ビル12階 TEL ○○○○－○○○○
派遣先の事業所名	○○○○株式会社霞ヶ関支店
就業場所および組織単位	〒100-0013 千代田区霞が関3－4－5 TEL ○○○○－○○○○ 国内マーケティング部営業
業務の種類	上記部署において環境関連機器の顧客への販売、折衝、相談および新規顧客の開拓を行う業務ならびにそれらに付随（社内電話応対等）する業務
責任の程度	副リーダー（部下２名、リーダー不在時の緊急対応が週１回程度有）
派遣元責任者	派遣事業運営係長 ○○○○ 内線 100
派遣先責任者	総務部秘書課人事係長 ○○○○ 内線 5720
労働・社会保険の被保険者資格取得届の提出の有無	雇用保険（有） 健康保険（無、現在手続中）…○月○日手続完了、有 厚生年金保険（無、現在手続中）…○月○日手続完了、有
備考	

派遣労働者からの苦情処理状況	△月△日（木） 業務量が自分のスキル以上であり、対応に苦慮しているとの苦情。他の部署において、同様のスタッフを受け入れていたため、派遣元と派遣労働者両者の了解を得て、相互に部署を入れ替えた。

教育訓練の日時・内容	○月○日（水） 入職時に社内で通常使用するPC等を利用しての基礎的訓練の実施

就業の状況　　※　別紙タイムシートによる。

……タイムシート（例）……

タイムシート（○年○月）

派遣スタッフ氏名：○○ ○○

事業所（派遣先）○○○○株式会社霞ヶ関支店

担当者　　　　○○ ○○

日付	始業時刻	終業時刻	休憩時間	就業時間	備考	確認サイン
4／2	9：00	18：00	1：00	8：00		
4／3					カゼのため欠勤	

52 派遣元・派遣先の労働関係の法律の適用

▼派遣元に責任を問えない事項などは派遣先が責任を負う

労働基準法、安全衛生法の適用の特例

労働基準法、労働安全衛生法などの労働関係の法律は、通常、雇用関係のある使用者に適用されます。人材派遣において派遣スタッフと雇用関係にある者は派遣元ですが、派遣先にもこれらの法律の規制がなければ、派遣スタッフを保護することができません。

そこで、人材派遣においては、原則として派遣元が雇用主としての責任を負いますが、それぞれの法律のうち、派遣先における具体的な就業にともなう事項であって、派遣元に責任を問うことの困難な事項、派遣先に責任を負わせることが適当な事項については、派遣先が責任を負うものとされています。法律により具体的には図表のように定められています（派遣法第44条から第47条の2）。

具体的な適用の例

労働基準法の適用について、例えば、労働時間、休憩、休日などの労働者の具体的就業に関連する事項については、派遣先の事業主が責任を負います。ただし、その基本となる「労働時間、休日の枠組みの設定」、つまり、所定労働時間を決めたり、所定労働時間外の労働に関する協定を結んだりといったことは、派遣元の事業主が行うこととされています。

なお、変形労働時間制については、派遣元が法定の手続きを取ることにより適用できますが、企画業務型裁量労働制（労働基準法第38条の3）については、派遣スタッフには適用できません。

また、安全衛生法で義務付けられている事項については、作業環境の重要な要素である設備などの設置・管理、業務遂行上の具体的指揮命令に関係することから、原則として派遣先の事業主が義務を負いますが、一般健康診断などの雇用期間中に継続的に行うべき事項については、派遣元の事業主が義務を負います。

なお、派遣先が実施義務を負う特殊健康診断について、派遣先の事業主が、派遣中の労働者について実施した場合には、その健康診断結果を派遣元の事業主に送付することとさ

……労働基準法の適用の特例……

次の事項以外は、原則どおり派遣元にて適用されます。

	派遣元	派遣先
均等待遇	○	○
強制労働の禁止	○	○
公民権行使の保障		○
労働時間、休憩、休日	※1	○
労働時間および休日（年少者）		○
深夜業（年少者）		○
危険有害業務の就業制限（年少者および妊産婦など）		○
坑内労働の禁止（年少者および女性）		○
産前産後の時間外、休日、深夜業		○
育児時間		○
生理日の就業が著しく困難な女性に対する措置		○
徒弟の弊害の排除	○	○
申告を理由とする不利益取扱禁止	○	○
国の援助義務	○	○
法令規則の周知義務	※2	○
記録の保存	○	○
報告の義務	○	○

※1　1か月単位の変形労働時間制、フレックスタイム制、1年単位の変形労働時間制の協定、時間外・休日労働の協定の締結・届出は、派遣元が義務を負う
※2　就業規則は派遣元が義務を負う

れています。

さらに、労働者が労働災害により死亡または4日以上の休業をしたとき、事業主は「労働者死傷病報告書」を労働基準監督署に提出しなければなりませんが、派遣スタッフが被災した場合、派遣先、派遣元の双方に提出義務が課されています。

関係法令の周知

派遣元は、労働者派遣法、労働基準法などの適用に関する特例などについて、これら法令の関係する派遣先、派遣スタッフなどへ、周知徹底を図ることとされています（派遣元指針第2の10）。

＜労働時間＞

使用者は、労働者に、休憩時間を除き1週間について40時間、1日について8時間を超えて、労働させてはならない。

＜変形労働時間制＞

一定の期間で労働時間を設定する次の方法を変形労働時間制という。

①1か月単位の変形労働時間制

②1年単位の変形労働時間制

③フレックスタイム制

④1週間単位の変形労働時間制

＜みなし労働時間制＞

実労働時間に係わらず、定められた労働時間を働いたものとみなす次の方法をみなし労働時間制という。

①事業場外労働

②専門業務型・企画業務型裁量労働制

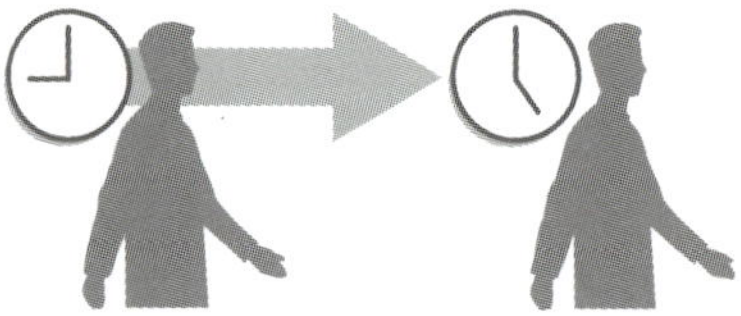

＜休憩時間＞

使用者は、労働時間が6時間を超える場合においては、少なくとも45分、8時間を超える場合においては少なくとも1時間の休憩時間を労働時間の途中に与えなければならない。

＜休日＞

使用者は、労働者に対して、毎週少なくとも1回の休日を与えなければならない。

＜賃金＞

賃金とは、名称の如何を問わず、労働の対償として使用者が労働者に支払うすべてのものをいう。

＜支払5原則＞

①通貨で（本人の同意により振り込む場合などを除く）、②直接労働者に、③全額を（社会保険料など法令に別段の定めがある場合などを除く）、④毎月1回以上、⑤一定の期日を定めて支払わなければならない。

＜契約期間＞

労働契約は、期間の定めのないものを除き、3年（一定の場合を除く）を超える期間について締結してはならない。

＜休業手当＞

使用者の責に帰すべき事由による休業の場合においては、使用者は、休業期間中労働者に、その平均賃金の100分の60以上の手当を支払わなければならない。

＜労働条件の明示＞

使用者は、労働契約の締結に際し、労働者に対して賃金、労働時間その他一定の労働条件を（賃金など一定の事項については書面により）明示しなければならない。

＜就業規則＞

常時10人以上の労働者を使用する使用者は、就業規則を作成し、行政官庁に届け出なければならない。この作成または変更については、事業場の労働組合（労働組合がない場合は労働者の過半数を代表する者）の意見を聴かなければならない。

労働基準法の概要

＜年次有給休暇＞

使用者は、雇入れの日から6か月間継続勤務し全労働日の8割以上出勤した労働者に対して、継続し、または分割した10労働日の有給休暇を与えなければならない。

また、1年6か月以上継続勤務した労働者に対しては、さらに継続勤務年数1年ごとに、一定の労働日を加算した有給休暇を与えなければならない。

ただし、使用者は、請求された時季に有給休暇を与えることが事業の正常な運営を妨げる場合においては、他の時季に与えることができる。

＜産前産後休暇＞

使用者は、6週間（多胎妊娠の場合にあっては14週間）以内に出産する予定の女性が休業を請求した場合においては、その者を就業させてはならない。また、産後8週間を経過しない女性を就業させてはならない。ただし産後6週間を経過した女性が請求した場合において、その者について医師が支障がないと認めた業務に就かせることは、差し支えない。

＜生理休暇＞

使用者は、生理日の就業が著しく困難な女性が休暇を請求したときは、その者を生理日に就業させてはならない。

＜割増賃金＞

使用者が、労働時間を延長し、または休日に労働させた場合においては、その時間またはその日の労働については、一定の率で計算した割増賃金を支払わなければならない。

＜解雇制限＞

使用者は、労働者が①業務上の負傷などにより療養のために休業する期間、②産前産後の女性が休業する期間、およびその後30日間は、解雇してはならない。

ただし、使用者が、天災事変その他やむを得ない事由のために事業の継続が不可能となり行政官庁の認定を受けた場合においては、この限りでない。

＜解雇の予告＞

使用者は、労働者を解雇しようとする場合においては、少くとも30日前にその予告をしなければならない。30日前に予告をしない使用者は、30日分以上の平均賃金を支払わなければならない。ただし、天災事変その他やむを得ない事由のために事業の継続が不可能となった場合または労働者の責に帰すべき事由に基いて解雇する場合においては、この限りでない。

＜時間外および休日労働＞

使用者は、事業場の労働組合（労働組合がない場合は労働者の過半数を代表する者）との書面による協定をし、これを行政官庁に届け出た場合においては、法定労働時間または休日に関する規定に係わらず、その協定で定めるところによって労働時間を延長し、または休日に労働させることができる。

53 労働契約と就業規則の適用
▼雇用関係のある派遣元で適用する

労働基準法の具体的適用

一般の労働形態では、1つの企業だけで適用される労働基準法の各規定が、雇用関係と指揮命令関係が分離する人材派遣においては、派遣元、派遣先の双方に分割して適用されることは52で説明したとおりですが、具体的な内容を確認していきましょう。

派遣スタッフの労働契約

派遣スタッフの労働契約は、雇用関係のある派遣元で結ばれます。

労働基準法では、労働契約を締結する際に明示すべき事項を定めていますが（労基法第15条）、派遣においても一般の労働形態と変わることなく、派遣元が労働基準法の義務を負わない労働時間、休憩、休日などを含めて、派遣元に明示する義務があります（昭和61年6月6日基発333号）。

派遣スタッフの就業規則

就業規則は、多くの社員を統一的・画一的に管理するために定めるルールです。労働契約を結ぶ場合、労働者は、この就業規則に従って就業することを約束することになります。

したがって、派遣スタッフが本来の労働基準法上の労働者として拘束を受けるものは、派遣元が作成した就業規則です。

派遣スタッフは、派遣元の就業規則に則り派遣先で就業することになりますが、同時に、派遣先の就業規則のうち服務規律などについても、社員に準じて従う必要があります。これは、労働契約により拘束を受けるのではなく、派遣契約によって誠実に勤務する義務が生じるからです。

就業規則作成の要領

派遣スタッフの派遣中の就業条件は、派遣先によって異なるため、多くの派遣スタッフに適用する就業規則に「所定労働時間を9時から…」といった、統一した規定はできません。そこで、派遣元の就業規則では、大枠の仕組みや個別雇用契約書で定めるなどの具体的な労働条件の定め方を規定すればよいことになっています（昭和61年6月6日基発333号）。

なお、労働基準法では「常時10人以上の労働者を使用する使用者」に就業規則の労働基準監督署への提出義務を負わせています（労基法第89条）が、この常時使用する労働者の人数は、派遣スタッフも含めた人数です（同通達）。

……派遣スタッフに適用する労働契約と就業規則……

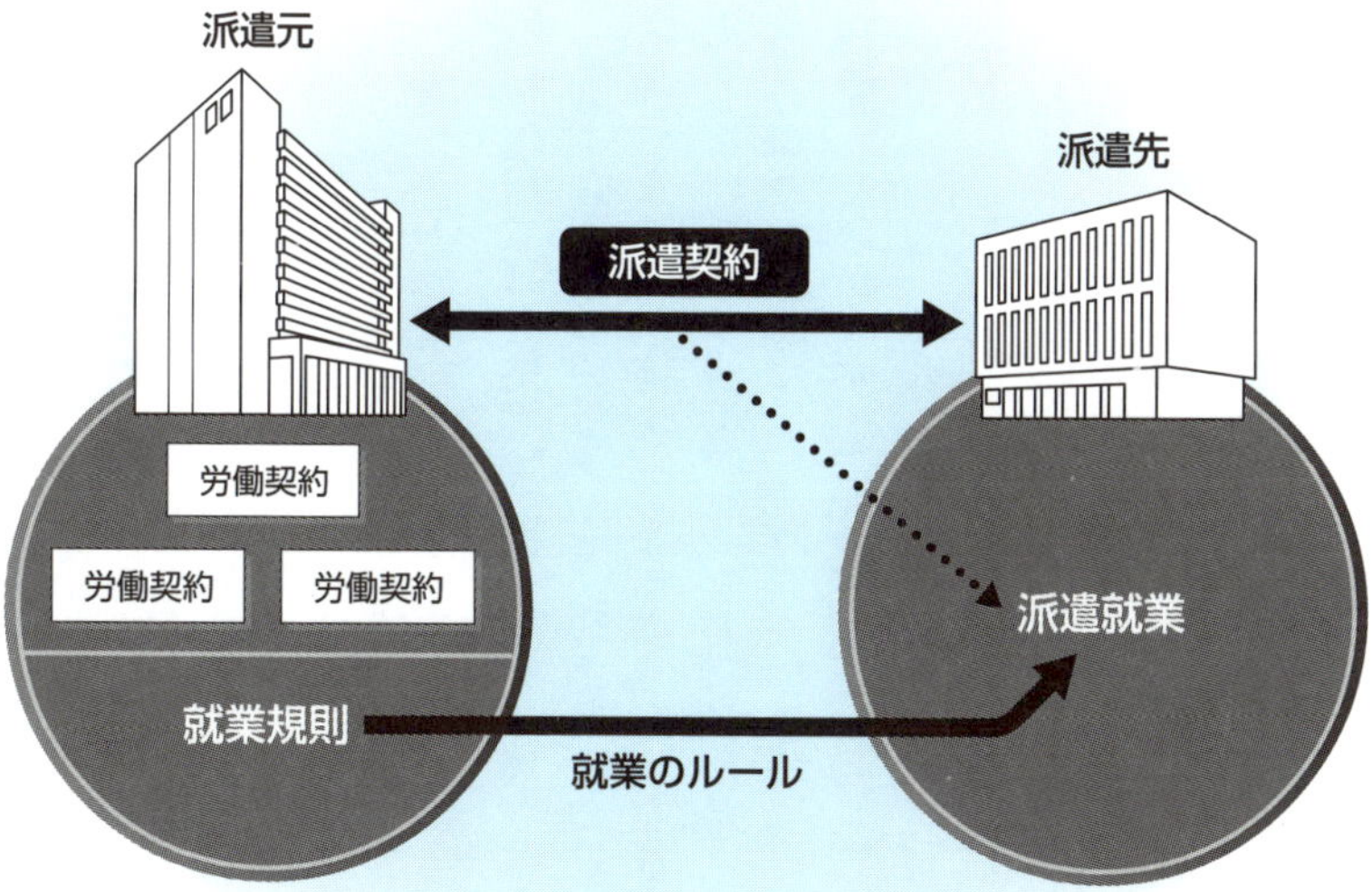

54 労働時間と時間外労働の適用

▼労働時間は派遣先に、36協定や割増賃金は派遣元に法律を守る義務がある

派遣スタッフの労働時間制

労働基準法には、使用者は労働者に、休憩時間を除き1週間について40時間、各日について8時間を超えて労働させてはならない（労基法第32条）という労働時間の大原則（これを「法定労働時間」といいます）があります。

もちろん人材派遣にもこの規定が適用されますが、人材派遣においては実際に業務の指揮命令を行う派遣先が、この原則を守る義務を負っています。したがって派遣先は、この労働時間のルールに従って、派遣スタッフを使用しなければなりません。

また、派遣スタッフに休憩を与えることについても、派遣先が義務を負っています。少なくとも労働時間が6時間を超える場合は45分、8時間を超える場合は1時間の休憩時間を、労働時間の途中に与えなければなりません（労基法第34条）。

なお、労働基準法では、所定労働時間や休憩時間について労働契約に必ず盛り込むこととしているので、その履行義務を負っている派遣元が、それぞれの派遣先の所定就業時間に基づき、派遣スタッフとの労働契約に所定労働時間を定めることになります。

時間外・休日労働の協定の届出

法定労働時間を超えて労働者を使用する場合、労働基準法の規定により、「時間外・休日労働に関する協定（労働基準法第36条に規定されていることから、一般に「36協定」と呼ばれています）」を労働者代表と締結し、労働基準監督署へ届け出なければなりません。

人材派遣においては、労働時間の制限を受けるのは派遣先ですが、この協定の締結と届出については、派遣元が義務を負っています。つまり、あらかじめ派遣元がこの協定の締結・届出をしておかなければ、派遣先は、この時間外・休日労働を命じることができないことになります。

そして、実際に命じるためには、就業規則および派遣契約において、時間外・休日労働があることを定め

……労働時間に関する法律の適用関係……

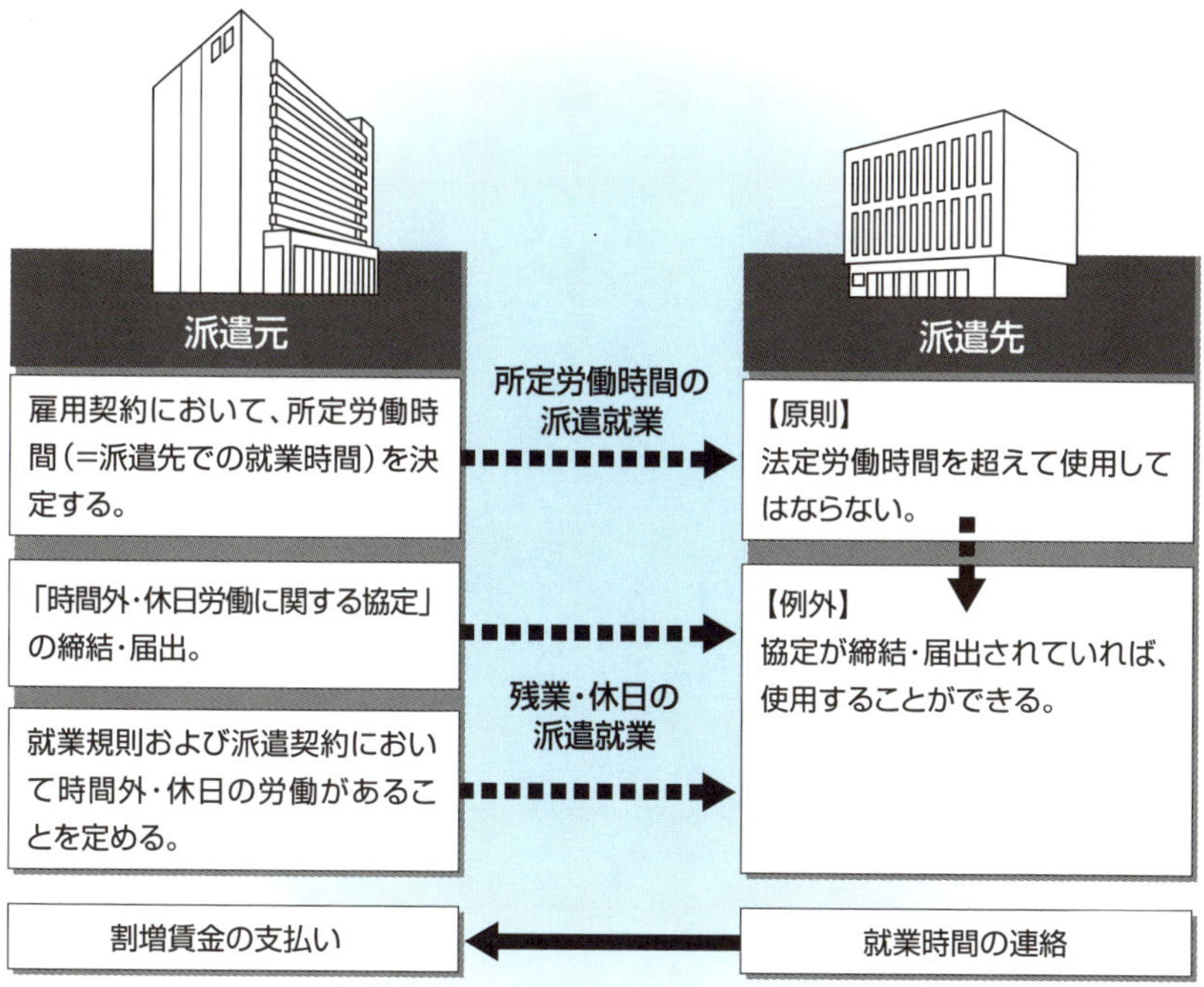

ておく必要があります。

なお、36協定の締結と届出は、本社、支社、営業所など事業場を単位とすることになっていますが、人材派遣においては、各派遣先を事業場とするのではなく、派遣元の支店、営業所などの事業場を単位として、その事業場のすべての派遣スタッフおよび派遣スタッフ以外も含め一括して行うことになります（昭和61年6月6日基発第333号）。

割増賃金の支払義務

派遣スタッフが、派遣先で時間外や休日労働をした場合の割増賃金の支払義務は、派遣元が負います。そのため、割増賃金の計算に必要な就業時間について、派遣先は派遣元への連絡を義務付けられています（51参照）。

55 休日と休暇についての法律の適用

▼労働基準法の休日規定は派遣元に、休暇の規定は派遣元・派遣先双方に守るべき義務がある

派遣スタッフの休日など

労働基準法には、使用者は、労働者に対して、毎週少なくとも1回の休日を与えなければならない（労基法第35条）という規定があります。これについては、派遣先が義務を負っています。

したがって派遣先は、派遣スタッフについても休日を定め、派遣契約に盛り込み、休日を与えなければなりません。

また、「公民権の行使（選挙権などの行使に必要な時間を与えること。労基法第7条）」「育児時間（1歳未満の子の育児のための時間を与えること。労基法第67条）」など労働基準法に定める労働の免除義務についても、派遣先に義務があります。派遣先は、派遣スタッフからこのような時間の請求があったときは、拒むことができません。

派遣スタッフの休暇

労働基準法が定めている休暇の規定については、派遣元が義務を負うものと、派遣先が義務を負うものがあります。

「生理休暇（生理日の就業が困難な女性を就業させないこと。労基法第68条）」については、派遣先が義務を負っています。したがって、派遣スタッフが請求した場合、派遣先は、拒むことはできません。ただし、派遣契約に基づき、休暇をとるスタッフに代替する派遣スタッフを要求することは何ら問題ありません。

「年次有給休暇（労基法第39条）」「産前産後休暇（労基法第65条）」などの休暇の規定は、派遣元が義務を負っています。

産前産後休暇は長期に及ぶため、派遣スタッフを交換することになるでしょう。

問題は、年次有給休暇ですが、派遣元は派遣スタッフの請求を拒むことはできません。

法律では、使用者に事業の正常な運営を妨げる場合において、他の日に変更する権利（時季変更権）を与えています。事業の運営を妨げるかどうかは、派遣元で判断されるため、代替の派遣ができるようであれば、その派遣事業の正常な運営を妨げる

……休日と休暇に関する法律の適用関係……

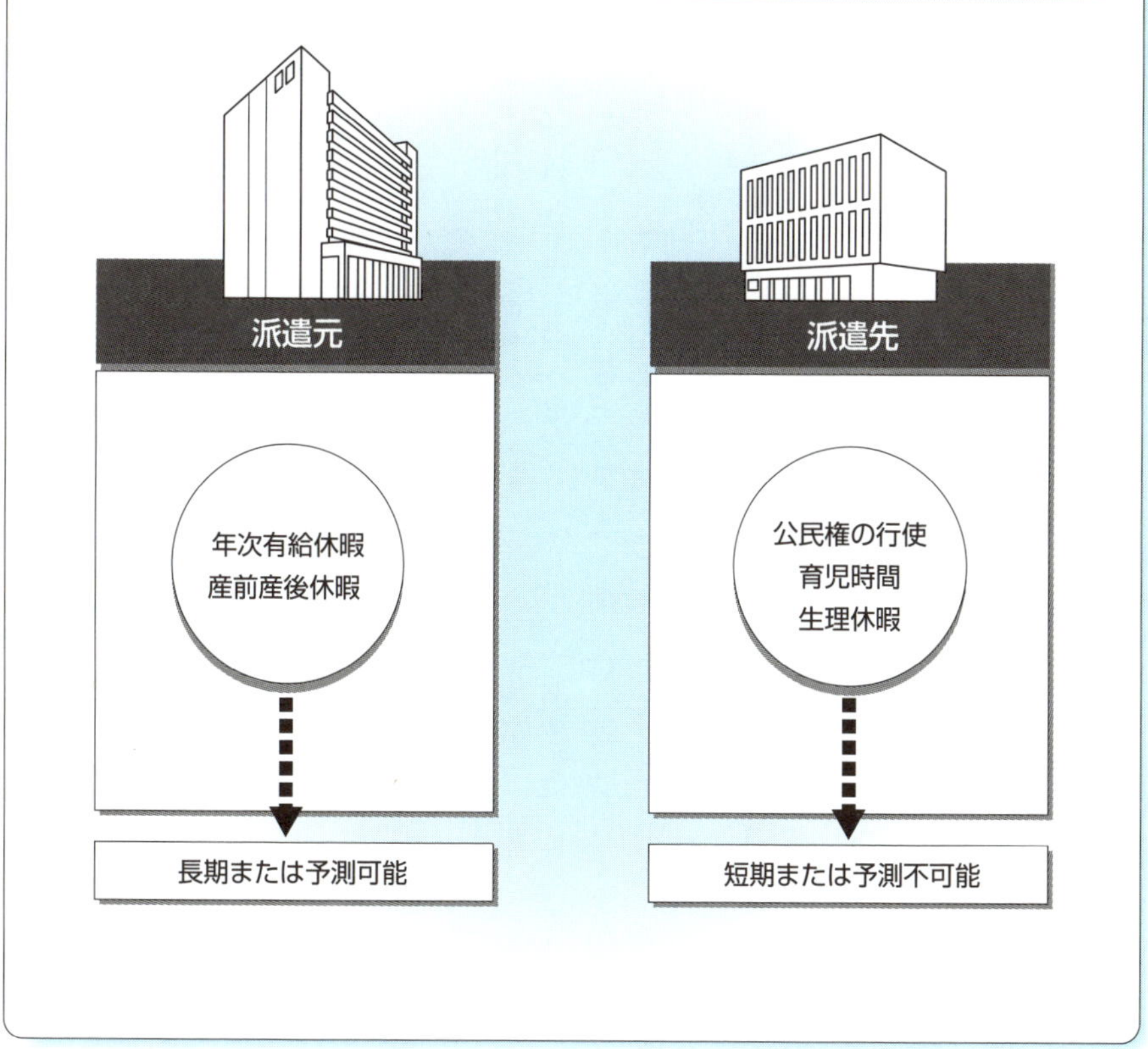

とまではいえず、時季変更権の行使の理由にはなりません（昭和61年6月6日基発第333号）。

休日、休暇の法律の適用関係をまとめると図表のようになります。期間の長短、予測の可能性などで分けることができます。

56 スタッフの行為への懲戒と損害賠償請求

▼派遣先は派遣スタッフを直接懲戒処分することはできない

派遣スタッフの行為への懲戒

一般の企業では、労働者を使用する者に、企業秩序の維持確保のために、労働者の行為へ懲戒を行う権利が認められています（最高裁一小、昭和58年9月8日、関西電力事件ほか）。この場合、使用者は、就業規則で懲戒に関する規定を定め、法令に反しない範囲で実施する必要があります。

では、派遣スタッフに、派遣先の就業において懲戒に値するような行為があった場合、派遣先は自社の社員と同じように、停職や解雇といった懲戒処分を行えるのでしょうか。

確かに、職場の秩序を維持するためには、派遣スタッフに派遣先でのルールに従ってもらう必要があります。また、遅刻や欠勤などの規律違反を放っておいては、他の社員に示しがつきません。

しかし、派遣先は、派遣スタッフへの指揮命令権はありますが、自らの社員ではないため、懲戒に処す権利はありません。

したがって、派遣スタッフへの懲戒は、雇用主である派遣元が、派遣元の就業規則の規定を根拠として行うことになります。

判例にも、派遣先での勤務態度、言動に問題があったという派遣スタッフの解雇を派遣元に認めたものがあります（東京地裁、平成12年11月14日、アラコム事件）。

派遣元への損害賠償請求

派遣先が派遣スタッフによって損害を被ったときはどうでしょうか。この場合でも、派遣先には直接懲戒に処す権利はありませんが、派遣元に損害賠償を求めることができます。

派遣元は、使用者責任（人を使って事業をする者は、雇われている者が仕事をするうえで他人に加えた損害を賠償しなくてはならない。民法第715条）を負っているからです。実際、派遣スタッフの派遣先での横領について、派遣元に損害賠償を命じた判例などもあります。

……派遣スタッフへの懲戒と損害賠償の関係……

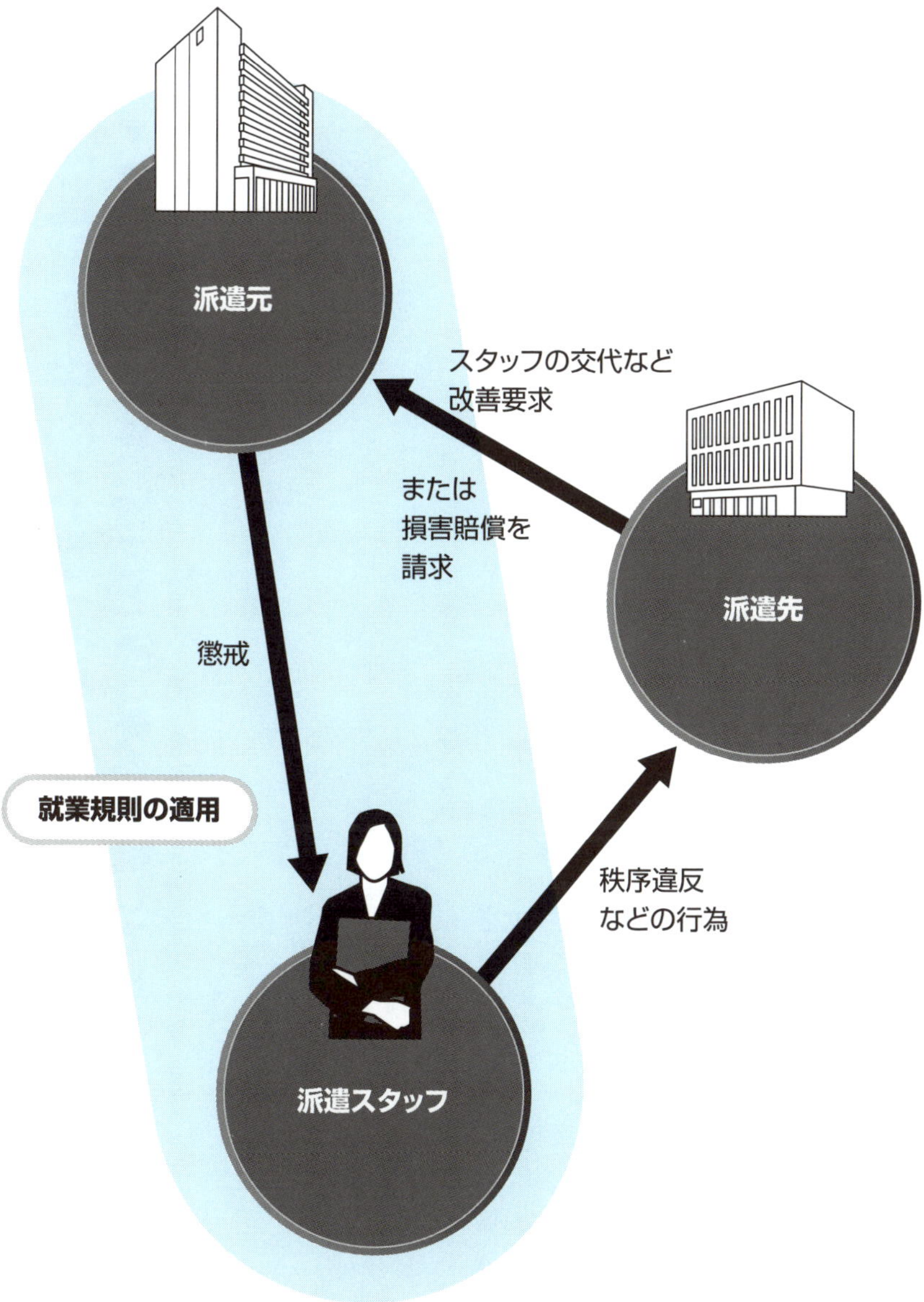

57 派遣就業中のトラブル処理

▼トラブル処理は派遣元と派遣先が連携して当たるのが基本

苦情処理の体制

人材派遣におけるトラブルで多いのは、人間関係・いじめ、賃金、業務内容（２１８ページ参照）などです。

こうしたトラブルの発生する原因は様々でしょうが、派遣元、派遣先、派遣スタッフに、認識の違いなどから、このようなトラブルが発生すると考えられます。

そのため、派遣法では、派遣元と派遣先が連携して苦情処理に当たることを基本とし、両者に法律上の責任を与えています。派遣法に定められている苦情処理についての規定は、図表のとおりです。

事前に苦情処理方法を決める

派遣法では、派遣就業を開始する前に、苦情処理の方法を決定し、それを派遣契約に定め、派遣スタッフにも就業条件として通知することを義務付けています（派遣法第26条、第34条）（35 36参照）。

苦情処理の責任者を決める

派遣元、派遣先のそれぞれについて、苦情処理の実施責任者を明確にするため、派遣元責任者および派遣先責任者の選任が義務付けられています（派遣法第36条、第41条）（48 49参照）。

発生した苦情の処理と記録

派遣先は、その指揮命令のもとに労働させる派遣スタッフから、派遣就業に関して苦情の申出を受けたときは、その苦情の内容を派遣元に通知するとともに、派遣元との密接な連携のもとに、誠意をもって、遅滞なく、適切かつ迅速な処理を図ることとされています（派遣法第40条1項）。

また、実際に発生した苦情について、派遣元台帳および派遣先台帳に、記載しなければなりません（派遣法第37条、第42条）（50 51参照）。

……派遣法の「苦情処理」に関する定め……

事前に苦情処理方法を決める

①派遣契約の必要記載事項とする（派遣法第26条）

②就業条件明示書の必要記載事項とする（派遣法第34条）

↓

苦情処理の責任者を決める

③派遣元責任者の職務とする（派遣法第36条）

④派遣先責任者の職務とする（派遣法第41条）

↓

発生した苦情を処理する

⑤派遣先が苦情の申出を受けたときは、派遣元と連携し迅速に解決に努めること（派遣法第40条）

↓

発生した苦情を記録する

⑥派遣元管理台帳の必要記載事項とする（派遣法第37条）

⑦派遣先管理台帳の必要記載事項とする（派遣法第42条）

不利益な取扱いの禁止

派遣元および派遣先は、派遣スタッフから苦情の申出を受けたことを理由として、不利益な取扱いをしてはなりません（派遣元指針第2の3、派遣先指針第2の7）。

派遣就業に関する違法な事実がある場合には、派遣スタッフは厚生労働大臣にその事実を申告することができますが、この申告したことを理由として派遣元および派遣先が、派遣スタッフに対し解雇その他不利益な取扱いをすることは禁止されています（派遣法第49条の3第2項）。

……派遣契約書、就業条件通知書、派遣先・元管理台帳の記載事項一覧……

	人材派遣個別契約書	就業条件通知書	派遣元管理台帳	派遣先管理台帳
スタッフの氏名			○	○
無期雇用か有期雇用か（有期の場合その期間）			○	○
業務の内容	○	○	○	※
責任の程度	○	○	○	○
従事する事業所の名称	○	○	○	○
従事する事業所の所在地・就業の場所・組織単位	○	○	○	○
指揮命令者	○	○		
派遣期間	○	○	○	
就業日	○	○	○※	※
始業・終業時刻・休憩時間	○	○	○※	※
安全衛生	○	○		
苦情の処理	○	○	※	※
解除に当たって講ずる措置	○	○		
個人単位・事業所単位の期間制限の抵触日		○		
紹介予定派遣の場合のその事項	○	○	○	○
派遣元・派遣先責任者	○	○	○	○
時間外・休日労働	○	○	※	※
福祉の便宜の供与	○	○		
派遣終了後にスタッフを雇用する場合の紛争防止措置	○	○		
協定対象派遣スタッフに限定するか否かの別	○		○	○
60歳以上に限定するか否かの別	○			
社会保険等の適用		○	○	○
教育訓練の実施日・内容			※	※
キャリア・コンサルティングの実施日・内容			※	
雇用安定措置の実施日・内容			※	
派遣期間の制限除外業務の場合の表示	○	○	○	○

○…記載が必要な事項、※…結果について記載が必要な事項

第6章

派遣の終了・更新・解除とその他のルール

58 派遣契約の更新

▼派遣受入期間の制限の範囲内なら短期契約の更新もできる

派遣受入期間の制限の範囲で更新も可能

先に20で説明したように、派遣可能期間の制限があります。原則として、これを超える派遣契約を結ぶことはできません（業務取扱要領）。

この場合の派遣契約とは、派遣契約を基本契約と個別契約に分けたときの、個別契約のことを指します（35参照）。

ただし、この派遣可能期間の制限の範囲であれば、1年などの契約を結び、それを何度か更新（既存の契約の延長または同一の契約を新たに締結するもの）していくことは認められています。

自動更新規定には注意

派遣（個別）契約に、一定の場合には更新するという定め（自動更新規定）を入れておけば、契約更新の手間を省くことができます。

ただし、この自動更新の定め方には注意が必要です。

例えば「特段の事情（契約当事者の契約解除の意思表示など）がない限り派遣契約を自動的に更新する」といった定め方は、派遣期間が設定されているとはいえないため、認められていません。

ただし「契約当事者の合意により派遣期間を更新する」といった更新の可能性を明記することまでは制限されていません（その都度、個別契約書の作成は必要）。

……派遣契約の更新と制限……

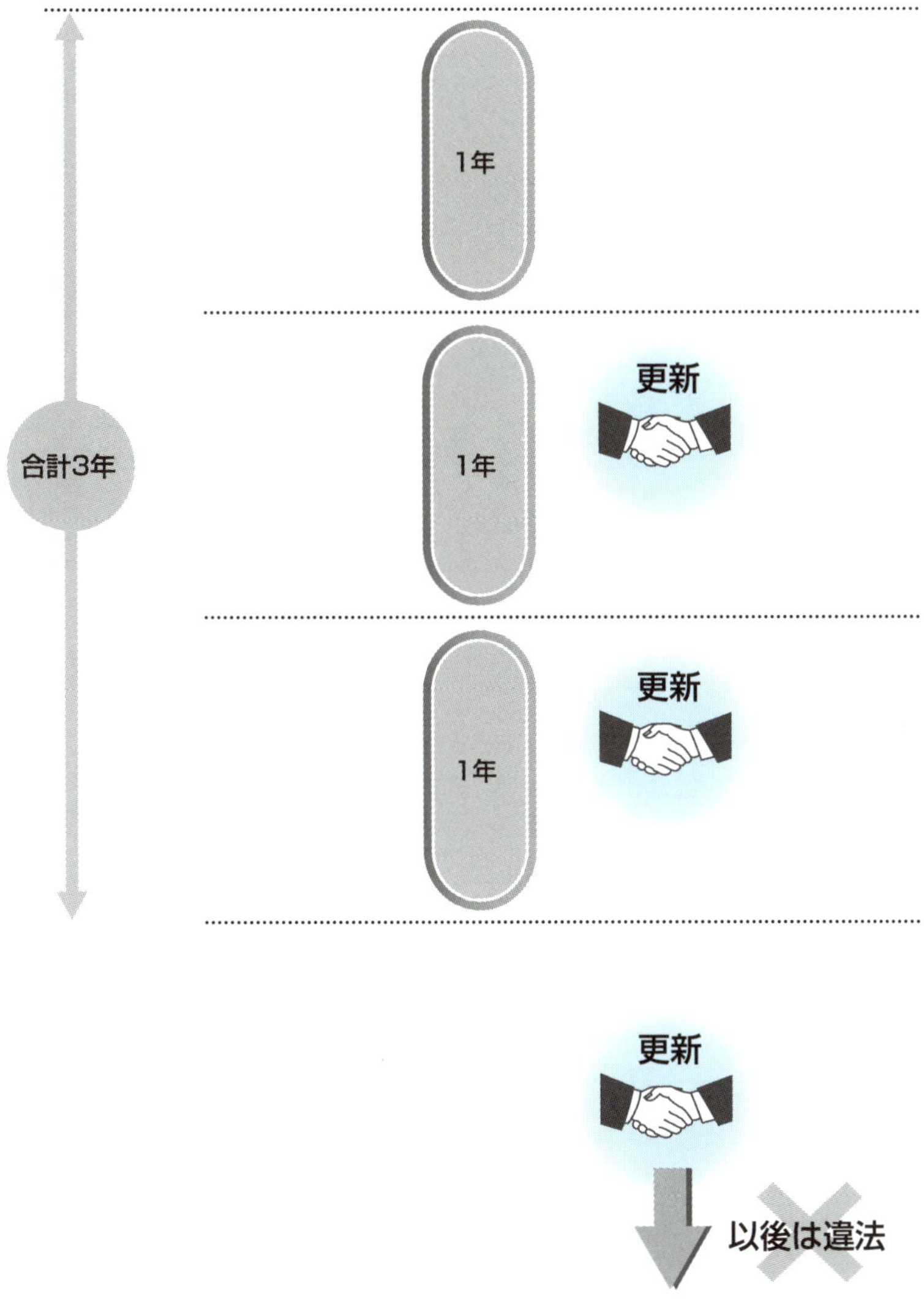

59 労働契約の更新

▼派遣契約が更新されると同時に労働契約も更新される

派遣契約の期間のルール

現在、1回の派遣契約の上限は、事業所別、個人別派遣期間の上限の範囲です（派遣法第40条の2、40条の3）。

ところで、平成16年3月に改正されるまで、派遣法では個々の人材派遣における契約期間の上限を原則1年と制限されてきました。これは、期間を定める労働契約について1年を超える「長期労働契約」を、労働基準法が原則として禁止していたためです（労基法第14条）。

労働基準法が長期労働契約を禁止しているのは、期間を定める労働契約の場合は、やむを得ない理由がなければその期間の途中で解除することはできず、また、一方の過失によって解除されたときは、その相手方は損害賠償を求めることもできる（民法第628条）ことから、労働者の意思に反し不当に労働を強制されることにもなりかねないからです。

派遣法でも派遣契約の上限が1年と決められていたのは、派遣契約の締結の際、登録型の派遣スタッフでは同時に労働契約も締結される（53参照）ことから、この2つの契約が異なる期間で結ばれることは合理的ではありませんし、1年を超えるような違法な労働契約の原因にもなりかねないからです。

もちろん、派遣受入期間の上限まで派遣契約を更新することが認められています。

労基法改正後の派遣契約の期間のルール

平成16年1月より労働基準法が改正され、期間を定める労働契約の上限を、原則3年（一定の場合を除く）まで延長したため、派遣法で特に制限する必要はなくなりました。

ただし、労働基準法では、期間を定める労働契約の上限を3年に延長したことにともない、経過措置が設けられました。それは、1年を超える期間の定めのある労働契約を締結した労働者（一定の場合を除く）は、当分の間は、民法第628条の規定にかかわらず、労働契約の期間の初日から1年を経過した日以後に申し出ることにより、いつでも退職する

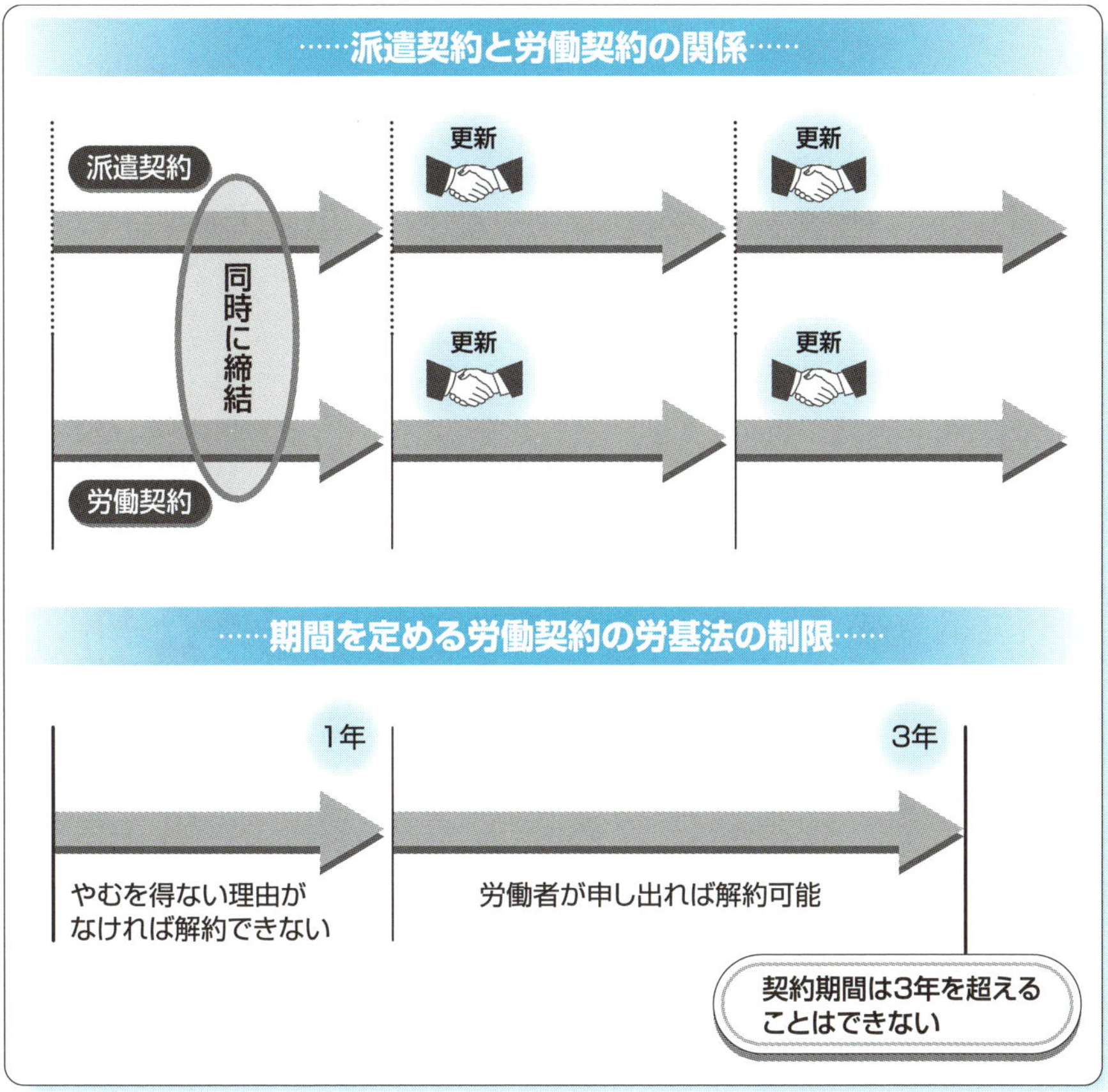

ことができる（労基法第137条）とされています。

しかし、労働者の申出により労働契約が解除されても、派遣先に対し派遣契約を解除することはできませんから、派遣期間中のスタッフから退職の申出があった場合、派遣元は速やかに他のスタッフに交代するなどの措置を講ずることに留意する必要があります。

60 契約を派遣期間の途中で解除するとき

▼派遣先から一方的に契約を解除することはできない

派遣契約の解除は自由にはできない

必要なときに必要な人材の提供を受けることができるということは、人材派遣の大いなるメリットです。

しかし、労働者保護の観点から、派遣契約を自由に解除することまで許されるものではありません。逆に不当な行為があった場合、派遣契約を解除しなければならないこともあります。

派遣契約の解除については、後でトラブルとならないように、派遣契約に定めるべき事項（派遣法第26条）および就業条件の明示事項（派遣法第34条）にもなっています（35 36参照）。

派遣契約の解除の制限

派遣法では、派遣先が、派遣スタッフの国籍、信条、性別、社会的身分、労働組合の正当な行為をしたことなどを理由として、派遣契約を解除することを禁止しています（派遣法第27条）。

この禁止規定は、派遣スタッフの労働者の人権に係わるものですから、たとえ派遣元との合意の上に派遣契約を解除する場合であっても、これらを理由とする限り、派遣先は契約を解除してはならないのです。

これに違反して、派遣契約を解除しても、その解除は公序良俗に反するものとして無効となります。したがって、派遣先が契約を解除したとしても、派遣元は解除の無効を主張して契約の履行を求めることができます。さらに、損害を被った場合には、損害賠償の請求をすることもできます。

派遣スタッフ保護のための契約解除

派遣元は、派遣先が派遣法の一定の定め（図表参照）に違反した場合、派遣を停止し、または派遣契約を解除することができます（派遣法第28条）。

この場合の派遣の停止または契約の解除は、直ちに行うことができます。たとえ派遣契約において解除制限事由または解除予告期間が定められていたとしても、その定めは無効

……派遣契約を解除できる具体的事項……

以下のいずれかに違反したときは、派遣契約を解除できる。

① 派遣契約に関する措置（派遣法第39条）

② 適正な派遣就業の確保など（派遣法第40条）

③ 派遣の役務の提供を受ける期間（派遣法第40条の2、40条の3）

④ 特定有期雇用派遣労働者の雇用（40条の4）

⑤ 労働者の募集に係る事項の周知（40条の5）

⑥ 労働契約申込みみなし制度（40条の6〜40条の8）

⑦ 離職1年以内の派遣受入禁止（派遣法第40条の9）

⑧ 派遣先責任者（派遣法第41条）

⑨ 派遣先管理台帳（派遣法第42条）

⑩ 特殊健康診断結果の送付（派遣法第45条10項、第46条7項）

⑪ 労働基準法、労働安全衛生法、じん肺法および作業環境測定法の規定であって派遣先に適用される規定（派遣法第3章第4節）

となります。

一般的に、契約は、当事者の合意がある場合を除いて、法定の解除事由である債務不履行がある場合以外は、一方的に解除することはできません。一方的に解除した場合には、債務不履行で損害賠償の責任を負うこととなります。しかしこの場合、派遣の停止または解除により派遣先が損害を被っても、派遣元は債務不履行による損害賠償の責任を負うことはありません。

派遣契約の解除の不遡及

派遣契約の解除の意思表示をした場合、将来に向かってのみ、その効力が生じることとされています（派遣法第29条）。なぜなら、派遣契約は、雇用契約と同様、契約の解除がなされた場合に提供された労働まで遡って返して欲しいといっても不可能だからです。

61 契約解除に当たって派遣先が講ずべき措置

▼派遣先の都合により途中解除するときは損害賠償も必要

契約解除に当たって講ずべき措置

派遣契約の解除について、行政の指針（派遣元指針第2の2、派遣先指針第2の6）では、契約の当事者である派遣元と派遣先が協議して必要な措置を定めることを基本として、その具体的な内容を定めています。まず、派遣先が講ずべき措置の内容から確認しましょう。

契約解除の事前の申入れ

派遣先は、スタッフが派遣されなかったなどの派遣元の責任に基づく契約違反があったときは、正当な権利として派遣契約を解除することができます（民法第５４０条から第５４３条など）。

しかし、予定していた業務が早く終わったなど、派遣先の都合により契約を解除しようとする場合には、派遣元の合意を得ることはもとより、あらかじめ相当の猶予期間をもって派遣元に解除の申入れを行うこととされています。

休業手当等の支払い

次の62で説明しますが、派遣元は契約を解除された派遣スタッフに対して労働基準法に基づく休業手当の支払いなどが必要となってくるため、派遣先の都合で派遣契約を解除する場合、派遣元が派遣先へ損害賠償を求めることにもなるからです。

そこで、派遣先が派遣契約を解除したときは、途中解除により派遣元に生じた費用（例えば、休業手当相当額、やむを得ず解雇するときの解雇予告手当相当など）の負担についてあらかじめ派遣契約書に定めなければならないとしています（派遣法第26条1項8号）。

これは、これまで指針によって求められていたものを、平成24年10月の法改正により、法律に明記されたものです。

契約解除の理由の明示

派遣先は、契約期間が満了する前に契約を解除しようとする場合に、派遣元から請求があったときは、派遣契約の解除を行った理由を派遣元に対し明らかにすることとされてい

……派遣先の都合により派遣契約を解除するとき……

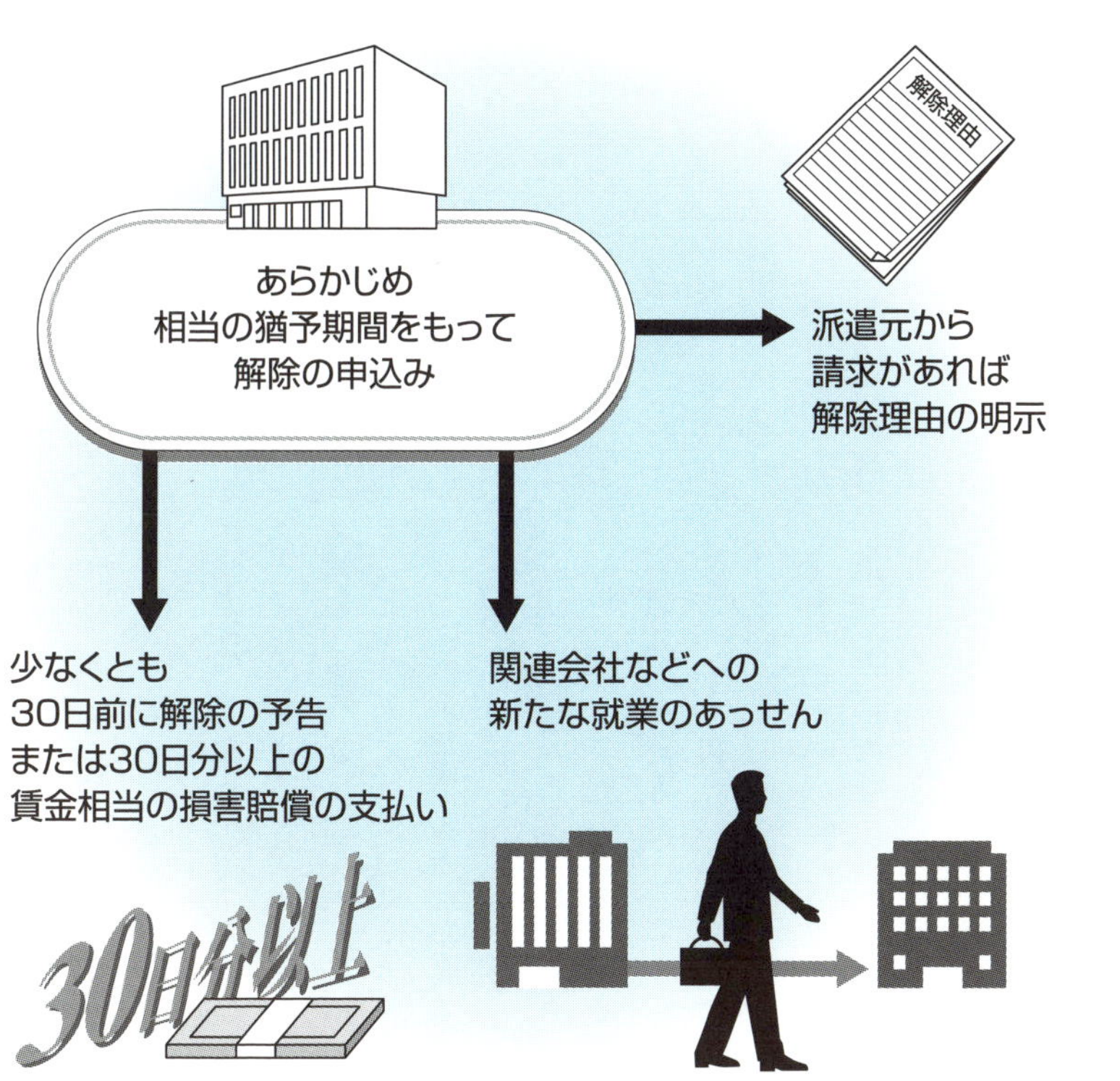

ます（業務取扱要領）。これは、解除理由を明らかにすることで、派遣元、派遣先、派遣スタッフ、いずれに責任があるのかをハッキリさせるためにも必要なことです。

派遣先における就業機会の確保

派遣先は、契約期間が満了する前に派遣スタッフの責任である事由以外で派遣契約の解除を行った場合には、派遣先の関連会社での就業をあっせんするなどにより、その派遣スタッフの新たな就業機会の確保を図ることとされています。

62 契約解除に当たって派遣元が講ずべき措置

▼期間の途中に解除する場合は、スタッフの新たな就業の確保を優先する

途中解除で派遣元が講ずべき措置

派遣契約の期間満了前に、派遣先の一方的な都合によって契約解除が行われた場合であっても、派遣元は、この派遣契約の解除を理由として、簡単に派遣スタッフを解雇すればよいと考えることはできません。

行政の指針では、派遣先と連携して、派遣先からその関連会社での就業のあっせんを受けるなどにより、派遣スタッフの新たな就業機会の確保を図ることを求めています（派遣元指針第2の2（2））。

民事上の解雇要件

派遣先の都合により派遣契約を解除され、このスタッフに新たな派遣先を確保しようと努め、結果として確保できなかった場合、やはりこのことを理由に、派遣スタッフを解雇することができるとはいえません。

解雇の理由に当たるかどうかは、派遣元の個々の具体的な状況、企業の規模など、総合的に判断されなければなりませんが、経営上の整理解雇については、特に図表のような要件を満たす必要があります。ただし、登録型の派遣スタッフは、普通、派遣元と有期の雇用契約を結んでいます。そもそも有期の雇用契約については、法律で「やむを得ない事由がある場合でなければ、その契約期間が満了するまでの間において、労働者を解雇することができない」（契約法第17条）と定められていて、この「やむを得ない」とは、労働者が派遣先で刑事事件を起したとか、天災事変などよほどのことでなければ認められないと考えられています。単に派遣先が契約を途中解除しただけで、派遣元がスタッフを解雇することはできないのです。

そうはいっても、派遣契約を途中解除され、新たな派遣就業がすぐに見つかるとは限りません。派遣元は、労使の争いをさけるために、できる限りの補償に努め、解雇するのではなく、派遣スタッフに事情を納得してもらい、労働契約を解約することにスタッフの合意を得る（これを「合意解約」といいます）よう努めるべきでしょう。

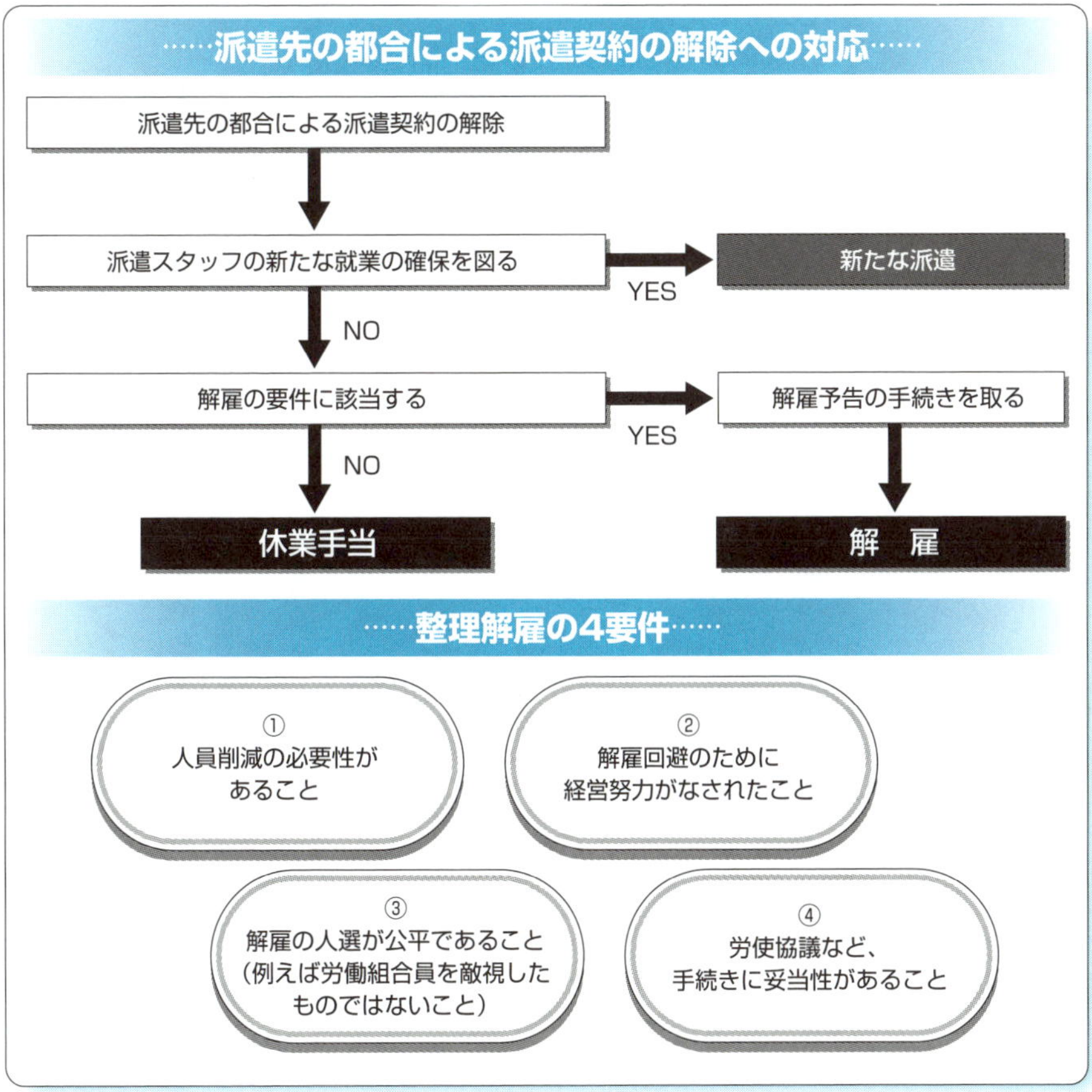

待機スタッフへの休業手当

労働基準法では、使用者の責任で休業する場合は、平均賃金の6割以上の休業手当を支払わなければならない（労基法第26条）としています。

契約解除により待機状態となっているスタッフには、その契約解除の原因が派遣先の都合だったとしても、スタッフの休業に対する派遣元の使用者責任がないとはいえないため、一般に休業手当の支給が必要なのです。

63 派遣スタッフを解雇するときの手続き

▼労働基準法に定められた手続きが必要

解雇の合理的理由

派遣元は、どのようなときに派遣スタッフを解雇できるのか、またその際に必要な手続きは、労働基準法が定める解雇のルールに従う必要があります。

大前提として、「合理的な理由のない解雇は無効」というルールがあります（契約法第16条）。

人材派遣では、例えば、派遣先の倒産といったこともあるでしょうが、派遣元にとって仕方ないことであっても、このことだけをもってスタッフを解雇することに合理的な理由があるとはいえないでしょう。

合理的な理由とは、雇用主である派遣元の倒産や、派遣スタッフの横領などの犯罪といったものです。

解雇制限

解雇に合理的な理由があっても、①業務上の疾病または②女性労働者が産前産後により、休業する期間とその後の30日間は、解雇することが禁止されています（労基法第19条）。ただし、事業の継続ができなくなったなどの一定の場合に、労働基準監督署長の認定を受けたときは、この解雇制限に当たるときでも解雇が認められます。

解雇予告

最後に、「解雇予告（労基法第20条）」という手続きがあるので、これを説明しましょう。労働者を解雇するとき、使用者は、少なくとも30日前にその予告をしなければならず、30日前の予告ができない場合は、解雇予告に代わって30日分の平均賃金を支払う必要があります。

ただし、試用期間中であって採用後14日以内の者などの場合は、もともとこの規定は適用されません（図表参照）。また、天災事変などやむを得ない理由または労働者の責任となる理由により労働基準監督署長の認定を受けた場合は、解雇予告のルールが除外（労基法第21条）されています。

……解雇ルールの流れ……

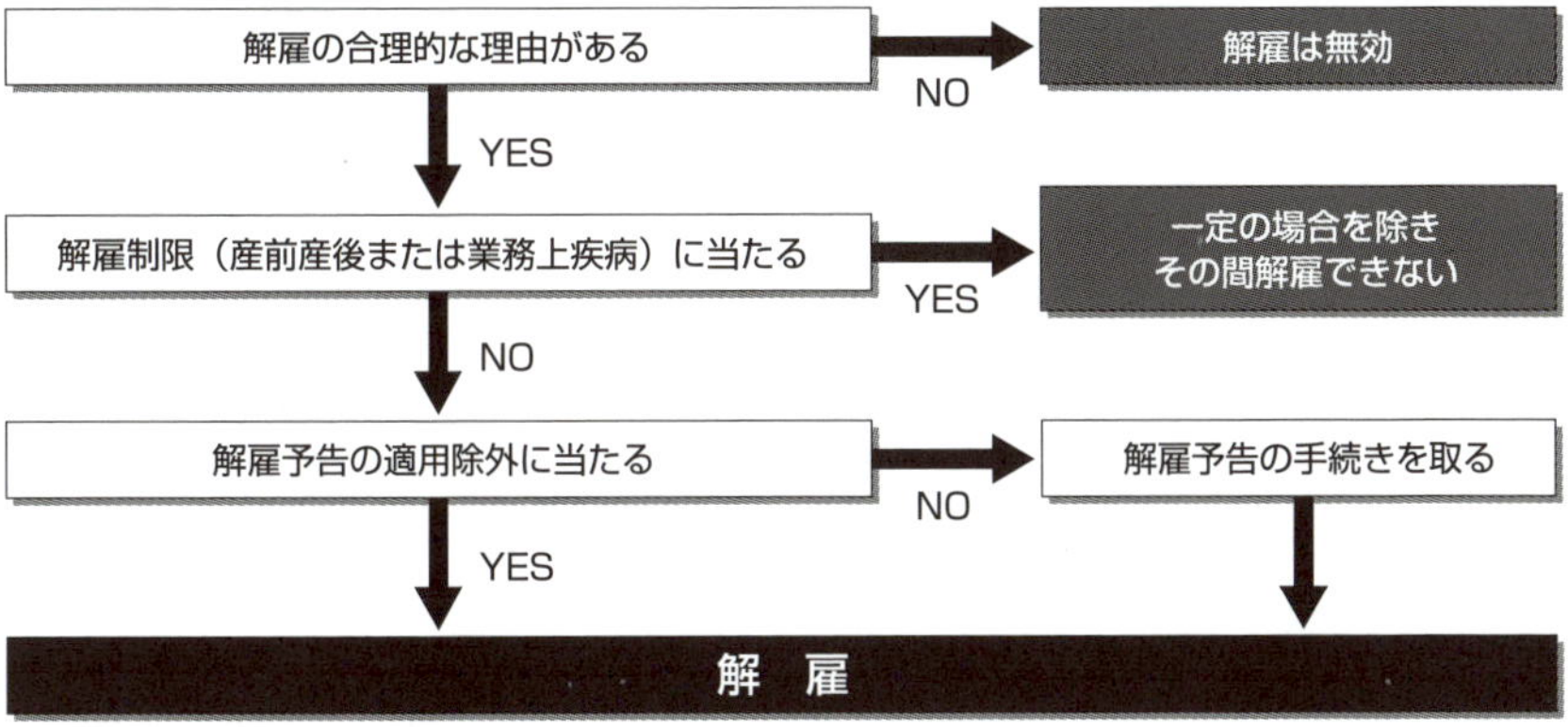

……解雇予告のルールが適用されない場合……

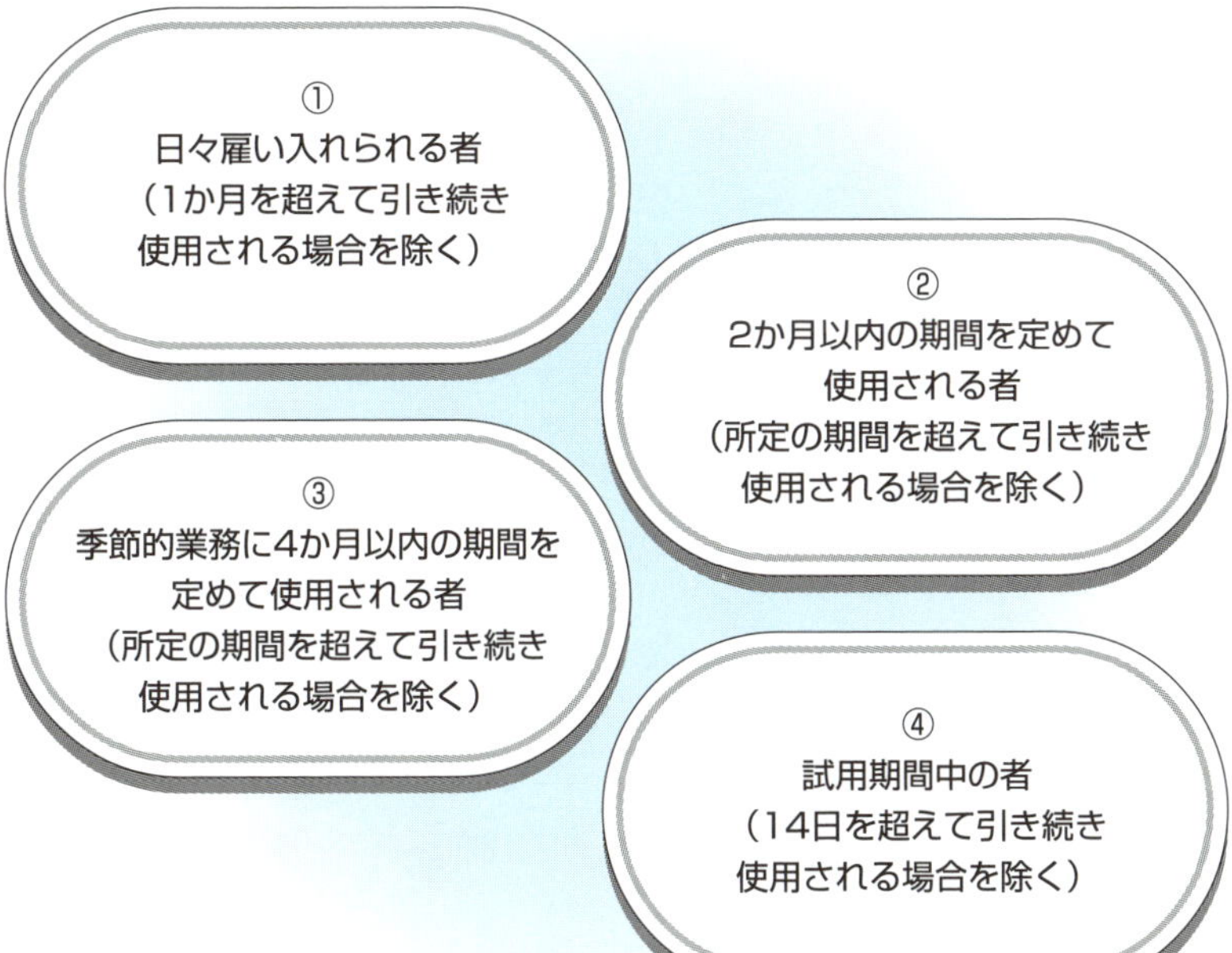

64 派遣スタッフの雇用安定措置を実施する

▼長く派遣する場合の派遣終了後の雇用安定措置が義務に

雇用安定措置とは

派遣元は、同じ組織単位に継続して1年以上派遣する見込みがある一定のスタッフ（「特定有期雇用派遣労働者等」といいます）に、派遣終了後の雇用を継続させるための一定の雇用安定措置（図表参照）を講じるよう努めなければなりません（派遣法30条1項）。

また、そのうち派遣先の事業所その他派遣就業の場所における同一の組織単位の業務について継続して3年間派遣に従事する見込みがある者（「特定有期雇用派遣労働者」といいます）については、この雇用安定化措置を「努力義務」ではなく「講じる義務」があります（派遣法第30条2項）。

派遣される「見込み」があるかどうかは、派遣契約と労働契約によります。例えば、3年の派遣契約・労働契約を締結している場合は、3年の見込みがあるといえます。

具体的な措置について以下、順に見ていきましょう。

①派遣先への直接雇用の依頼

対象となる派遣労働者が現在就業している派遣先に対して、派遣終了後に本人に直接雇用の申込みをしてもらうよう依頼します。

②新たな派遣先の提供

スタッフが派遣就業の終了後も新しい派遣先を確保し就業継続できるようにします。

提供する新しい派遣先は、対象の派遣スタッフの居住地やこれまでの待遇等に照らして合理的なものでなければなりません。極端な遠方や賃金が大幅に低下するようなものでは認められません。

③派遣元による無期雇用

派遣元が対象となる派遣労働者を無期雇用とし、自社で派遣以外の働き方で就業させるものです。

④その他雇用の安定を図るために必要な次の措置

・新たな就業の機会を提供するまでの間に行われる有給の教育訓練

・紹介予定派遣

雇用安定措置の実施手続き

派遣元は、雇用安定措置を実施す

……実施すべき雇用安定措置……

①派遣先への直接雇用の依頼
②新たな派遣先の提供
③派遣元による無期雇用
④その他雇用の安定を図るために必要な措置

<雇用安定措置の対象>

雇用安定措置の対象者	派遣元事業主の責務の内容
A：同一の組織単位に継続して3年間派遣される見込みがある方（※1）	①～④のいずれかの措置を講じる義務（※3）
B：同一の組織単位に継続して1年以上3年未満派遣される見込みがある方（※1）	①～④のいずれかの措置を講じる努力義務
C：（上記以外の方で）派遣元事業主に雇用された期間が通算1年以上の方（※2）	②～④のいずれかの措置を講じる努力義務

※1 いずれも、本人が継続して就業することを希望する場合に限る。
※2 登録状態の人も対象者に含まれる。
※3 ①の措置を講じた結果、派遣先での直接雇用に結びつかなかった場合には、派遣元は②～④のいずれかの措置を追加で講じる義務がある。

るにあたり、あらかじめ、その派遣スタッフから希望する措置を聴取しなければなりません。

派遣元は、個々の派遣スタッフに実施した雇用安定措置の内容を派遣元管理台帳に記載しなければなりません。特に、派遣先への直接雇用の依頼を行った場合は、派遣先からの受入れの可否についても記載します。

また、派遣元は、雇用安定措置を講じた派遣スタッフの人数等の実施状況について、労働者派遣事業報告書で毎年報告します。

65 特定有期派遣労働者の雇用促進策がある

▼1年以上派遣されるスタッフの2つの雇用促進策

期間制限変更への対策

平成27年9月の派遣法改正により、派遣スタッフが長期固定化されることを防ぐため、個人単位の派遣期間の制限（20参照）が設けられました。

しかし一方で、派遣期間の上限に達したスタッフは派遣就業先を失うことになります。そこで、派遣元には雇用安定措置（64参照）が設けられ、その措置の1つとして派遣元から直接雇用の依頼があったとき、派遣先にも可能な限り雇用するよう2つの責任が設けられました。

優先雇用の努力義務

派遣先は、派遣元から雇用安定措置として「特定有期雇用派遣労働者」※への直接雇用の依頼を受けた場合、引き続きその者が従事していた業務に労働者を従事させるため派遣期間が終了後に労働者を雇い入れようとするときは、直接雇用の依頼の対象となった特定有期派遣労働者を雇い入れるよう努めるもの（努力義務）となりました（派遣法第40条の4）。

※派遣先の事業所等の組織単位ごとの同一の業務について1年以上継続して派遣に従事する有期雇用の者。

労働者募集情報の提供

派遣先は、直接雇用の依頼があった特定有期雇用派遣労働者で継続して就業することを希望している者のうち、派遣先の同一の組織単位において継続して3年間就業する見込みがある者については、派遣先における労働者の求人情報を提供するものとなりました（派遣法第40条の5第2項）。

この募集情報は、正規雇用の労働者に関するものだけではなく、パートタイマー、契約社員など直接雇用の労働者に関するものすべてが対象です。ただし、特殊な資格を必要とするなど有期雇用派遣労働者が募集条件に該当しないことが明らかな場合までは対象ではありません。

具体的には、募集している業務の内容、賃金、労働時間その他の事項を、事業所の掲示板に貼り出すこと、直接メール等で通知することなどとします。

……派遣元には「雇用安定措置」義務、……派遣先には「雇用促進措置」義務

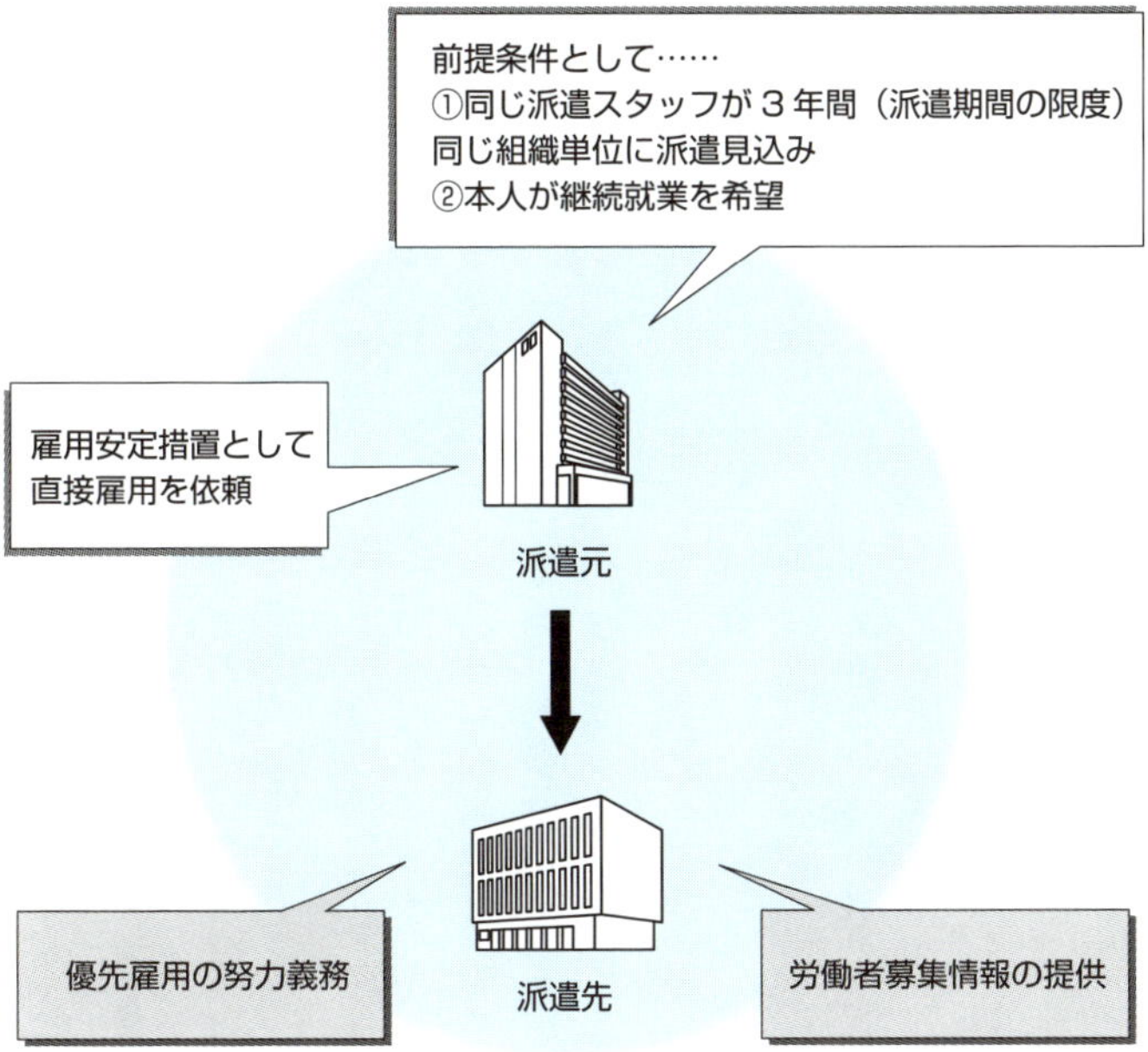

66 派遣先での派遣スタッフの正社員化の推進策

▼1年以上就労するすべて派遣スタッフへの正社員としての直接雇用策

正社員化の政策

政府は、正社員として直接雇用されることを希望していながら、やむを得ず派遣就労している労働者がいることから、これらの人が正社員として雇用される機会をできるだけ提供したいと考えています。そこで、平成27年9月の派遣法改正により新たなルールが設けられました。

派遣先は、1年以上就業している派遣スタッフについて、その派遣就業場所で働く「通常の労働者」の募集を行うときは、業務の内容、賃金、労働時間その他の募集に関する事項を派遣スタッフに周知するものとされました（派遣法第40条の5第1項）。

この前に見た65の措置と似ている（制度の内容は図表で比較してください）ようですが、対象となるのは、次の派遣スタッフです。なお、ここでいう「通常の労働者」とは、派遣先のいわゆる正社員（常用雇用的な長期勤続を前提として雇用される者）であって、有期雇用は含まれません。

①派遣先の同一の事業所等において1年以上継続して就労している
②有期雇用に限らず、無期雇用も含まれる
③「1年以上」継続かどうかは、途中で事業所内の組織単位を異動した場合も含まれる

具体的な措置

周知すべき募集情報は、その事業所等の「通常の労働者」のものですが、新卒の学生を対象としたものなど、その派遣スタッフに応募資格がないことが明らかなものは周知する必要はありません。

周知の方法としては、事業所の掲示板に求人票を貼り出すこと、直接メール等で通知するなどによります。

……派遣スタッフの直接雇用策の制度比較……

措置の概要	対象派遣スタッフ	応募等対象
＜優先雇用策＞65 直接雇用の依頼を受ける努力義務	特定有期雇用派遣労働者　※	直接雇用（雇用形態問わず）
＜労働者募集情報の提供＞65 派遣終了後にその業務に労働者を募集するのであれば、求人情報の提供義務	特定有期雇用派遣労働者　※	すべての労働者
＜正社員化策＞ 派遣就業先で労働者を募集するのであれば、求人情報の周知義務	1年以上継続就業する者	通常の労働者

※派遣先の事業所等の組織単位ごとの同一の業務について1年以上継続して派遣に従事する有期雇用の者

第6章　派遣の終了・更新・解除とその他のルール

67 「労働契約申込みみなし」制度の開始

▼一定の違反などをするとスタッフを直接雇用

労働契約申込みみなし制度

違法な派遣により派遣スタッフが働く場を失うことを防ぐため、平成24年3月に成立した改正派遣法により、一定の規制に違反して人材派遣を受け入れていた事業主は、派遣スタッフに対し、直接雇用の労働契約の申込みをしたものとみなす制度が創設されました（派遣法第40条の6第1項）。

ただし、平成24年の改正法のうち、この規定のみ施行が先送りにされ、平成27年10月から施行されました。

派遣先が労働契約の申込みをしたとみなされるのは、図表のいずれかの行為を行った場合です。つまり、派遣先からその派遣スタッフに対し、その時点における派遣スタッフの労働条件と同じ内容の労働契約の申込みをしたものとみなされます。

ただし、派遣先が、その行為が違法であることを知らず、かつ知らなかったことにつき過失がなかったときは、この限りではありません。

1年間は撤回できない

労働契約の申込みをしたものとみなされた派遣先は、その労働契約の申込みの理由となった行為が終了した日から1年を経過する日までの間、この申込みを撤回することができません（派遣法第40条の6第2項）。つまり、派遣スタッフは、労働契約の申込みを承諾するかどうか1年間のうちに意思表示することができます。

労働契約の申込みをしたものとみなされた派遣先が、その申込みに対して1年間の内に、派遣スタッフから承諾または承諾しない旨の意思表示を受けなかったときは、その申込みは効力を失うことになります（派遣法第40条の6第3項）。つまり、派遣先が特に意思表示をしなくても、自動的に労働契約の申込みは撤回されます。

労働条件の内容の通知

労働契約の申込みみなしの対象となったスタッフを派遣していた派遣元は、派遣先から求めがあった場合、速やかにその時点における派遣スタッフの労働条件の内容を通知しなけ

……労働契約申込みみなしの対象となる行為……

①派遣スタッフを派遣禁止業務（派遣法第4条1項各号）のいずれかに従事させること。
②労働者派遣の許可を受けた派遣元事業主以外の者から人材派遣を受けること。
③派遣受入可能期間（派遣法第40条の2第1項）の規定に違反して人材派遣を受けること。
④延長された派遣可能期間（派遣法第40条の3）の規定に違反して人材派遣を受けること。
⑤請負その他人材派遣以外の名目で契約を締結（つまり「偽装請負」など）し、「労働者派遣契約の締結に際し定めるべき事項」（派遣法第26条各号）を定めずに労働者派遣を受けること。

……労働契約申込みみなし制度の概要……

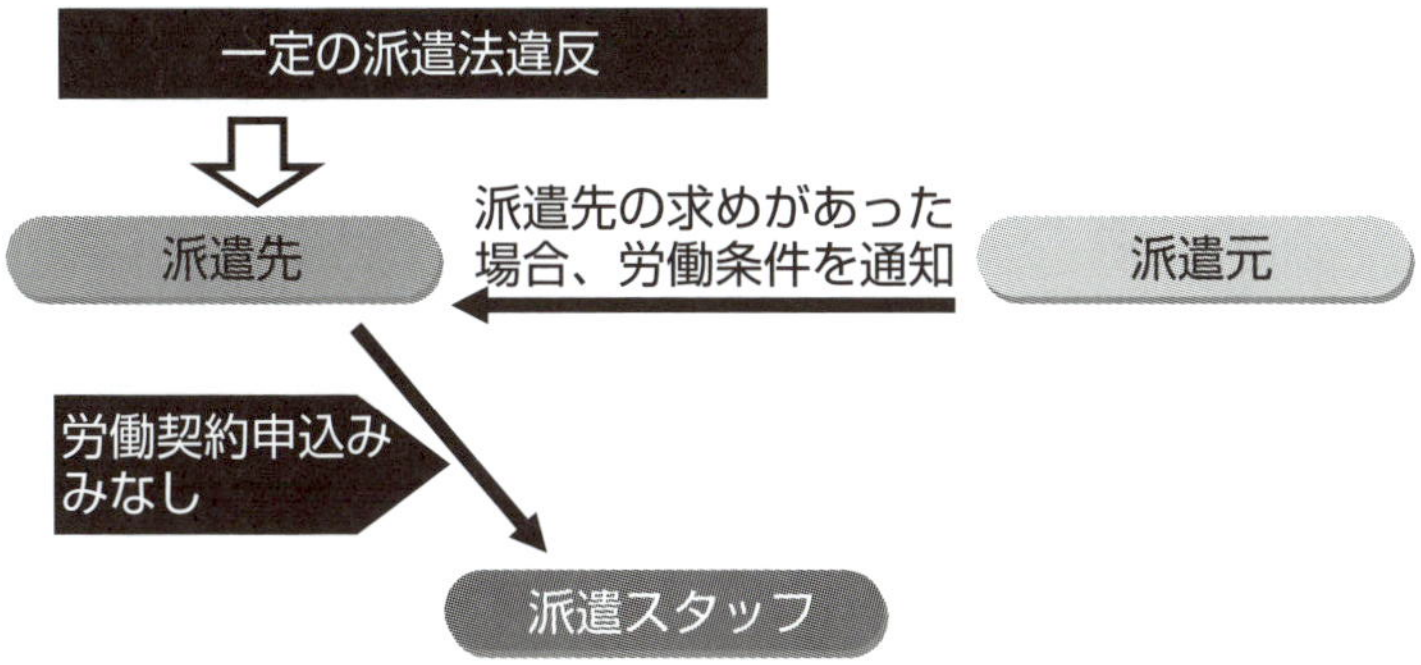

ればなりません（派遣法第40条の6第4項）。

厚生労働大臣の勧告等

厚生労働大臣は、派遣先または派遣スタッフからの求めに応じて、労働契約の申込みみなしの対象となる行為のいずれかに該当するかどうか、また、労働契約の申込みを承諾したスタッフを派遣先が就労させないとき、必要な助言、指導または勧告をすることができることになりました（派遣法第40条の8第1項、2項）。

さらに厚生労働大臣は、派遣スタッフを就労させるべき旨の勧告を受けた派遣先が従わないときは、その旨を公表することができることになりました（派遣先第40条の8第3項）。

68 行政処分、勧告、罰金など

▼派遣法などに違反した場合の派遣元・派遣先に対する行政処分

労働者派遣事業の許可の取消しと事業停止命令

労働者派遣事業の派遣元が、図表のいずれかに該当したときは、厚生労働大臣により許可を取り消されることがあります（派遣法第14条1項）。また、②③のいずれかに該当したときは、厚生労働大臣により、期間を定めて派遣事業の全部または一部の停止を命じられることがあります（派遣法第14条2項）。

許可の取消しか、事業停止命令かは、違法性の程度などによって判断され、許可の取消しを受けた事業主が引き続き人材派遣事業を行った場合は、1年以下の懲役または１００万円以下の罰金に処せられることもあります（派遣法第59条2号）。

改善命令

派遣元が派遣法その他労働に関する法律の規定（関係派遣先への8割規制、派遣割合の報告義務を除く）に違反したときは、厚生労働大臣から派遣元事業主に対し、雇用管理の方法の改善、その他事業の運営を改善するために必要な措置を講ずるよう命じられることがあります（派遣法第49条1項）。

労働者派遣の停止命令

派遣先が、派遣禁止業務（派遣法第4条3項）に派遣スタッフを従事させた場合、厚生労働大臣からその派遣先に派遣する派遣元事業主に対し、派遣の停止が命じられることがあります（派遣法第49条2項）。

派遣先に対する勧告、公表

派遣先において、派遣法で禁止する「派遣禁止業務（派遣法第4条3項）」「許可等を受けない事業者からの受入禁止（派遣法第24条の2）」などの規定に違反し、または行政による指導または助言（派遣法第48条）があった場合において（平成24年10月の法改正から指導・助言の前置は必要なくなりました）、なお、違法行為を行う恐れがあると認められるときは、勧告（派遣法第49条の2第1項）および公表（派遣法第49条の2第2項）の対象となります。

……労働者派遣事業の「許可取消し」の要件……

①
許可の欠格事由（15の図表参照）の
いずれかに該当しているとき

②
派遣法（第3章第4節の規定を除く）
もしくは職業安定法の規定、または、これらの規定に基づく
政省令もしくは処分に違反したとき

③
許可の条件に
違反したとき

④
関係派遣先への8割規制違反に
関する指示を受けたにもかかわらず、
なお違反したとき

違法行為による罰則

派遣法のそれぞれの規定に違反する行為に対しては、図表（210ページ）の罰則があります。

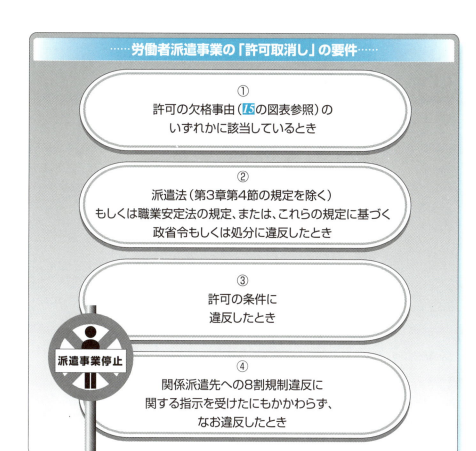

……派遣法に違反する行為の罰則一覧……

罰則適用条項	違反の内容	罰則規定	刑罰の内容
第4条1項	適用除外業務について、労働者派遣事業を行った者	第59条1号	1年以下の懲役または100万円以下の罰金
第5条1項	厚生労働大臣の許可を受けないで労働者派遣事業を行った者	第59条2号	
	偽りその他不正の行為により労働者派遣事業の許可を受けた者	第59条3号	
第5条2項、3項（第10条5項準用を含む）	労働者派遣事業の許可または許可の有効期間の更新の申請書、事業計画書などの書類に虚偽の記載をして提出した者	第61条1号	30万円以下の罰金
第10条2項	偽りその他不正の行為により労働者派遣事業の許可の有効期間の更新を受けた者	第59条3号	1年以下の懲役または100万円以下の罰金
第11条1項	①労働者派遣事業の氏名などの変更の届出をせず、または虚偽の届出をした者 ②労働者派遣事業を行う事業所の新設に係る変更届出の際、事業計画書等の送付書類に虚偽の記載をして提出した者	第61条2号	30万円以下の罰金
第13条1項	労働者派遣事業の廃止の届出をせず、または虚偽の届出をした者		
第14条2項	期間を定めた労働者派遣事業の全部または一部の停止についての厚生労働大臣の命令に違反した者	第59条4号	1年以下の懲役または100万円以下の罰金
第15条	派遣元事業主の名義をもって、他人に労働者派遣事業を行わせた者	第59条1号	
第23条4項	海外派遣の届出をせず、または虚偽の届出をした者	第61条2号	30万円以下の罰金
第34条	労働者派遣をしようとする場合に、あらかじめ、当該派遣労働者に就業条件の明示を行わなかった者	第61条3号	
第35条	労働者派遣をするとき、派遣労働者の氏名などを派遣先に通知をせず、又は虚偽の通知をした者	第61条4号	
第35条の2	労働者派遣の役務の提供を受ける期間の制限に抵触することとなる最初の日以降継続して労働者派遣を行った者	第61条3号	
第36条	派遣元責任者を選任しなかった者		
第37条	派遣元管理台帳を作成もしくは記載せず、またはそれを3年間保存しなかった者		
第41条	派遣先責任者を選任しなかった者		
第42条	派遣先管理台帳を作成もしくは記載せず、それを3年間保存せず、またはその記載事項（派遣元事業主の氏名および名称は除く）を派遣元事業主に通知しなかった者		
第49条1項	派遣労働者に係る雇用管理の方法の改善その他当該労働者派遣事業の運営を改善するために必要な措置を講ずべき旨の厚生労働大臣の命令（改善命令）に違反した者	第60条1号	6月以下の懲役または30万円以下の罰金
第49条2項	継続させることが著しく不適当であると認められる派遣就業に係る労働者派遣契約による労働者派遣を停止する旨の厚生労働大臣の命令に違反した者		
第49条の3第2項	法またはこれに基づく命令の規定に違反する事実がある場合において、派遣労働者がその事実を厚生労働大臣に申告したことを理由として、当該派遣労働者に対して解雇その他不利益な取扱いをした者	第60条2号	
第50条	必要な報告をせず、または虚偽の報告をした者	第61条5号	30万円以下の罰金
第51条1項	関係職員の立入検査に際し、立入りもしくは検査を拒み、妨げ、もしくは忌避し、または質問に対して答弁せず、もしくは虚偽の陳述をした者	第61条6号	
その他	公衆衛生または公衆道徳上有害な業務に就かせる目的で労働者派遣をした者	第58条	1年以上10年以下の懲役または20万円以上300万円以下の罰金
（両罰規定）	法人の代表者または法人もしくは人の代理人、使用人その他の従業員が、その法人または人の義務に関して、第58条から第61条までの違反行為をしたときは、その法人または人に対しても、各々の罰金刑を科す。	第62条	

第7章

派遣元・派遣先・派遣スタッフのトラブル・Q＆A

69 派遣スタッフの遅刻や無断欠勤への対処

▼本社と離れて働くスタッフには機会をとらえて教育する

Q　当社は、派遣事業を始めて1年目の会社ですが、ある派遣スタッフの遅刻のことで悩んでいます。いつも1、2分の遅刻ということですが、派遣先からしばしば苦情があります。その度に、本人には厳しく注意をしているのですが、いつも「これからは注意します」という返事があるだけで、一向に直りません。このようなスタッフには、どのように対処すればよいのでしょうか。

A　最近では、派遣スタッフに限ることなく、労働者の遅刻や無断欠勤に悩む企業が多くなっています。経済的な豊かさのためか、「仕事を失えば食べていけない」という意識が、労働者に薄くなってきているようです。社会経験の少ない労働者には、仕事への責任感を持つよう育成しなければなりません。そのためには、遅刻などの小さな無責任を許さないことが重要です。

　派遣スタッフについては、いつも派遣会社とは別の場所で勤務しているため、一般の正社員のように、上司が人格形成を含めた教育や指導をするというわけにはいきません。営業社員が派遣先を訪問したときや、業務の報告を受けたときなどの機会を利用したり、勤務終了後に自宅へ電話を入れるなどして、こまめに教育していく必要があります。このような教育をつくしても改善されない人物については、懲戒処分など厳しい対処が必要になることもあります。

　ただし、派遣スタッフを一方的に責められない場合もあります。スタッフが人間関係や仕事がうまく処理できずに悩み、うつ病になるケースも少なくないようです。まずは、遅刻などの原因を把握しておくことが重要です。

参照項目……63

70 人材派遣の禁止業務

▼禁止業務に当たるかどうか事前に確認する

Q

当社は、薬剤師による薬の販売を事業としています。派遣法が改正され、一定の施設での調剤の業務に人材派遣が解禁されたということで、派遣事業への参入を計画しています。

そこで、知人の紹介により、養護老人ホーム、身体障害者療護施設（その中の診療所）、肢体不自由児施設と、派遣事業を開始した場合に取引を予定しています。問題はないでしょうか。

A

派遣法では、一定の業務についての派遣を禁止しています。医療関連業務については従来は禁止されていましたが、平成15年3月から、一部の医療関連業務について人材派遣が解禁されました。

改正後の禁止の範囲は、①医療法に規定する病院、診療所、助産所、②介護保険法に規定する介護老人保健施設、介護医療院、③医療を受ける者の居宅において行われる業務で、この禁止の施設などでの業務以外の派遣業務が可能となりました。

ご質問のケースでは、養護老人ホームは、①から③に該当しないため派遣可能です。

次に、原則として診療所は派遣が禁止されている施設ですが、身体障害者療護施設の中に設けられた診療所については派遣の対象とすることが認められています。

最後の肢体不自由児施設については、①に該当する場合が多く、該当していれば派遣はできません。

医療関係の業務については、平成19年4月より「へき地」への医業の派遣が解禁されるなど適用範囲が拡大されています。また厚生労働省令で具体的な禁止の範囲が定められていますので、事前に確認をしておきましょう。

参照項目……18

71 派遣先で業務の指揮命令者が定まらない場合

▼スタッフへの指揮命令者を明確にする

Q

私は、社員30人ほどの会社に派遣され、派遣スタッフとして働いています。この会社は非常に業績がよいようで、派遣スタッフ以外にも社員を増員し、少しずつ組織編成も変わっているようです。

ただ、最近、直接に指揮命令をしていただく上司以外からも、急いで処理するよう作業を頼まれるようになってきました。1度や2度ならと思って我慢してきましたが、だんだん、余分な作業に振り回されるようになってしまい、困っています。

A

中小企業が業績を拡大するときは、細かい決め事を後回しにして、業務の処理を優先することがよくあります。ご質問にある派遣先の会社も、今は少し混乱しているようですね。

派遣法では、派遣スタッフの就業について、派遣先責任者や直接に指揮命令する担当者を明確にするよう定めていますが、派遣先も経営努力を尽しているようであれば、臨時の作業の指示までも違法とはいえないでしょう。

いずれにしても、このようなことでは、仕事を失敗する原因になったり、作業能率も悪化することになり、派遣先も損をすることになります。

派遣元の営業担当者などに相談して、どのようなことから、指揮命令する人が複数になってしまっているかを確認してもらい、派遣元と派遣先の間でよく話し合って、改善してもらいましょう。

参照項目……35

72 雇用期間が短期の派遣スタッフの社会保険加入

▼派遣契約を更新すれば社会保険の加入義務がある

Q

当社は、事務関係の派遣を中心に行っている中小の派遣会社です。最近、派遣料金の相場は下がっていますが、一方で、社会保険料は徐々に上昇しています。

このままでは、利益が次第に減ってしまうため、経営の大きな課題だと思っています。

ところで、社会保険の加入は、雇用契約の期間が2か月を超える場合だと聞きましたが、2か月以内の短期契約を繰り返せば、社会保険に加入させずに、派遣スタッフを雇用することができるのでしょうか。

A

派遣スタッフの社会保険（健康保険・厚生年金）の適用は、基本的に一般の加入要件と同じです。確かに、2か月以内の雇用であれば、社会保険に加入させる必要はなく、また加入させたくともできません。

しかし、2か月の短期契約が満了し、その後に契約が更新されて派遣される場合は、そのときから社会保険に加入させなければなりません。

最近の社会保険料の負担増は、派遣会社に係わらず大きな問題です。しかし、一般の社員の社会保険料も同様に上昇するため、派遣スタッフだけが不利なのだということではありません。優秀なスタッフを雇用するためには、社会保険の適用は必ずしもマイナス要因ではないと、考えるべきでしょう。

参照項目……41

73 派遣契約書と実際の業務内容が違う場合

▼契約と異なる業務を命じることはできない

Q

私は、これまで勤めていた外資系企業を退職し、初めて、英文翻訳の派遣スタッフとして働き始めました。忙しい職場なため、外部からの電話を取ったり、コピーを頼まれたりと、いろいろな作業を指示されます。先日は、決算の時期に経理職員が休んでしまい、緊急だからということで、経理伝票のチェックまですることになりました。

人材派遣は、指示される業務が決まっているはずですが、このようなことは許されるのでしょうか。

A

主な派遣の目的が翻訳であっても、他の業務を兼ねてはいけないわけではありません。ただし、派遣先は、あなたの所属する派遣元と従事する業務の内容を確認し、契約しています。この契約した業務内容については、あなたにも就業条件明示書により「従事する業務の内容」として伝えられているはずです。

この契約内容と異なる業務を派遣先が指示することは、法律で禁止されています。

どのような業務を指示することが許されないのかというと、就業条件明示書に書かれている内容にもよりますが、外部からの電話を取ったり、コピーを取る業務も、主な派遣目的の業務に付帯する業務であれば、まったく許されないとはいえないでしょう。しかし、経理伝票のチェックは、付帯する業務とはいえず、明らかに別の業務です。

そのような指示をされた原因はわかりませんが、あなたに指示をする担当者が派遣法を理解していないことも考えられます。派遣元の営業担当者などに相談し、あまり関係がこじれないように、改善してもらいましょう。

参照項目……35 36

74 セクハラの対応

▼派遣スタッフを受け入れる事業主にもセクハラ防止責任がある

Q

派遣先の上司が、派遣契約の更新をちらつかせて食事に誘ってきました。行きたくないのですが、断ると契約更新してもらえないかもしれません。これは、いわゆるセクハラではありませんか。

A

セクハラの定義は一般に次の２つに分かれます。

①「対価型」——権限を持つ上司からの性的な要求を拒否したため職業上の不利益を受けるもの（ご質問の内容がこれに当たります）。

②「環境型」——性的な言動によって就業環境が害されるもの。例えば女性労働者の容姿に言及することや、職場にヌードポスターを貼ることなどです。

このようなことは、人によって受けとめ方の差はありますが、本人が不快だと感じればそれはセクハラになります。

事業主には雇用管理上、セクハラ防止の配慮義務があります（均等法第21条1項）。具体的にはセクハラについての社内研修の実施や苦情・相談への対応です。派遣スタッフにとっての本来の事業主は派遣元ですが、派遣法によって派遣先にもこれらの配慮義務が課されています。また、民事裁判においては、セクハラは不法行為として損害賠償の対象にもなり、事業主は、社員の行為に対しても使用者責任を負っています。

セクハラを受けたときは、まず派遣元に相談しましょう。それで改善されなければ、都道府県労働局の雇用機会均等室へ相談してみましょう。どうしても納得できなければ裁判という手段もあります。

参照項目……52 57

…… 派遣労働者からの苦情の内容 ……

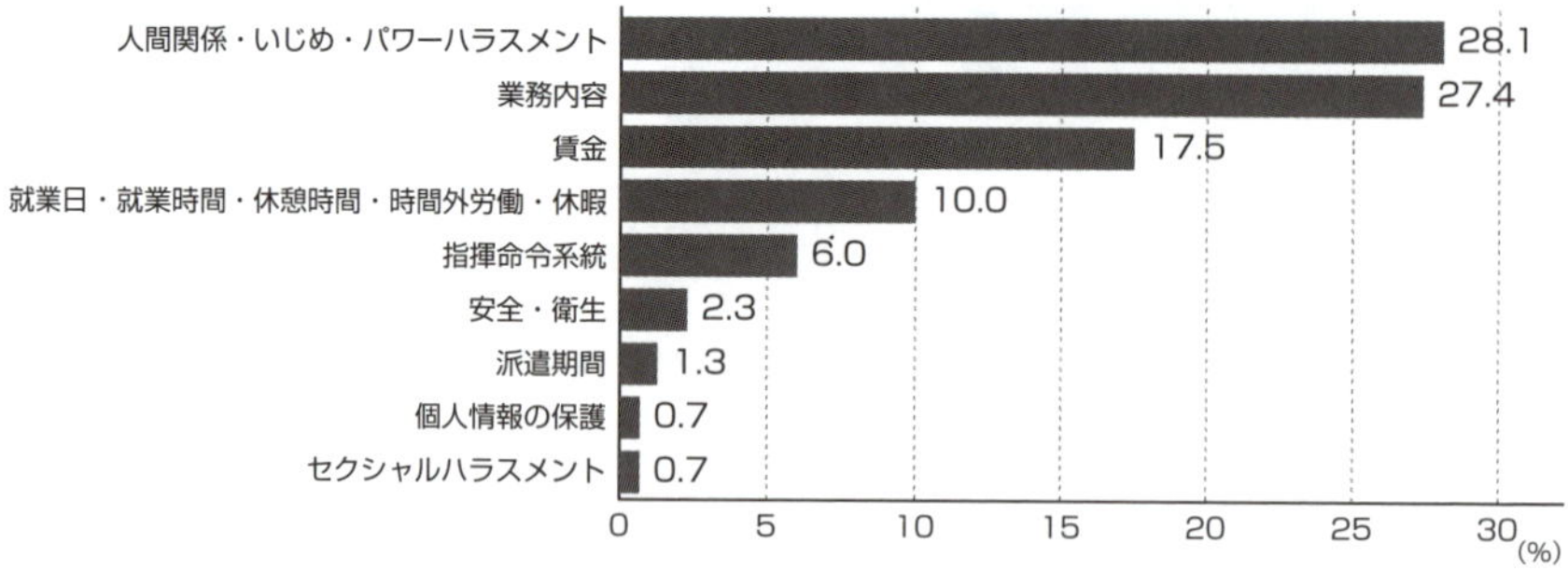

…… 派遣労働者から派遣元への要望 ……

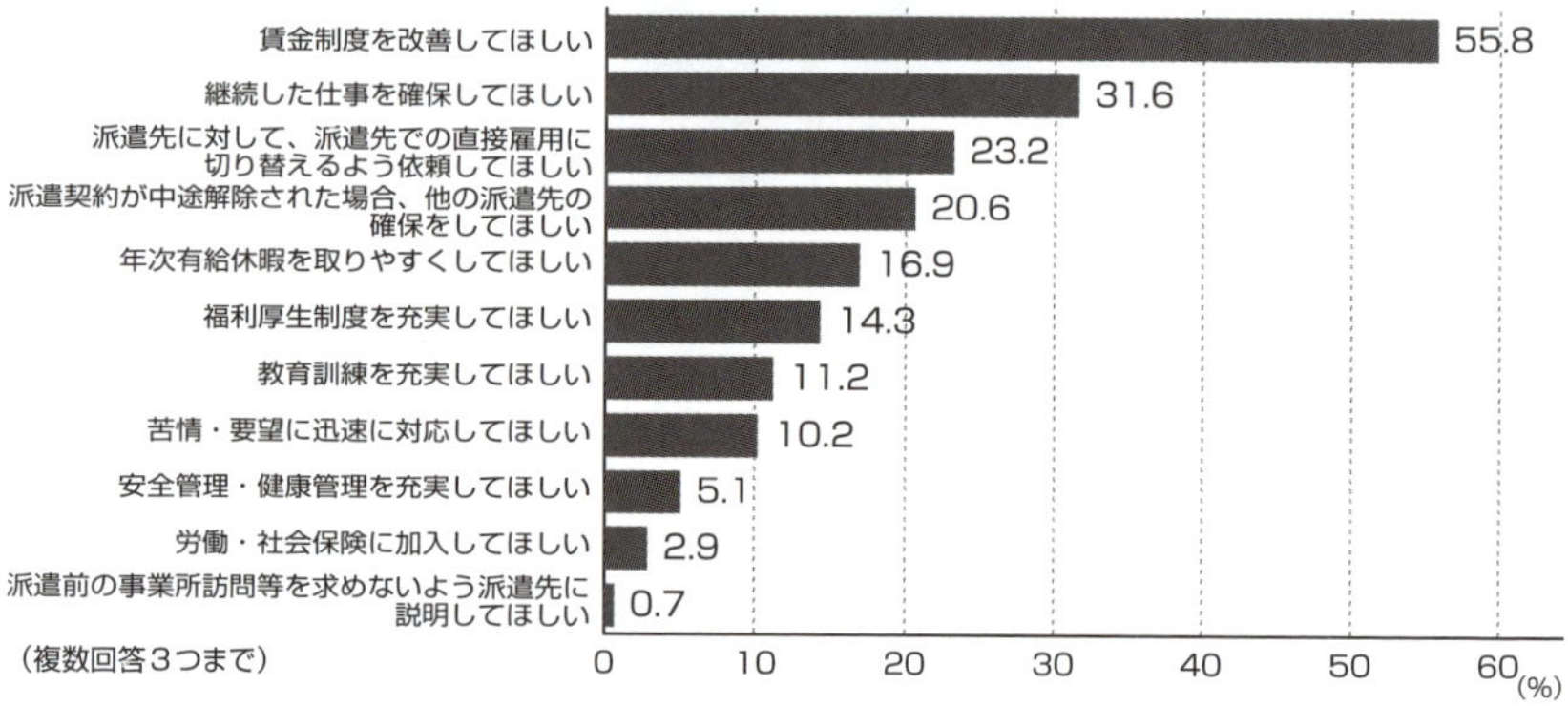

（複数回答３つまで）

…… 派遣労働者から派遣先への要望 ……

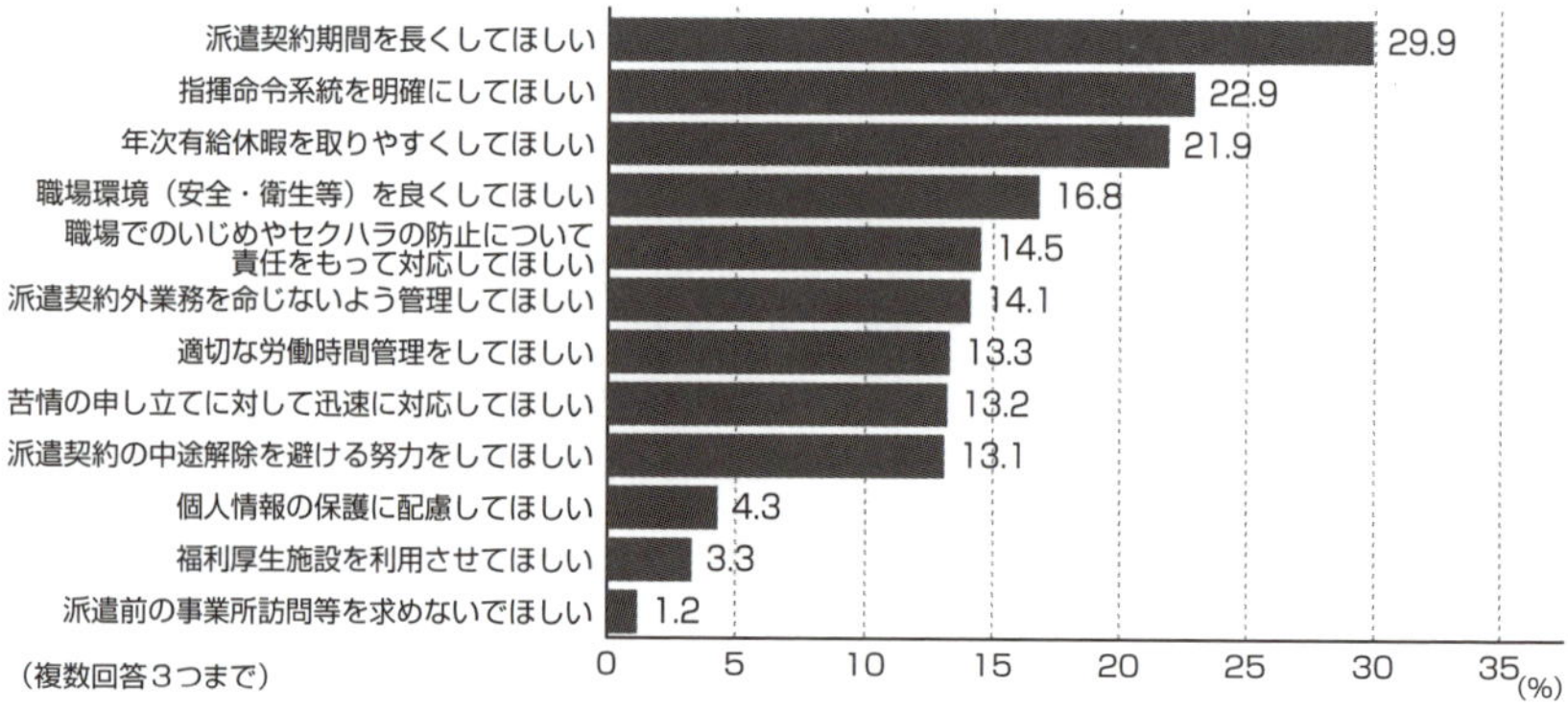

（複数回答３つまで）

資料:厚生労働省平成29年「派遣労働者実態調査」

75 スタッフを受け入れる前の準備

▼派遣を受け入れる前に業務内容や派遣先責任者を決めておく

これから3か月ほど忙しい時期が続くので、一時的に派遣スタッフに来てもらおうと考えています。派遣スタッフの受け入れは初めてなのですが、何か特にこちらで準備しなければならないことや気をつけなければならないことがあるのでしょうか。

派遣法では、派遣スタッフを受け入れる場合に、様々なルールを定めています。

準備としては、まず、派遣を受けて従事してもらう業務の内容をしっかり検討しておきましょう。派遣法では、従事する業務によって規制が異なりますし、派遣契約書にも盛り込む必要があるからです。

次に、派遣先責任者を選任します（一定の場合を除く）。派遣先責任者は法定の通知事項や関係者との連絡など一定の管理を行うことが義務付けられています。実際に派遣スタッフに業務の指示を与える人を指揮命令者（職場の上司）といいますが、派遣先責任者は派遣契約の内容を指揮命令者にも知らせて、契約内容と実際の仕事内容が異なるなどのトラブルが起きないよう注意しなければなりません。

派遣が開始されれば、「派遣先管理台帳」を作成して、派遣スタッフの人事情報と勤怠情報を記録するなどの作業があります。このような書式は、派遣会社がフォーマットを用意しています。

その他、詳しくは派遣会社が説明をしてくれますから派遣を受ける前に納得がいくまで聞いておくことが大切です。

そして、派遣スタッフは他社の社員であり、派遣法上のルールで守られていますから、派遣先責任者だけでなく指揮命令者や同僚もそれらをよく理解しておくことが必要です。

参照項目……35 49 51

76 派遣スタッフの年次有給休暇

▼派遣スタッフの年次有給休暇は派遣元に請求する

派遣スタッフとして働き初めて6か月が経ちました。以前、正社員で勤めていたときは年次有給休暇を取得できましたが、人材派遣でも、年次有給休暇は取得できるのでしょうか。また、その年次有給休暇の請求は、派遣元、派遣先、どちらにすればよいのでしょうか。

年次有給休暇とは、労働基準法（第39条）で定められた休暇です。労働者には、6か月継続勤務し、その間のすべての労働日のうち8割以上を勤務すると、まずは10日（所定労働日数の少ない一定の労働者には所定労働日数に応じた日数）の年次有給休暇を与えることとされています。

また、年次有給休暇の日数は、6か月経過した後も、勤続年数1年ごとに最大20日まで徐々に増えます。労働者には与えられた年次有給休暇を、付与された日から2年のうちであれば自由に使う権利があります。

派遣スタッフであっても労働者ですから、労働基準法で定められた年次有給休暇は、要件に該当するようになれば取得できます。

この年次有給休暇を与える義務は、雇用関係にある派遣元にありますから、取得する場合の請求は、派遣元に対して行います。しかし、派遣先に無断で休むわけにはいきませんから、派遣元の指示を確認して、スタッフが自ら派遣先に連絡をする必要があるでしょう。

ただし、使用者には、請求された時季に年次有給休暇を与えることが事業の正常な運営を妨げる場合、他の時季に変更する権利(時季変更権)があります。

労働者にとって当然の権利だからといっても、できる限り業務に影響のない日を選ぶことが、特に派遣スタッフのマナーといえるでしょう。また、年次有給休暇の取得が必要なことが事前にわかったときは、早めに請求しましょう。

参照項目……55

77 派遣先の都合による派遣契約の途中解除

▼損害賠償を派遣元から求められることもある

Q

当社は、業務用のコンピューター・ソフトを開発している会社です。業務の量が一時的に多くなってしまったため、人材派遣を受け入れましたが、現在、契約期間は残り3か月というところです。

ただ、開発業務が思ったより早く進み、どうやらあと1か月程度で、予定していた派遣スタッフの業務が完了しそうです。派遣スタッフを遊ばせるわけにはいきませんから、途中解除をしたいのですが、できるでしょうか。

A

派遣スタッフに問題があり、それが、業務を完成できないなど重大な場合は、派遣スタッフの交代を求めたり、場合によっては期間を残して契約を解除できる場合もあります。

一方、派遣契約が派遣先の都合で解除された場合は、派遣元は、当然に残余期間の損害賠償を請求することができます。派遣契約が途中解除されると、派遣スタッフは仕事を失うことになります。しかし、雇用契約は継続しているため、法律上、派遣元は、派遣スタッフに残余期間の休業手当を支払うか、解雇予告手当を支払って解雇するなどの必要があるからです。

どうしても、途中解除しなければならないときは、派遣先は、このような損害賠償を支払うか、法律で求めているように、派遣スタッフへ代わりの就業をあっせんをするなど、途中解除の影響が最小限になるよう心掛けなければなりません。また、解除の通知は、1か月以上の相当の期間前に申し出ることが望ましいとされています。

ご質問の内容では、派遣先の都合による途中解除となりますから、解除後の対応も検討のうえで判断してください。

参照項目……60 61 62

……過去1年間に派遣契約を中途解除した事業所の割合……

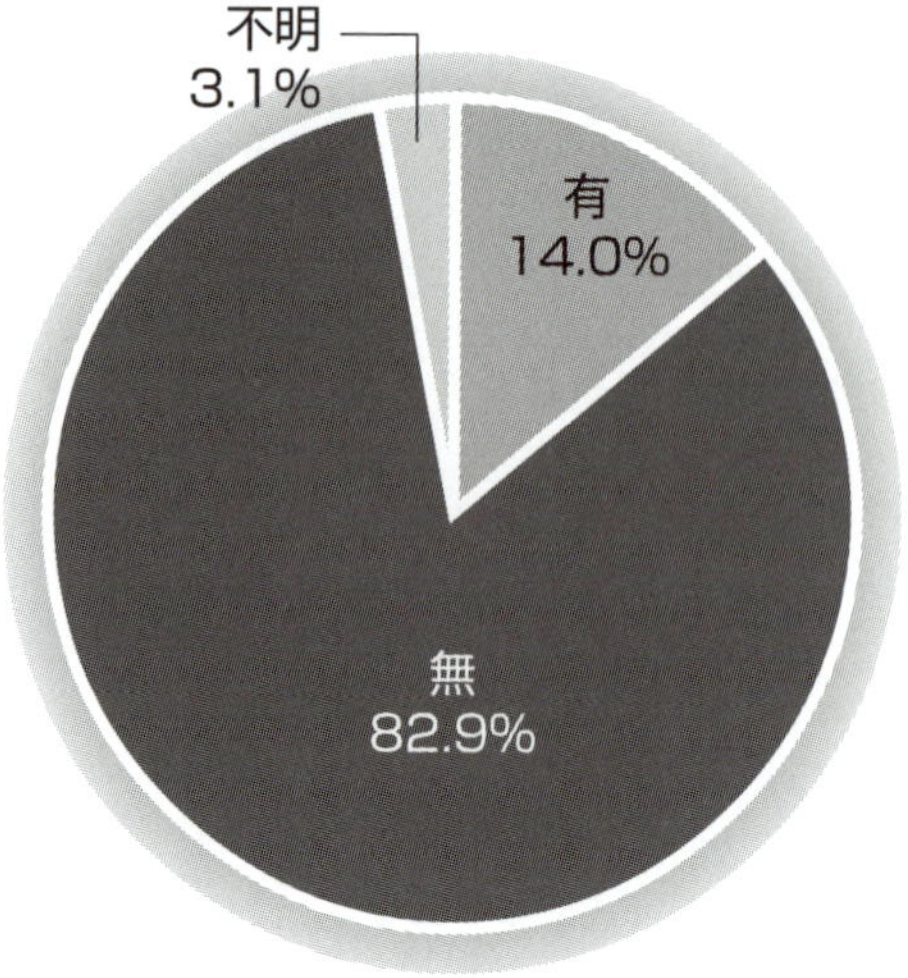

資料：厚生労働省平成29年「派遣労働者実態調査」

……派遣先が自ら派遣契約を中途解除した理由……

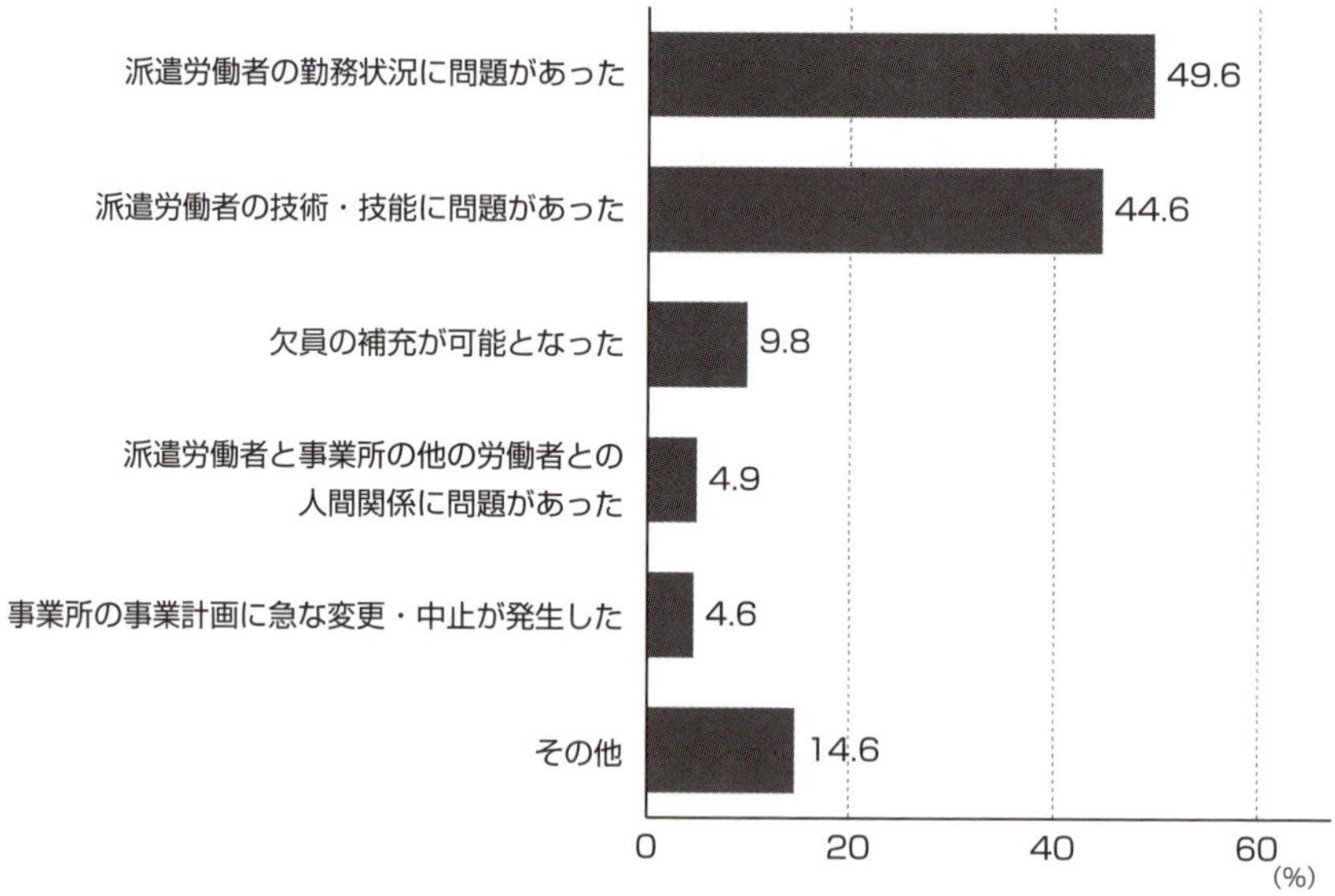

資　料：厚生労働省平成29年「派遣労働者実態調査」
注意点：労働者派遣契約の中途解除をしたことがある事業所を100%とした割合である。

78 スタッフの作業能率不足への対応

▼派遣先と派遣元の協力で対応する

Q

当社の経理担当者の1人が育児休業を取得することになり、しばらくは派遣スタッフに業務を処理させることにしました。

派遣元から、この派遣スタッフは経験豊富で他の派遣先の評判もよかったと聞いていたので、あまり口出しせずに任せているのですが、どうも作業が遅く、いつも残業をしています。

このようなときは、スタッフの交代を派遣会社にお願いした方がよいのでしょうか。

A

派遣スタッフに、作業能率上の重大な問題があれば、契約事項の不完全履行などを理由として派遣元に改善を求めることは可能です。

ただし、スタッフも人間である以上、指示する人によっても作業能率が異なるのだということは考えておく必要があります。

ご質問の内容では、なぜ作業が遅れているのかという原因を把握していないようです。また、「あまり口出しせずに」ということですが、作業の説明や指示が不足していることはないでしょうか。派遣スタッフにも、自社の社員を教育するときと同じように、一連の作業を正しくできるまで指導してから、任せるべきでしょう。

人の能力はハカリで計るように明確にすることはできませんから、派遣スタッフの交代を考える前に、派遣元と業務の改善方法などについて、よく話し合ってみてはいかがでしょうか。

参照項目……61

79 人材派遣の相談窓口

▼情報収集の手段は多く持っておく

Q　当社は、近く、派遣事業を始めようと考えています。人材派遣について、何か問題が起きたときに相談できる窓口や、詳しい情報を収集できるところがあれば教えてください。

A　まず、人材派遣に関する行政の窓口は、各都道府県の労働局（需給調整事業部など）となります。派遣会社を始める場合の手続き、その他法律上の指導などを行う機関です。

国の窓口としては、厚生労働省の職業安定局民間需給調整課となります。法改正の情報や、特に都道府県の労働局で判断が難しい問題などは、こちらで相談できます。その他、派遣会社が協同で設立した一般社団法人日本人材派遣協会などもあります。

◆厚生労働省職業安定局需給調整事業課

〒100-8916

東京都千代田区霞ヶ関 1-2-2

電話　03(5253)1111(代表)

http://www.mhlw.go.jp/

◆一般社団法人　日本人材派遣協会

〒105-0004

東京都港区新橋 1-18-16

日本生命新橋ビル 2F

電話　03(6744)4130(代表)

https://www.jassa.or.jp/

巻末資料

人材派遣の指針

派遣元事業主が講ずべき措置に関する指針
派遣先が講ずべき措置に関する指針
日雇派遣指針
短時間・有期雇用労働者及び派遣労働者に対する不合理な待遇の禁止等に関する指針（抜粋）

派遣元事業主が講ずべき措置に関する指針（平成29年労働省告示第２１０号）

第１　趣旨

この指針は、労働者派遣事業の適正な運営の確保及び派遣労働者の保護等に関する法律（以下「労働者派遣法」という。）第24条の３並びに第３章第１節及び第２節の規定により派遣元事業主が講ずべき措置に関して、その適切かつ有効な実施を図るために必要な事項を定めたものである。

また、労働者派遣法第24条の３の規定により派遣元事業主が講ずべき措置に関する必要な事項と併せ、個人情報の保護に関する法律（平成15年法律第57号）の遵守等についても定めたものである。

第２　派遣元事業主が講ずべき措置

１　労働者派遣契約の締結に当たっての就業条件の確認

派遣元事業主は、派遣先との間で労働者派遣契約を締結するに際しては、派遣先が求める業務の内容及び当該業務に伴う責任の程度（８及び９において「職務の内容」という。）、当該業務を遂行するために必要とされる知識、技術又は経験の水準、労働者派遣の期間その他労働者派遣契約の締結に際し定めるべき就業条件を事前にきめ細かに把握すること。

２　派遣労働者の雇用の安定を図るために必要な措置

（1）労働契約の締結に際して配慮すべき事項

派遣元事業主は、労働者を派遣労働者として雇い入れようとするときは、当該労働者の希望及び労働者派遣契約における労働者派遣の期間を勘案して、労働契約の期間について、当該期間を当該労働者派遣契約における労働者派遣の期間と合わせる等、派遣労働者の雇用の安定を図るために必要な配慮をするよう努めること。

（2）労働者派遣契約の締結に当たって講ずべき措置

イ　派遣元事業主は、労働者派遣契約の締結に当たって、派遣先の責に帰すべき事由により労働者派遣契約の契約期間が満了する前に当該労働者派遣契約の解除が行われる場合には、派遣先は当該労働者派遣に係る派遣労働者の新たな就業機会の確保を図ること及びこれができないときには少なくとも当該労働者派遣契約の解除に伴い当該派遣元事業主が当該労働者派遣に係る派遣労働者を休業させること等を余儀なくされることにより生ずる損害である休業手当、解雇予告手当等に相当する額以上の額について損害の賠償を行うことを定めるよう求めること。

ロ　派遣元事業主は、労働者派遣契約の締結に当たって、労働者派遣の終了後に当該労働派遣に係る派遣労働者を派遣先が雇用する場合に、当該雇用が円滑に行われるよう、派遣先が当該労働者派遣の終了後に当該派遣労働者を雇用する意思がある場合には、当該意思を事前に派遣元事業主に示すこと、派遣元事業主が職業安定法（昭和22年法律第１４１号）その他の法律の規定による許可を受けて、又は届出をして職業紹介を行うことができる場合には、派遣先は職業紹介により当該派遣労働者を雇用し、派遣元事業主に当該職業紹介に係る手数料を支払うこと等を定めるよう求めること。

（3）労働者派遣契約の解除に当たって講ずべき措置

派遣元事業主は、労働者派遣契約の契約期間が満了する前に派遣労働者の責に帰すべき事由以外の事由によって労働者派遣契約の解除が行われた場合には、当該労働者派遣契約に係る派遣先と連携して、当該派遣先からその関連会社での就業のあっせんを受けること、当該派遣元事業主において他の派遣先を確保すること等により、当該労働者派遣契約に係る派遣労働者の新たな就業機会の確保を図ること。また、当該派遣元事業主は、当該労働者派遣契約の解除に当たって、新たな就業機会の確保ができない場合は、まず休業等を行い、当該派遣労働者の雇用の維持を図るようにするとともに、休業手当の支払等の労働基準法(昭和22年法律第49号)等に基づく責任を果たすこと。さらに、やむを得ない事由によりこれができない場合において、当該派遣労働者を解雇しようとするときであっても、労働契約法(平成19年法律第128号)の規定を遵守することはもとより、当該派遣労働者に対する解雇予告、解雇予告手当の支払等の労働基準法等に基づく責任を果たすこと。

(4) 労働者派遣契約の終了に当たって講ずべき事項

イ 派遣元事業主は、無期雇用派遣労働者(労働者派遣法第30条の2第1項に規定する無期雇用派遣労働者をいう。以下同じ。)の雇用の安定に留意し、労働者派遣が終了した場合において、当該労働者派遣の終了のみを理由として当該労働者派遣に係る無期雇用派遣労働者を解雇してはならないこと。

ロ 派遣元事業主は、有期雇用派遣労働者(労働者派遣法第30条第1項に規定する有期雇用派遣労働者をいう。以下同じ。)の雇用の安定に留意し、労働者派遣が終了した場合であって、当該労働者派遣に係る有期雇用派遣労働者との労働契約が継続しているときは、当該労働者派遣の終了のみを理由として当該有期雇用派遣労働者を解雇してはならないこと。

3 適切な苦情の処理

派遣元事業主は、派遣労働者の苦情の申出を受ける者、派遣元事業主において苦情の処理を行う方法、派遣元事業主と派遣先との連携のための体制等を労働者派遣契約において定めること。また、派遣元管理台帳に苦情の申出を受けた年月日、苦情の内容及び苦情の処理状況について、苦情の申出を受け、及び苦情の処理に当たった都度、記載すること。また、派遣労働者から苦情の申出を受けたことを理由として、当該派遣労働者に対して不利益な取扱いをしてはならないこと。

4 労働・社会保険の適用の促進

派遣元事業主は、その雇用する派遣労働者の就業の状況等を踏まえ、労働・社会保険の適用手続を適切に進め、労働・社会保険に加入する必要がある派遣労働者については、加入させてから労働者派遣を行うこと。ただし、新規に雇用する派遣労働者について労働者派遣を行う場合であって、当該労働者派遣の開始後速やかに労働・社会保険の加入手続を行うときは、この限りでないこと。

5 派遣先との連絡体制の確立

派遣元事業主は、派遣先を定期的に巡回すること等により、派遣労働者の就業の状況が労働者派遣契約の定めに反していないことの確認等を行うとともに、派遣労働者の適正な派遣就業の確保のために、きめ細かな情報提供を行う等により、派遣先との連絡調整を的確に行うこと。特に、労働基準法第36条第1項の時間外及び休日の労働に関する協定の内容等派遣労働者の労働時間の枠組みについては、情報提供を行う等により、派遣先との連絡調整を的確に行うこと。なお、同項の協定の締結に当たり、労働者の過半数を代表する者の選出を行う場合には、労働基準法施行規則(昭和22年厚生省令第23号)第6条の2の規定に基づき、適正に行うこと。また、派遣元事業主は、割増賃金等の計算に当たり、その雇用する派遣労働者の実際の労働時間等について、派遣先に情報提供を求めること。

6 派遣労働者に対する就業条件の明示

派遣元事業主は、モデル就業条件明示書の活用等により、派遣労働者に対し就業条件を明示すること。

7　労働者を新たに派遣労働者とするに当たっての不利益取扱いの禁止

派遣元事業主は、その雇用する労働者であって、派遣労働者として雇い入れた労働者以外のものを新たに労働者派遣の対象としようとする場合であって、当該労働者が同意をしないことを理由として、当該労働者に対し解雇その他不利益な取扱いをしてはならないこと。

8　派遣労働者の雇用の安定及び福祉の増進等

(1) 無期雇用派遣労働者について留意すべき事項

派遣元事業主は、無期雇用派遣労働者の募集に当たっては、「無期雇用派遣」という文言を使用すること等により、無期雇用派遣労働者の募集であることを明示しなければならないこと。

(2) 特定有期雇用派遣労働者等について留意すべき事項

イ　派遣元事業主が、労働者派遣法第30条第2項の規定の適用を避けるために、業務上の必要性等なく同一の派遣労働者に係る派遣先の事業所その他派遣就業の場所（以下「事業所等」という。）における同一の組織単位（労働者派遣法第26条第1項第2号に規定する組織単位をいう。以下同じ。）の業務について継続して労働者派遣に係る労働に従事する期間を3年未満とすることは、労働者派遣法第30条第2項の規定の趣旨に反する脱法的な運用であって、義務違反と同視できるものであり、厳に避けるべきものであること。

ロ　派遣元事業主は、労働者派遣法第30条第1項（同条第2項の規定により読み替えて適用する場合を含む。以下同じ。）の規定により同条第1項の措置（以下「雇用安定措置」という。）を講ずるに当たっては、当該雇用安定措置の対象となる特定有期雇用派遣労働者等（同条第1項に規定する特定有期雇用派遣労働者等をいう。以下同じ。）（近い将来に該当する見込みのある者を含む。）に対し、キャリア・コンサルティング（職業能力開発促進法（昭和44年法律第64号）第2条第5項に規定するキャリアコンサルティングのうち労働者の職業生活の設計に関する相談その他の援助を行うことをいう。）や労働契約の更新の際の面談等の機会を利用し、又は電子メールを活用すること等により、労働者派遣の終了後に継続して就業することの希望の有無及び希望する雇用安定措置の内容を把握すること。

ハ　派遣元事業主は、雇用安定措置を講ずるに当たっては、当該雇用安定措置の対象となる特定有期雇用派遣労働者等の希望する雇用安定措置を講ずるよう努めること。また、派遣元事業主は、特定有期雇用派遣労働者（労働者派遣法第30条第1項に規定する特定有期雇用派遣労働者をいう。）が同項第1号の措置を希望する場合には、派遣先での直接雇用が実現するよう努めること。

ニ　派遣元事業主は、雇用安定措置を講ずるに当たっては、当該雇用安定措置の対象となる特定有期雇用派遣労働者等の労働者派遣の終了の直前ではなく、早期に当該特定有期雇用派遣労働者等の希望する雇用安定措置の内容について聴取した上で、十分な時間的余裕をもって当該措置に着手すること。

(3) 労働契約法等の適用について留意すべき事項

イ　派遣元事業主は、派遣労働者についても労働契約法の適用があることに留意すること。

ロ　派遣元事業主が、その雇用する有期雇用派遣労働者について、当該有期雇用派遣労働者からの労働契約法第18条第1項の規定による期間の定めのない労働契約の締結の申込みを妨げるために、当該有期雇用派遣労働者に係る期間の定めのある労働契約の更新を拒否し、また、空白期間（同条第2項に規定する空白期間をいう。）を設けることは、同条の規定の趣旨に反する脱法的な運用であること。

ハ　派遣元事業主は、短時間労働者及び有期雇用労働者の雇用管理の改善等に関する法律（平成5年法律第76号）第8条の規定により、その雇用する有期雇用派遣労働者の通勤手当について、その雇用する通常の労働者の通勤手当との間において、当該有期雇用派遣労働者及び通常の労働者の職務の内容、当該職務の内容及び配置の変更の範囲その他の事情のうち、当該通勤手当の性質及び当該通勤手当を支給する目的に照らして適切と認められるものを考慮して、不合理と認められる相違を設けてはならないこと。また、派遣元事業主は、同法第9条の規定により、職務の内容が通常の労働者と同一の有期雇用派遣労働者であって、当該事業所における慣行その他の事情からみて、当該派遣元事業主との雇用関係が終了するまでの全期間において、その職務の内容及び配置が当該通常の労働者の職務の内容及び配置の変更の範囲と同一の範囲で変更されることが見込まれるものについては、有期雇用労働者であることを理由として、通勤手当について差別的取扱いをしてはならないこと。なお、有期雇用派遣労働者の通勤手当については、当然に労働者派遣法第30条の3又は第30条の4第1項の規定の適用があることに留意すること。

(4)　派遣労働者等の適性、能力、経験、希望等に適合する就業機会の確保等

派遣元事業主は、派遣労働者又は派遣労働者となろうとする者（以下「派遣労働者等」という。）について、当該派遣労働者等の適性、能力、経験等を勘案して、最も適した就業の機会の確保を図るとともに、就業する期間及び日、就業時間、就業場所、派遣先における就業環境等について当該派遣労働者等の希望と適合するような就業機会を確保するよう努めなければならないこと。また、派遣労働者等はその有する知識、技術、経験等を活かして就業機会を得ていることに鑑み、派遣元事業主は、労働者派遣法第30条の2の規定による教育訓練等の措置を講じなければならないほか、就業機会と密接に関連する教育訓練の機会を確保するよう努めなければならないこと。

(5)　派遣労働者に対するキャリアアップ措置

イ　派遣元事業主は、その雇用する派遣労働者に対し、労働者派遣法第30条の2第1項の規定による教育訓練を実施するに当たっては、労働者派遣事業の適正な運営の確保及び派遣労働者の保護等に関する法律施行規則第1条の4第1号の規定に基づき厚生労働大臣が定める基準（平成27年厚生労働省告示第391号）第4号に規定する教育訓練の実施計画（以下「教育訓練計画」という。）に基づく教育訓練を行わなければならないこと。

ロ　派遣元事業主は、派遣労働者として雇用しようとする労働者に対し、労働契約の締結時までに教育訓練計画を説明しなければならないこと。また、派遣元事業主は、当該教育訓練計画に変更があった場合は、その雇用する派遣労働者に対し、速やかにこれを説明しなければならないこと。

ハ　派遣元事業主は、その雇用する派遣労働者が教育訓練計画に基づく教育訓練を受講できるよう配慮しなければならないこと。特に、教育訓練計画の策定に当たっては、派遣元事業主は、教育訓練の複数の受講機会を設け、又は開催日時や時間の設定について配慮すること等により、可能な限り派遣労働者が教育訓練を受講しやすくすることが望ましいこと。

ニ　派遣元事業主は、その雇用する派遣労働者のキャリアアッ

プを図るため、教育訓練計画に基づく教育訓練を実施するほか、更なる教育訓練を自主的に実施するとともに、当該教育訓練に係る派遣労働者の費用負担を実費程度とすることで、派遣労働者が教育訓練を受講しやすくすることが望ましいこと。

ホ　派遣元事業主は、その雇用する派遣労働者のキャリアアップを図るとともに、その適正な雇用管理に資するため、当該派遣労働者に係る労働者派遣の期間及び派遣就業をした日、従事した業務の種類、労働者派遣法第37条第1項第10号に規定する教育訓練を行った日時及びその内容等を記載した書類を保存するよう努めること。

(6) 労働者派遣に関する料金の額に係る交渉等

イ　労働者派遣法第30条の3の規定による措置を講じた結果のみをもって、当該派遣労働者の賃金を従前より引き下げるような取扱いは、同条の規定の趣旨を踏まえた対応とはいえないこと。

ロ　派遣元事業主は、労働者派遣に関する料金の額に係る派遣先との交渉が当該労働者派遣に係る派遣労働者の待遇の改善にとって極めて重要であることを踏まえつつ、当該交渉に当たるよう努めること。

ハ　派遣元事業主は、労働者派遣に関する料金の額が引き上げられた場合には、可能な限り、当該労働者派遣に係る派遣労働者の賃金を引き上げるよう努めること。

(7) 同一の組織単位の業務への労働者派遣

派遣元事業主が、派遣先の事業所等における同一の組織単位の業務について継続して3年間同一の派遣労働者に係る労働者派遣を行った場合において、当該派遣労働者が希望していないにもかかわらず、当該労働者派遣の終了後3月が経過した後に、当該同一の組織単位の業務について再度当該派遣労働者を派遣することは、派遣労働者のキャリアアップの観点から望ましくないこと。

(8) 派遣元事業主がその雇用する協定対象派遣労働者（労働者派遣法第30条の5に規定する協定対象派遣労働者をいう。以下同じ。）に対して行う安全管理に関する措置及び給付のうち、当該協定対象派遣労働者の職務の内容に密接に関連するものについては、派遣先に雇用される通常の労働者との間で不合理と認められる相違等が生じないようにすることが望ましいこと。

(9) 派遣元事業主は、派遣労働者が育児休業、介護休業等育児又は家族介護を行う労働者の福祉に関する法律（平成3年法律第76号）第2条第1号に規定する育児休業から復帰する際には、当該派遣労働者が就業を継続できるよう、当該派遣労働者の派遣先に係る希望も勘案しつつ、就業機会の確保に努めるべきであることに留意すること。

(10) 障害者である派遣労働者の有する能力の有効な発揮の支障となっている事情の改善を図るための措置

派遣元事業主は、障害者の雇用の促進等に関する法律（昭和35年法律第123号。以下「障害者雇用促進法」という。）第2条第1号に規定する障害者（以下単に「障害者」という。）である派遣労働者から派遣先の職場において障害者である派遣労働者の有する能力の有効な発揮の支障となっている事情の申出があった場合又は派遣先から当該事情に関する苦情があった旨の通知を受けた場合等において、同法第36条の3の規定による措置を講ずるに当たって、当該障害者である派遣労働者と話合いを行い、派遣元事業主において実施可能な措置を検討するとともに、必要に応じ、派遣先と協議等を行い、協力を要請すること。

9　派遣労働者の待遇に関する説明等

派遣元事業主は、その雇用する派遣労働者に対し、労働者派遣法

第31条の2第4項の規定による説明を行うに当たっては、次の事項に留意すること。

(1) 派遣労働者（協定対象派遣労働者を除く。以下この（1）及び（2）において同じ。）に対する説明の内容

イ　派遣元事業主は、労働者派遣法第26条第7項及び第10項並びに第40条第5項の規定により提供を受けた情報（11及び12において「待遇等に関する情報」という。）に基づき、派遣労働者と比較対象労働者（労働者派遣法第26条第8項に規定する比較対象労働者をいう。以下この9において同じ。）との間の待遇の相違の内容及び理由について説明すること。

ロ　派遣元事業主は、派遣労働者と比較対象労働者との間の待遇の相違の内容として、次の（イ）及び（ロ）に掲げる事項を説明すること。

（イ）派遣労働者及び比較対象労働者の待遇のそれぞれを決定するに当たって考慮した事項の相違の有無

（ロ）次の（i）又は（ii）に掲げる事項

（i）派遣労働者及び比較対象労働者の待遇の個別具体的な内容

（ii）派遣労働者及び比較対象労働者の待遇に関する基準

ハ　派遣元事業主は、派遣労働者及び比較対象労働者の職務の内容、職務の内容及び配置の変更の範囲その他の事情のうち、待遇の性質及び待遇を行う目的に照らして適切と認められるものに基づき、待遇の相違の理由を説明すること。

(2) 協定対象派遣労働者に対する説明の内容

イ　派遣元事業主は、協定対象派遣労働者の賃金が労働者派遣法第30条の4第1項第2号に掲げる事項であって同項の協定で定めたもの及び同項第3号に関する当該協定の定めによる公正な評価に基づき決定されていることについて説明すること。

ロ　派遣元事業主は、協定対象派遣労働者の待遇（賃金、労働者派遣法第40条第2項の教育訓練及び労働者の保護等に関する法律施行規則（昭和61年労働省令第20号）第32条の3各号に掲げる福利厚生施設を除く。）が労働者派遣法第30条の4第1項第4号に基づき決定されていること等について、派遣労働者に対する説明の内容に準じて説明すること。

(3) 派遣労働者に対する説明の方法

派遣元事業主は、派遣労働者が説明の内容を理解することができるよう、資料を活用し、口頭により説明することを基本とすること。ただし、説明すべき事項を全て記載した派遣労働者が容易に理解できる内容の資料を用いる場合には、当該資料を交付する等の方法でも差し支えないこと。

(4) 比較対象労働者との間の待遇の相違の内容等に変更があったときの情報提供

派遣元事業主は、派遣労働者から求めがない場合でも、当該派遣労働者に対し、比較対象労働者との間の待遇の相違の内容及び理由並びに労働者派遣法第30条の3から第30条の6までの規定により措置を講ずべきこととされている事項に関する決定をするに当たって考慮した事項に変更があったときは、その内容を情報提供することが望ましいこと。

10　関係法令の関係者への周知

派遣元事業主は、労働者派遣法の規定による派遣元事業主及び派遣先が講ずべき措置の内容並びに労働者派遣法第3章第4節に規定する労働基準法等の適用に関する特例等関係法令の関係者への周知の徹底を図るために、説明会等の実施、文書の配布等の措置を講ずること。

11　個人情報の保護

(1) 個人情報の収集、保管及び使用

イ　派遣元事業主は、派遣労働者となろうとする者を登録する際には当該労働者の希望、能力及び経験に応じた就業の機会の確保を図る目的の範囲内で、派遣労働者として雇用し労働者派遣を行う際には当該派遣労働者の適正な雇用管理を行う目的の範囲内で、派遣労働者等の個人情報(以下、この(1)、(2)及び(4)において単に「個人情報」という。)を収集することとし、次に掲げる個人情報を収集してはならないこと。ただし、特別な業務上の必要性が存在することその他業務の目的の達成に必要不可欠であって、収集目的を示して本人から収集する場合はこの限りでないこと。

(イ)人種、民族、社会的身分、門地、本籍、出生地その他社会的差別の原因となるおそれのある事項

(ロ)思想及び信条

(ハ)労働組合への加入状況

ロ　派遣元事業主は、個人情報を収集する際には、本人から直接収集し、又は本人の同意の下で本人以外の者から収集する等適法かつ公正な手段によらなければならないこと。

ハ　派遣元事業主は、高等学校若しくは中等教育学校又は中学校若しくは義務教育学校の新規卒業予定者であって派遣労働者となろうとする者から応募書類の提出を求めるときは、職業安定局長の定める書類によりその提出を求めること。

ニ　個人情報の保管又は使用は、収集目的の範囲に限られること。このため、例えば、待遇等に関する情報のうち個人情報に該当するものの保管又は使用は、労働者派遣法第30条の2、第30条の3、第30条の4第1項、第30条の5及び第31条の2第4項の規定による待遇の確保等という目的((4)において「待遇の確保等の目的」という。)の範囲に限られること。なお、派遣労働者として雇用し労働者派遣を行う際には、労働者派遣事業制度の性質上、派遣元事業主が派遣先に提供することができる派遣労働者の個人情報は、労働者派遣法第35条第1項各号に掲げる派遣先に通知しなければならない事項のほか、当該派遣労働者の業務遂行能力に関する情報に限られるものであること。ただし、他の保管若しくは使用の目的を示して本人の同意を得た場合又は他の法律に定めのある場合は、この限りでないこと。

(2) 適正管理

イ　派遣元事業主は、その保管又は使用に係る個人情報に関し、次に掲げる措置を適切に講ずるとともに、派遣労働者等からの求めに応じ、当該措置の内容を説明しなければならないこと。

(イ)個人情報を目的に応じ必要な範囲において正確かつ最新のものに保つための措置

(ロ)個人情報の紛失、破壊及び改ざんを防止するための措置

(ハ)正当な権限を有しない者による個人情報へのアクセスを防止するための措置

(ニ)収集目的に照らして保管する必要がなくなった個人情報を破棄又は削除するための措置

ロ　派遣元事業主が、派遣労働者等の秘密に該当する個人情報を知り得た場合には、当該個人情報が正当な理由なく他人に知られることのないよう、厳重な管理を行わなければならないこと。

ハ　派遣元事業主は、次に掲げる事項を含む個人情報適正管理規程を作成し、これを遵守しなければならないこと。

(イ)個人情報を取り扱うことができる者の範囲に関する事項

(ロ)個人情報を取り扱う者に対する研修等教育訓練に関する

事項

(ハ)本人から求められた場合の個人情報の開示又は訂正(削除を含む。以下同じ。)の取扱いに関する事項

(ニ)個人情報の取扱いに関する苦情の処理に関する事項

ニ　派遣元事業主は、本人が個人情報の開示又は訂正の求めをしたことを理由として、当該本人に対して不利益な取扱いをしてはならないこと。

(3) 個人情報の保護に関する法律の遵守等

(1) 及び (2) に定めるもののほか、派遣元事業主は、個人情報の保護に関する法律第2条第3項に規定する個人情報取扱事業者(以下「個人情報取扱事業者」という。)に該当する場合には、同法第4章第1節に規定する義務を遵守しなければならないこと。また、個人情報取扱事業者に該当しない場合であっても、個人情報取扱事業者に準じて、個人情報の適正な取扱いの確保に努めること。

(4) 待遇等に関する情報のうち個人情報に該当しないものの保管及び使用派遣元事業主は、待遇等に関する情報のうち個人情報に該当しないものの保管又は使用を待遇の確保等の目的の範囲に限定する等適切に対応すること。

12　秘密の保持

待遇等に関する情報は、労働者派遣法第24条の4の秘密を守る義務の対象となるものであること。

13　派遣労働者を特定することを目的とする行為に対する協力の禁止等

(1) 派遣元事業主は、紹介予定派遣の場合を除き、派遣先による派遣労働者を特定することを目的とする行為に協力してはならないこと。なお、派遣労働者等が、自らの判断の下に派遣就業開始前の事業所訪問若しくは履歴書の送付又は派遣就業期間中の履歴書の送付を行うことは、派遣先によって派遣労働者を特定することを目的とする行為が行われたことには該当せず、実施可能であるが、派遣元事業主は、派遣労働者又は派遣労働者となろうとする者に対してこれらの行為を求めないこととする等、派遣労働者を特定することを目的とする行為への協力の禁止に触れないよう十分留意すること。

(2) 派遣元事業主は、派遣先との間で労働者派遣契約を締結するに当たっては、職業安定法第3条の規定を遵守するとともに、派遣労働者の性別を労働者派遣契約に記載し、かつ、これに基づき当該派遣労働者を当該派遣先に派遣してはならないこと。

(3) 派遣元事業主は、派遣先との間で労働者派遣契約を締結するに当たっては、派遣元事業主が当該派遣先の指揮命令の下に就業させようとする労働者について、障害者であることを理由として、障害者を排除し、又はその条件を障害者に対してのみ不利なものとしてはならず、かつ、これに基づき障害者でない派遣労働者を当該派遣先に派遣してはならないこと。

14　安全衛生に係る措置

派遣元事業主は、派遣労働者に対する雇入れ時及び作業内容変更時の安全衛生教育を適切に行えるよう、当該派遣労働者が従事する業務に係る情報を派遣先から入手すること、健康診断等の結果に基づく就業上の措置を講ずるに当たって、派遣先の協力が必要な場合には、派遣先に対して、当該措置の実施に協力するよう要請すること等、派遣労働者の安全衛生に係る措置を実施するため、派遣先と必要な連絡調整等を行うこと。

15　紹介予定派遣

(1) 紹介予定派遣を受け入れる期間

派遣元事業主は、紹介予定派遣を行うに当たっては、6箇月を超えて、同一の派遣労働者の労働者派遣を行わないこと。

（2）派遣先が職業紹介を希望しない場合又は派遣労働者を雇用しない場合の理由の明示

派遣元事業主は、紹介予定派遣を行った派遣先が職業紹介を受けることを希望しなかった場合又は職業紹介を受けた派遣労働者を雇用しなかった場合には、派遣労働者の求めに応じ、派遣先に対し、それぞれその理由を書面、ファクシミリ又は電子メールその他のその受信をする者を特定して情報を伝達するために用いられる電気通信（電気通信事業法（昭和59年法律第86号）第２条第１号に規定する電気通信をいう。以下この（2）において「電子メール等」という。）（当該派遣元事業主が当該電子メール等の記録を出力することにより書面を作成することができるものに限る。）により明示するよう求めること。また、派遣先から明示された理由を、派遣労働者に対して書面、ファクシミリ又は電子メール等（当該派遣労働者が当該電子メール等の記録を出力することにより書面を作成することができるものに限る。）（ファクシミリ又は電子メール等による場合にあっては、当該派遣労働者が希望した場合に限る。）により明示すること。

（3）派遣元事業主は、派遣先が障害者に対し、面接その他紹介予定派遣に係る派遣労働者を特定することを目的とする行為を行う場合に、障害者雇用促進法第36条の2又は第36条の3の規定による措置を講ずるに当たっては、障害者と話合いを行い、派遣元事業主において実施可能な措置を検討するとともに、必要に応じ、派遣先と協議等を行い、協力を要請すること。

16　情報の提供

派遣元事業主は、派遣労働者及び派遣先が良質な派遣元事業主を適切に選択できるよう、労働者派遣の実績、労働者派遣に関する料金の額の平均額から派遣労働者の賃金の額の平均額を控除した額を当該労働者派遣に関する料金の額の平均額で除して得た割合、教育訓練に関する事項、労働者派遣法第30条の4第1項の協定を締結しているか否かの別並びに当該協定を締結している場合における協定対象派遣労働者の範囲及び当該協定の有効期間の終期等の情報提供に当たっては、常時インターネットの利用により広く関係者とりわけ派遣労働者に必要な情報を提供することを原則とすること。また、労働者派遣の期間の区分ごとの雇用安定措置を講じた人数等の実績及び教育訓練計画については、インターネットの利用その他の適切な方法により関係者に対し情報提供することが望ましいこと。

派遣先が講ずべき措置に関する指針（平成28年労働省告示第379号）

第1　趣旨

この指針は、労働者派遣事業の適正な運営の確保及び派遣労働者の保護等に関する法律（以下「労働者派遣法」という。）第3章第1節及び第3節の規定により派遣先が講ずべき措置に関して、その適切かつ有効な実施を図るために必要な事項を定めたものである。

第2　派遣先が講ずべき措置

1　労働者派遣契約の締結に当たっての就業条件の確認

派遣先は、労働者派遣契約の締結の申込みを行うに際しては、就業中の派遣労働者を直接指揮命令することが見込まれる者から、業務の内容及び当該業務に伴う責任の程度、当該業務を遂行するために必要とされる知識、技術又は経験の水準その他労働者派遣契約の締結に際し定めるべき就業条件の内容を十分に確認すること。

2　労働者派遣契約に定める就業条件の確保

派遣先は、労働者派遣契約を円滑かつ的確に履行するため、次に掲げる措置その他派遣先の実態に即した適切な措置を講ずること。

（1）就業条件の周知徹底

労働者派遣契約で定められた就業条件について、当該派遣労働者の業務の遂行を指揮命令する職務上の地位にある者その他の関係者に当該就業条件を記載した書面を交付し、又は就業場所に掲示する等により、周知の徹底を図ること。

（2）就業場所の巡回

定期的に派遣労働者の就業場所を巡回し、当該派遣労働者の就業の状況が労働者派遣契約に反していないことを確認すること。

（3）就業状況の報告

派遣労働者を直接指揮命令する者から、定期的に当該派遣労働者の就業の状況について報告を求めること。

（4）労働者派遣契約の内容の遵守に係る指導

派遣労働者を直接指揮命令する者に対し、労働者派遣契約の内容に違反することとなる業務上の指示を行わないようにすること等の指導を徹底すること。

3　派遣労働者を特定することを目的とする行為の禁止

派遣先は、紹介予定派遣の場合を除き、派遣元事業主が当該派遣先の指揮命令の下に就業させようとする労働者について、労働者派遣に先立って面接すること、派遣先に対して当該労働者に係る履歴書を送付させることのほか、若年者に限ることとすること等派遣労働者を特定することを目的とする行為を行わないこと。なお、派遣労働者又は派遣労働者となろうとする者が、自らの判断の下に派遣就業開始前の事業所訪問若しくは履歴書の送付又は派遣就業期間中の履歴書の送付を行うことは、派遣先によって派遣労働者を特定することを目的とする行為が行われたことには該当せず、実施可能であるが、派遣先は、派遣元事業主又は派遣労働者若しくは派遣労働者となろうとする者に対してこれらの行為を求めないこととする等、派遣労働者を特定することを目的とする行為の禁止に触れないよう十分留意すること。

4　性別による差別及び障害者であることを理由とする不当な差別的取扱いの禁止

（1）性別による差別の禁止

派遣先は、派遣元事業主との間で労働者派遣契約を締結するに当たっては、当該労働者派遣契約に派遣労働者の性別を記載してはならないこと。

（２）障害者であることを理由とする不当な差別的取扱いの禁止

派遣先は派遣元事業主との間で労働者派遣契約を締結するに当たっては、派遣元事業主が当該派遣先の指揮命令の下に就業させようとする労働者について、障害者の雇用の促進等に関する法律（昭和35年法律第１２３号。以下「障害者雇用促進法」という。）第2条第1号に規定する障害者（以下単に「障害者」という。）であることを理由として、障害者を排除し、又はその条件を障害者に対してのみ不利なものとしてはならないこと。

5　労働者派遣契約の定めに違反する事実を知った場合の是正措置等

派遣先は、労働者派遣契約の定めに反する事実を知った場合には、これを早急に是正するとともに、労働者派遣契約の定めに反する行為を行った者及び派遣先責任者に対し労働者派遣契約を遵守させるために必要な措置を講ずること、派遣元事業主と十分に協議した上で損害賠償等の善後処理方策を講ずること等適切な措置を講ずること。

6　派遣労働者の雇用の安定を図るために必要な措置

（１）労働者派遣契約の締結に当たって講ずべき措置

イ　派遣先は、労働者派遣契約の締結に当たって、派遣先の責に帰すべき事由により労働者派遣契約の契約期間が満了する前に労働者派遣契約の解除を行おうとする場合には、派遣先は派遣労働者の新たな就業機会の確保を図ること及びこれができないときには少なくとも当該労働者派遣契約の解除に伴い当該派遣元事業主が当該労働者派遣に係る派遣労働者を休業させること等を余儀なくされることにより生ずる損害である休業手当、解雇予告手当等に相当する額以上の額について損害の賠償を行うことを定めなければならないこと。また、労働者派遣の期間を定めるに当たっては、派遣元事業主と協力しつつ、当該派遣先において労働者派遣の役務の提供を受けようとする期間を勘案して可能な限り長く定める等、派遣労働者の雇用の安定を図るために必要な配慮をするよう努めること。

ロ　派遣先は、労働者派遣契約の締結に当たって、労働者派遣の終了後に当該労働者派遣に係る派遣労働者を雇用する場合に、当該雇用が円滑に行われるよう、派遣元事業主の求めに応じ、派遣先が当該労働者派遣の終了後に当該派遣労働者を雇用する意思がある場合には、当該意思を事前に派遣元事業主に示すこと、派遣元事業主が職業安定法（昭和22年法律第１４１号）その他の法律の規定による許可を受けて、又は届出をして職業紹介を行うことができる場合には、派遣先は職業紹介により当該派遣労働者を雇用し、派遣元事業主に当該職業紹介に係る手数料を支払うこと等を定め、これらの措置を適切に講ずること。

（２）労働者派遣契約の解除の事前の申入れ

派遣先は、専ら派遣先に起因する事由により、労働者派遣契約の契約期間が満了する前の解除を行おうとする場合には、派遣元事業主の合意を得ることはもとより、あらかじめ相当の猶予期間をもって派遣元事業主に解除の申入れを行うこと。

（３）派遣先における就業機会の確保

派遣先は、労働者派遣契約の契約期間が満了する前に派遣労働者の責に帰すべき事由以外の事由によって労働者派遣契約の解除が行われた場合には、当該派遣先の関連会社での就業をあっせんする等により、当該労働者派遣契約に係る派遣労働者の新たな就業機会の確保を図ること。

（４）損害賠償等に係る適切な措置

派遣先は、派遣先の責に帰すべき事由により労働者派遣契約の契約期間が満了する前に労働者派遣契約の解除を行おうとする場合には、派遣労働者の新たな就業機会の確保を図ることとし、これができないときには、少なくとも当該労働者派遣契約の解除に伴い当該派遣元事業主が当該労働者派遣に係る派遣労働者を休業させること等を余儀なくされたことにより生じた損害の賠償を行わなければならないこと。例えば、当該派遣元事業主が当該派遣労働者を休業させる場合は休業手当に相当する額以上の額について、当該派遣元事業主がやむを得ない事由により当該派遣労働者を解雇する場合は、派遣先による解除の申入れが相当の猶予期間をもって行われなかったことにより当該派遣元事業主が解雇の予告をしないときは30日分以上、当該予告をした日から解雇の日までの期間が30日に満たないときは当該解雇の日の30日前の日から当該予告の日までの日数分以上の賃金に相当する額以上の額について、損害の賠償を行わなければならないこと。その他派遣先は派遣元事業主と十分に協議した上で適切な善後処理方策を講ずること。また、派遣元事業主及び派遣先の双方の責に帰すべき事由がある場合には、派遣元事業主及び派遣先のそれぞれの責に帰すべき部分の割合についても十分に考慮すること。

(5) 労働者派遣契約の解除の理由の明示

派遣先は、労働者派遣契約の契約期間が満了する前に労働者派遣契約の解除を行う場合であって、派遣元事業主から請求があったときは、労働者派遣契約の解除を行う理由を当該派遣元事業主に対し明らかにすること。

7　適切な苦情の処理

(1) 適切かつ迅速な処理を図るべき苦情

派遣先が適切かつ迅速な処理を図るべき苦情には、セクシュアルハラスメント、妊娠、出産などに関するハラスメント、育児休業等に関するハラスメント、パワーハラスメント、障害者である派遣労働者の有する能力の有効な発揮の支障となっている事情に関するもの等が含まれることに留意すること。

(2) 苦情の処理を行う際の留意点等

派遣先は、派遣労働者の苦情の処理を行うに際しては、派遣先の労働組合法（昭和24年法律第174号）上の使用者性に関する代表的な裁判例や中央労働委員会の命令に留意し、特に、労働者派遣法第44条の規定により派遣先の事業を派遣中の労働者を使用する事業と、労働者派遣法第45条及び第46条の規定により派遣先の事業を行う者を派遣中の労働者を使用する事業者と、労働者派遣法第47条の2から第47条の4までの規定により労働者派遣の役務の提供を受ける者を派遣労働者を雇用する事業主とみなして労働関係法令を適用する事項に関する苦情については、誠実かつ主体的に対応しなければならないこと。また、派遣先は、派遣労働者の苦情の申出を受ける者、派遣先において苦情の処理を行う方法、派遣元事業主と派遣先との連携のための体制等を労働者派遣契約において定めるとともに、派遣労働者の受入れに際し、説明会等を実施して、その内容を派遣労働者に説明すること。さらに、派遣先管理台帳に苦情の申出を受けた年月日、苦情の内容及び苦情の処理状況について、苦情の申出を受け、及び苦情の処理に当たった都度、記載するとともに、その内容を派遣元事業主に通知すること。また、派遣労働者から苦情の申出を受けたことを理由として、当該派遣労働者に対して不利益な取扱いをしてはならないこと。

8　労働・社会保険の適用の促進

派遣先は、労働・社会保険に加入する必要がある派遣労働者については、労働・社会保険に加入している派遣労働者（派遣元事業主が新規に雇用した派遣労働者であって、当該派遣先への労働者派遣の開始後速やかに労働・社会保険への加入手続が行われるものを含む。）を受け入れるべきであり、派遣元事業主から派遣労働者が労働・社会保険に加入していない理由の通知を受けた場合において、当該理由が適正でないと考えられる場合には、派遣元事業主に対し、当該派遣労働者を労働・社会保険に加入させてから派遣するよう求めること。

9　適正な派遣就業の確保

(1) 適切な就業環境の維持、福利厚生等

派遣先は、その指揮命令の下に労働させている派遣労働者について、派遣就業が適正かつ円滑に行われるようにするため、労働者派遣法第40条第1項から第3項までに定めるもののほか、セクシュアルハラスメントの防止等適切な就業環境の維持並びに派遣先が設置及び運営し、その雇用する労働者が通常利用している物品販売所、病院、診療所、浴場、理髪室、保育所、図書館、講堂、娯楽室、運動場、体育館、保養施設等の施設の利用に関する便宜の供与の措置を講ずるように配慮しなければならないこと。また、派遣先は、労働者派遣法第40条第5項の規定に基づき、派遣元事業主の求めに応じ、当該派遣先に雇用される労働者の賃金、教育訓練、福利厚生等の実状をより的確に把握するために必要な情報を派遣元事業主に提供するとともに、派遣元事業主が当該派遣労働者の職務の成果等に応じた適切な賃金を決定できるよう、派遣元事業主からの求めに応じ、当該派遣労働者の職務の評価等に協力をするように配慮しなければならないこと。

(2) 労働者派遣に関する料金の額

イ　派遣先は、労働者派遣法第26条第11項の規定により、労働者派遣に関する料金の額について、派遣元事業主が、労働者派遣法第30条の4第1項の協定に係る労働者派遣以外の労働者派遣にあっては労働者派遣法第30条の3の規定、同項の協定に係る労働者派遣にあっては同項第2号から第5号までに掲げる事項に関する協定の定めを遵守することができるものとなるように配慮しなければならないこととされているが、当該配慮は、労働者派遣契約の締結又は更新の時だけではなく、当該締結又は更新がなされた後にも求められるものであること。

ロ　派遣先は、労働者派遣に関する料金の額の決定に当たっては、その指揮命令の下に労働させる派遣労働者の就業の実態、労働市場の状況、当該派遣労働者が従事する業務の内容及び当該業務に伴う責任の程度並びに当該派遣労働者に要求する技術水準の変化等を勘案するよう努めなければならないこと。

(3) 教育訓練・能力開発

派遣先は、その指揮命令の下に労働させる派遣労働者に対して労働者派遣法第40条第2項の規定による教育訓練を実施する等必要「措置」を講ずるほか、派遣元事業主が労働者派遣法第30条の2第1項の規定による教育訓練を実施するに当たり、派遣元事業主から求めがあったときは、派遣元事業主と協議等を行い、派遣労働者が当該教育訓練を受講できるよう可能な限り協力するとともに、必要に応じた当該教育訓練に係る便宜を図るよう努めなければならないこと。派遣元事業主が行うその他の教育訓練、派遣労働者の自主的な能力開発等についても同様とすること。

(4) 障害者である派遣労働者の適正な就業の確保

①派遣先は、その指揮命令の下に労働させる派遣労働者に対する教育訓練及び福利厚生の実施について、派遣労働者が障害者であることを理由として、障害者でない派遣労働者と不当な差別的扱いをしてはならないこと。

②派遣先は、労働者派遣契約に基づき派遣された労働者について、派遣元事業主が障害者雇用促進法第36条の3の規定による措置を講ずるため、派遣元事業主から求めがあったときは、派遣元事業主と協議等を行い、可能な限り協力するよう努め

なければならないこと。

10　関係法令の関係者への周知

派遣先は、労働者派遣法の規定により派遣先が講ずべき措置の内容及び労働者派遣法第3章第4節に規定する労働基準法（昭和22年法律第49号）等の適用に関する特例等関係法令の関係者への周知の徹底を図るために、説明会等の実施、文書の配布等の措置を講ずること。

11　派遣元事業主との労働時間等に係る連絡体制の確立

派遣先は、派遣元事業主の事業場で締結される労働基準法第36条第1項の時間外及び休日の労働に関する協定の内容等派遣労働者の労働時間の枠組みについて派遣元事業主に情報提供を求める等により、派遣元事業主との連絡調整を的確に行うこと。

また、労働者派遣法第42条第1項及び第3項において、派遣先は派遣先管理台帳に派遣就業をした日ごとの始業及び終業時刻並びに休憩時間等を記載し、これを派遣元事業主に通知しなければならないとされており、派遣先は、適性に把握した実際の労働時間等について、派遣元事業主に正確に情報提供すること。

12　派遣労働者に対する説明会等の実施

派遣先は、派遣労働者の受入れに際し、説明会等を実施し、派遣労働者が利用できる派遣先の各種の福利厚生に関する措置の内容についての説明、派遣労働者が円滑かつ的確に就業するために必要な、派遣労働者を直接指揮命令する者以外の派遣先の労働者との業務上の関係についての説明及び職場生活上留意を要する事項についての助言等を行うこと。

13　派遣先責任者の適切な選任及び適切な業務の遂行

派遣先は、派遣先責任者の選任に当たっては、労働関係法令に関する知識を有する者であること、人事・労務管理等について専門的な知識又は相当期間の経験を有する者であること、派遣労働者の就業に係る事項に関する一定の決定、変更を行い得る権限を有する者であること等派遣先責任者の職務を的確に遂行することができる者を選任するよう努めること。

14　労働者派遣の役務の提供を受ける期間の制限の適切な運用

派遣先は、労働者派遣法第40条の2及び第40条の3の規定に基づき派遣労働者による常用労働者の代替及び派遣就業を望まない派遣労働者が派遣就業に固定化されることの防止を図るため、次に掲げる基準に従い、事業所その他派遣就業の場所（以下「事業所等」という。）ごとの業務について、派遣元事業主から労働者派遣（同条第1項各号のいずれかに該当するものを除く。以下この14において同じ。）の役務の提供を受けてはならず、また、事業所等における組織単位ごとの業務について、派遣元事業主から3年を超える期間継続して同一の派遣労働者に係る労働者派遣の役務の提供を受けてはならないこと。

（1）事業所等については、工場、事務所、店舗等、場所的に他の事業所その他の場所から独立していること、経営の単位として人事、経理、指導監督、労働の態様等においてある程度の独立性を有すること、一定期間継続し、施設としての持続性を有すること等の観点から実態に即して判断すること。

（2）事業所等における組織単位については、労働者派遣法第40条の3の労働者派遣の役務の提供を受ける期間の制限の目的が、派遣労働者がその組織単位の業務に長期間にわたって従事することによって派遣就業を望まない派遣労働者が派遣就業に固定化されることを防止することにあることに留意しつつ判断すること。すなわち、課、グループ等の業務としての類似性や関連性がある組織であり、かつ、その組織の長が業務の配分や労務管理上の指揮監督権限を有するものであって、派遣先における組織の最小単位よりも一般に大きな単位を想定しており、名称にとらわれることなく実態により判断すべきものであること。ただし、小規模の事業所等においては、組織単位と組織の最小単位が一致する場合もあることに留意すること。

（3）派遣先は、労働者派遣の役務の提供を受けていた当該派遣先の事業所等ごとの業務について、新たに労働者派遣の役務の提供を受ける場合には、当該新たな労働者派遣の開始と当該新たな労働者派遣の役務の受入れの直前に受け入れていた労働者派遣の終了との間の期間が3月を超えない場合には、当該派遣先は、当該新たな労働者派遣の役務の受入れの直前に受け入れていた労働者派遣から継続して労働者派遣の役務の提供を受けているものとみなすこと。

（4）派遣先は、労働者派遣の役務の提供を受けていた当該派遣先の事業所等における組織単位ごとの業務について、同一の派遣労働者に係る新たな労働者派遣の役務の提供を受ける場合には、当該新たな労働者派遣の開始と当該新たな労働者派遣の役務の受入れの直前に受け入れていた労働者派遣の終了との間の期間が3月を超えない場合には、当該派遣先は、当該新たな労働者派遣の役務の受入れの直前に受け入れていた労働者派遣から継続して労働者派遣の役務の提供を受けているものとみなすこと。

（5）派遣先は、当該派遣先の事業所等ごとの業務について派遣元事業主から3年間継続して労働者派遣の役務の提供を受けている場合において、派遣可能期間の延長に係る手続を回避することを目的として、当該労働者派遣の終了後3月が経過した後に再度当労働者派遣の役務の提供を受けるような、実質的に派遣労働者の受入れを継続する行為は、同項の規定の趣旨に反するものであること。

15　派遣可能期間の延長に係る意見聴取の適切かつ確実な実施

（1）意見聴取に当たっての情報提供

派遣先は、労働者派遣法第40条の2第4項の規定に基づき、過半数労働組合等（同項に規定する過半数労働組合等をいう。以下同じ。）に対し、派遣可能期間を延長しようとする際に意見を聴くに当たっては、当該派遣先の事業所等ごとの業務について、当該業務に係る労働者派遣の役務の提供の開始時（派遣可能期間を延長した場合には、当該延長時）から当該業務に従事した派遣労働者の数及び当該派遣先に期間を定めないで雇用される労働者の数の推移に関する資料等、意見聴取の際に過半数労働組合等が意見を述べるに当たり参考となる資料を過半数労働組合等に提供するものとすること。また、派遣先は、意見聴取の実効性を高める観点から、過半数労働組合等からの求めに応じ、当該派遣先の部署ごとの派遣労働者の数、各々の派遣労働者に係る労働者派遣の役務の提供を受けた期間等に係る情報を提供することが望ましいこと。

（2）十分な考慮期間の設定

派遣先は、過半数労働組合等に対し意見を聴くに当たっては、十分な考慮期間を設けること。

（3）異議への対処

イ　派遣先は、派遣可能期間を延長することに対して過半数労働組合等から異議があった場合に、労働者派遣法第40条の2第5項の規定により当該意見への対応に関する方針等を説明するに当たっては、当該意見を勘案して当該延長について再検討を加えること等により、当該過半数労働組合等の意見を十分に尊重するよう努めること。

ロ　派遣先は、派遣可能期間を延長する際に過半数労働組合等から異議があった場合において、当該延長に係る期間が経過した場合にこれを更に延長しようとするに当たり、再度、過半数労働組合等から異議があったときは、当該意見を十分に尊重し、派遣可能期間の延長の中止又は延長する期間の短縮、派遣可能期間の延長に係る派遣労働者の数の削減等の対応を採ることについて検討した上で、その結論をより一層丁寧に当該過半数労働組合等に説明しなければならないこと。

(4) 誠実な実施

派遣先は、労働者派遣法第40条の2第6項の規定に基づき、(1)から(3)までの内容を含め、派遣可能期間を延長しようとする場合における過半数労働組合等からの意見の聴取及び過半数労働組合等が異議を述べた場合における当該過半数労働組合等に対する派遣可能期間の延長の理由等の説明を行うに当たっては、誠実にこれらを行うよう努めなければならないものとすること。

16 雇用調整により解雇した労働者が就いていたポストへの派遣労働者の受け入れ

派遣先は、雇用調整により解雇した労働者が就いていたポストに、当該解雇後3箇月以内に派遣労働者を受け入れる場合には、必要最小限度の労働者派遣の期間を定めるとともに、当該派遣先に雇用される労働者に対し労働者派遣の役務の提供を受ける理由を説明する等、適切な措置を講じ、派遣先の労働者の理解が得られるよう努めること。

17 安全衛生に係る措置

派遣先は、派遣元事業主が派遣労働者に対する雇入れ時及び作業内容変更時の安全衛生教育を適切に行えるよう、当該派遣労働者が従事する業務に係る情報を派遣元事業主に対し積極的に提供するとともに、派遣元事業主から雇入れ時及び作業内容変更時の安全衛生教育の委託の申入れがあった場合には可能な限りこれに応じるよう努めること、派遣元事業主が健康診断等の結果に基づく就業上の措置を講ずるに当たって、当該措置に協力するよう要請があった場合には、これに応じ、必要な協力を行うこと等、派遣労働者の安全衛生に係る措置を実施するために必要な協力や配慮を行うこと。

18 紹介予定派遣

(1) 紹介予定派遣を受け入れる期間

派遣先は、紹介予定派遣を受け入れるに当たっては、6箇月を超えて、同一の派遣労働者を受け入れないこと。

(2) 職業紹介を希望しない場合又は派遣労働者を雇用しない場合の理由の明示

派遣先は、紹介予定派遣を受け入れた場合において、職業紹介を受けることを希望しなかった場合又は職業紹介を受けた派遣労働者を雇用しなかった場合には、派遣元事業主の求めに応じ、それぞれその理由を派遣元事業主に対して書面、ファクシミリ又は電子メールその他のその受信をする者を特定して情報を伝達するために用いられる電気通信（電気通信事業法（昭和59年法律第86号）第2条第1号に規定する電気通信をいう。以下この（2）において「電子メール等」という。）(当該派遣元事業主が当該電子メール等の記録を出力することにより書面を作成することができるものに限る。）により明示すること。

(3) 派遣先が特定等に当たり労働施策の総合的な推進並びに労働者の雇用の安定及び職業生活の充実等に関する法律（昭和41年法律第132号）第9条の趣旨に照らし講ずべき措置

①派遣先は、紹介予定派遣に係る派遣労働者を特定することを目的とする行為又は派遣労働者の特定（以下「特定等」という。）を行うに当たっては、次に掲げる措置を講ずること。

ア ②に該当するときを除き、派遣労働者の年齢を理由として、特定等の対象から当該派遣労働者を排除しないこと。

イ 派遣先が職務に適合する派遣労働者を受け入れ又は雇い入れ、かつ、派遣労働者がその年齢にかかわりなく、その有する能力を有効に発揮することができる職業を選択することを容易にするため、特定等に係る職務の内容、当該職務を遂行するために必要とされる派遣労働者の適性、能力、経験、技能の程度その他の派遣労働者が紹介予定派遣を希望するに当たり求められる事項をできる限り明示すること。

②年齢制限が認められるとき（派遣労働者がその有する能力を有効に発揮するために必要であると認められるとき以外のとき）派遣先が行う特定等が次のアからウまでのいずれかに該当するときには、年齢制限をすることが認められるものとする。

ア　派遣先が、その雇用する労働者の定年（以下単に「定年」という。）の定めをしている場合において当該定年の年齢を下回ることを条件として派遣労働者の特定等を行うとき（当該派遣労働者について期間の定めのない労働契約を締結することを予定する場合に限る。）。

イ　派遣先が、労働基準法その他の法令の規定により特定の年齢の範囲に属する労働者の就業等が禁止又は制限されている業務について当該年齢の範囲に属する派遣労働者以外の派遣労働者の特定等を行うとき。

ウ　派遣先の特定等における年齢による制限を必要最小限のものとする観点から見て合理的な制限である場合として次のいずれかに該当するとき。

i　長期間の継続勤務による職務に必要な能力の開発及び向上を図ることを目的として、青少年その他特定の年齢を下回る派遣労働者の特定等を行うとき（当該派遣労働者について期間の定めのない労働契約を締結することを予定する場合に限り、かつ、当該派遣労働者が職業に従事した経験があることを特定等の条件としない場合であって学校（小学校（義務教育学校の前期過程を含む。）及び幼稚園を除く。）、専修学校、職業能力開発促進法（昭和44年法律第64号）第15条の7第1項各号に掲げる施設又は同法第27条第1項に規定する職業能力開発総合大学校を新たに卒業しようとする者として又は当該者と同等の処遇で採用する予定で特定等を行うときに限る。）。

ii　当該派遣先が雇用する特定の年齢の範囲に属する特定の職種の労働者（当該派遣先の人事管理制度に照らし必要と認められるときは、当該派遣先がその一部の事業所において雇用する特定の職種に従事する労働者。以下「特定労働者」という。）の数が相当程度少ない場合（特定労働者の年齢について、30歳から49歳までの範囲内において、派遣先が特定等を行おうとする任意の労働者の年齢の範囲（当該範囲内の年齢のうち最も高いもの（以下「範囲内最高年齢」という。）と最も低いもの（以下「範囲内最低年齢」という。）との差（以下「特定数」という。）が4から9までの場合に限る。）に属する労働者数が、範囲内最高年齢に1を加えた年齢から当該年齢に特定数を加えた年齢までの範囲に属する労働者数の2分の1以下であり、かつ、範囲内最低年齢から1に特定数を加えた年齢を減じた年齢から範囲内最低年齢から1を減じた年齢までの範囲に属する労働者数の2分の1以下である場合をいう。）において、当該職種の業務の遂行に必要な技能及びこれに関する知識の継承を図ることを目的として、特定労働者である派遣労働者の特定等を行うとき（当該派遣労働者について期間の定めのない労働契約を締結することを予定する場合に限る。）。

iii　芸術又は芸能の分野における表現の真実性等を確保するために特定の年齢の範囲に属する派遣労働者の特定等を行

うとき。

iv　高年齢者の雇用の促進を目的として、特定の年齢以上の高年齢者（60歳以上の者に限る。）である派遣労働者の特定等を行うとき、又は特定の年齢の範囲に属する労働者の雇用を促進するため、当該特定の年齢の範囲に属する派遣労働者の特定等を行うとき（当該特定の年齢の範囲に属する労働者の雇用の促進に係る国の施策を活用しようとする場合に限る。）。

（4）派遣先が特定等に当たり雇用の分野における男女の均等な機会及び待遇の確保等に関する法律（昭和47年法律第113号。以下「均等法」という。）第5条及び第7条の趣旨に照らし行ってはならない措置等

①派遣先は、特定等を行うに当たっては、例えば次に掲げる措置を行わないこと。

ア　特定等に当たって、その対象から男女のいずれかを排除すること。

イ　特定等に当たっての条件を男女で異なるものとすること。

ウ　特定に係る選考において、能力及び資質の有無等を判断する場合に、その方法や基準について男女で異なる取扱いをすること。

エ　特定等に当たって男女のいずれかを優先すること。

オ　派遣就業又は雇用の際に予定される求人の内容の説明等特定等に係る情報の提供について、男女で異なる取扱いをすること又は派遣元事業主にその旨要請すること。

②派遣先は、特定等に関する措置であって派遣労働者の性別以外の事由を要件とするもののうち、次に掲げる措置については、当該措置の対象となる業務の性質に照らして当該措置の実施が当該業務の遂行上特に必要である場合、事業の運営の状況に照らして当該措置の実施が派遣就業又は雇用の際に予定される雇用管理上特に必要である場合その他の合理的な理由がある場合でなければ、これを講じてはならない。

ア　派遣労働者の特定等に当たって、派遣労働者の身長、体重又は体力を要件とすること。

イ　将来、コース別雇用管理における総合職の労働者として当該派遣労働者を採用することが予定されている場合に、派遣労働者の特定等に当たって、転居を伴う転勤に応じることができることを要件とすること。

③紹介予定派遣に係る特定等に当たっては、将来、当該派遣労働者を採用することが予定されている雇用管理区分において、女性労働者が男性労働者と比較して相当程度少ない場合においては、特定等の基準を満たす者の中から男性より女性を優先して特定することその他男性と比較して女性に有利な取扱いをすることは、均等法第8条に定める雇用の分野における男女の均等な機会及び待遇の確保の支障となっている事情を改善することを目的とする措置（ポジティブ・アクション）として、①にかかわらず、行って差し支えない。

④次に掲げる場合において①において掲げる措置を講ずることは、性別にかかわりなく均等な機会を与えていない、又は性別を理由とする差別的取扱いをしているとは解されず、①にかかわらず、行って差し支えない。

ア　次に掲げる職務に従事する派遣労働者に係る場合

i　芸術・芸能の分野における表現の真実性等の要請から男女のいずれかのみに従事させることが必要である職務

ii　守衛、警備員等防犯上の要請から男性に従事させることが必要である職務（労働者派遣事業を行ってはならない警備業法（昭和47年法律第117号）第2条第1項各号に掲

げる業務を内容とするものを除く。）

ⅲ　ⅰ及びⅱに掲げるもののほか、宗教上、風紀上、スポーツにおける競技の性質上その他の業務の性質上男女のいずれかのみに従事させることについてこれらと同程度の必要性があると認められる職務

イ　労働基準法第61条第1項、第64条の2若しくは第64条の3第2項の規定により女性を就業させることができず、又は保健師助産師看護師法（昭和23年法律第２０３号）第3条の規定により男性を就業させることができないことから、通常の業務を遂行するために、派遣労働者の性別にかかわりなく均等な機会を与え又は均等な取扱いをすることが困難であると認められる場合

ウ　風俗、風習等の相違により男女のいずれかが能力を発揮し難い海外での勤務が必要な場合その他特別の事情により派遣労働者の性別にかかわりなく均等な機会を与え又は均等な取扱いをすることが困難であると認められる場合

（5）派遣先が特定等に当たり障害者雇用促進法第34条の趣旨に照らし行ってはならない措置等

①派遣先は、特定等を行うに当たっては、例えば次に掲げる措置を行わないこと。

ア　特定等に当たって、障害者であることを理由として、障害者をその対象から排除すること。

イ　特定等に当たって、障害者に対してのみ不利な条件を付すこと。

ウ　特定等に当たって、障害者でない者を優先すること。

エ　派遣就業又は雇用の際に予定される求人の内容の説明等の特定等に係る情報の提供について、障害者であることを理由として障害者でない者と異なる取扱いをすること又は派遣元事業主にその旨要請すること、

②①に関し、特定等に際して一定の能力を有することを条件とすることについては、当該条件が当該派遣先において業務遂行上特に必要なものと認められる場合には、行って差し支えないこと。一方、特定等に当たって、業務遂行上特に必要でないにもかかわらず、障害者を排除するために条件を付すことは、行ってはならないこと。

③①及び②に関し、積極的差別是正措置として、障害者でない者と比較して障害者を有利に取り扱うことは、障害者であることを理由とする差別に該当しないこと。

④派遣先は、障害者に対し、面接その他特定することを目的とする行為を行う場合に、派遣元事業主が障害者雇用促進法第36条の2又は第36条の3の規定による措置を講ずるため、派遣元事業主から求めがあったときは、派遣元事業主と協議等を行い、可能な限り協力するよう努めなければならないこと。

日雇派遣労働者の雇用の安定等を図るために派遣元事業主及び派遣先が講ずべき措置に関する指針（平成27年厚生労働省告示第395号）

第1　趣旨

この指針は、労働者派遣事業の適正な運営の確保及び派遣労働者の保護等に関する法律（昭和60年法律第88号。以下「労働者派遣法」という。）第3章第1節から第3節までの規定により、派遣元事業主が講ずべき措置に関する指針（平成11年労働省告示第137号。以下「派遣元指針」という。）及び派遣先が講ずべき措置に関する指針（平成11年労働省告示第138号。以下「派遣先指針」という。）に加えて、日雇労働者（労働者派遣法第35条の4第1項に規定する日雇労働者をいう。以下単に「日雇労働者」という。）について労働者派遣を行う派遣元事業主及び当該派遣元事業主から労働者派遣の役務の提供を受ける派遣先が講ずべき措置に関して、その適切かつ有効な実施を図るために必要な事項を定めたものである。

第2　日雇派遣労働者の雇用の安定を図るために必要な措置

1　労働者派遣契約の締結に当たっての就業条件の確認

(1)　派遣先は、労働者派遣契約の締結の申込みを行うに際しては、就業中の日雇派遣労働者（労働者派遣の対象となる日雇労働者をいう。以下同じ。）を直接指揮命令することが見込まれる者から、業務の内容、当該業務を遂行するために必要とされる知識、技術又は経験の水準その他労働者派遣契約の締結に際し定めるべき就業条件の内容を十分に確認すること。

(2)　派遣元事業主は、派遣先との間で労働者派遣契約を締結するに際しては、派遣先が求める業務の内容、当該業務を遂行するために必要とされる知識、技術又は経験の水準、労働者派遣の期間その他労働者派遣契約の締結に際し定めるべき就業条件を事前にきめ細かに把握すること。

2　労働者派遣契約の期間の長期化

派遣元事業主及び派遣先は、労働者派遣契約の締結に際し、労働者派遣の期間を定めるに当たっては、相互に協力しつつ、当該派遣先が労働者派遣の役務の提供を受けようとする期間を勘案して可能な限り長く定める等、日雇派遣労働者の雇用の安定を図るために必要な配慮をすること。

3　労働契約の締結に際して講ずべき措置

派遣元事業主は、労働者を日雇派遣労働者として雇い入れようとするときは、当該日雇派遣労働者が従事する業務が労働者派遣事業の適正な運営の確保及び派遣労働者の保護等に関する法律施行令（昭和61年政令第95号）第4条第1項各号に掲げる業務に該当するかどうか、又は当該日雇派遣労働者が同条第2項各号に掲げる場合に該当するかどうかを確認すること。

4　労働契約の期間の長期化

派遣元事業主は、労働者を日雇派遣労働者として雇い入れようとするときは、当該労働者の希望及び労働者派遣契約における労働者派遣の期間を勘案して、労働契約の期間について、できるだけ長期にする、当該期間を当該労働者派遣契約における労働者派遣の期間と合わせる等、日雇派遣労働者の雇用の安定を図るために必要な配慮をすること。

5　労働者派遣契約の解除に当たって講ずべき措置

(1)　派遣先は、専ら派遣先に起因する事由により、労働者派遣契約の契約期間が満了する前の解除を行おうとする場合には、派遣元事業主の合意を得ること。

（2）派遣元事業主及び派遣先は、労働者派遣契約の契約期間が満了する前に日雇派遣労働者の責に帰すべき事由以外の事由によって労働者派遣契約の解除が行われた場合には、互いに連携して、当該派遣先の関連会社での就業のあっせん等により、当該労働者派遣契約に係る日雇派遣労働者の新たな就業機会の確保を図ること。また、当該派遣元事業主は、当該労働者派遣契約の解除に当たって、新たな就業機会の確保ができない場合は、まず休業等を行い、当該日雇派遣労働者の雇用の維持を図るようにするとともに、休業手当の支払等の労働基準法（昭和22年法律第49号）等に基づく責任を果たすこと。

（3）派遣先は、派遣先の責に帰すべき事由により労働者派遣契約の契約期間が満了する前に労働者派遣契約の解除を行おうとする場合には、日雇派遣労働者の新たな就業機会の確保を図ることとし、これができないときには、速やかに、損害の賠償を行わなければならないこと。その他派遣先は、派遣元事業主と十分に協議した上で適切な善後処理方策を講ずること。また、派遣元事業主及び派遣先の双方の責に帰すべき事由がある場合には、派遣元事業主及び派遣先のそれぞれの責に帰すべき部分の割合についても十分に考慮すること。

（4）派遣先は、労働者派遣契約の契約期間が満了する前に労働者派遣契約の解除を行う場合であって、派遣元事業主から請求があったときは、労働者派遣契約の解除を行う理由を当該派遣元事業主に対し明らかにすること。

第3　労働者派遣契約に定める就業条件の確保

1　派遣元事業主は、派遣先を定期的に巡回すること等により、日雇派遣労働者の就業の状況が労働者派遣契約の定めに反していないことの確認等を行うとともに、日雇派遣労働者の適正な派遣就業の確保のためにきめ細かな情報提供を行う等により派遣先との連絡調整を的確に行うこと。また、派遣元事業主は、日雇派遣労働者からも就業の状況が労働者派遣契約の定めに反していなかったことを確認すること。

2　派遣先は、労働者派遣契約を円滑かつ的確に履行するため、次に掲げる措置その他派遣先の実態に即した適切な措置を講ずること。

（1）就業条件の周知徹底
労働者派遣契約で定められた就業条件について、当該日雇派遣労働者の業務の遂行を指揮命令する職務上の地位にある者その他の関係者に当該就業条件を記載した書面を交付し、又は就業場所に掲示する等により、周知の徹底を図ること。

（2）就業場所の巡回
1の労働者派遣契約について少なくとも1回以上の頻度で定期的に日雇派遣労働者の就業場所を巡回し、当該日雇派遣労働者の就業の状況が労働者派遣契約の定めに反していないことを確認すること。

（3）就業状況の報告
日雇派遣労働者を直接指揮命令する者から、1の労働者派遣契約について少なくとも1回以上の頻度で定期的に当該日雇派遣労働者の就業の状況について報告を求めること。

（4）労働者派遣契約の内容の遵守に係る指導
日雇派遣労働者を直接指揮命令する者に対し、労働者派遣契約の内容に違反することとなる業務上の指示を行わないようにすること等の指導を徹底すること。

第4　労働・社会保険の適用の促進

1　日雇労働被保険者及び日雇特例被保険者に係る適切な手続
派遣元事業主は、日雇派遣労働者が雇用保険法（昭和49年法律第116号）第43条第1項に規定する日雇労働被保険者又は健康保険法（大正11年法律第70号）第3条第2項に規定する日雇特例被保険者に該当し、日雇労働被保険者手帳又は日雇特例被保険者手帳の交付を受けている者（以下「手帳所持者」という。）である場合には、印紙の貼付等の手続（以下「日雇手続」という。）を適切に行うこと。

2　労働・社会保険に係る適切な手続
派遣元事業主は、その雇用する日雇派遣労働者の就業の状況等を踏まえ、労働・社会保険に係る手続を適切に進め、被保険者である旨の行政機関への届出（労働者派遣事業の適正な運営の確保及び派遣労働者の保護等に関する法律施行規則（昭和61年労働省令第20号）第27条の2第1項各号に掲げる書類の届出をいう。以下単に「届出」という。）が必要とされている場合には、当該届出を行ってから労働者派遣を行うこと。ただし、当該届出が必要となる日雇派遣労働者について労働者派遣を行う場合であって、当該労働者派遣の開始後速やかに当該届出を行うときは、この限りでないこと。

3　派遣先に対する通知
派遣元事業主は、労働者派遣法第35条第1項に基づき、派遣先に対し、日雇派遣労働者について届出を行っているか否かを通知すること。さらに、派遣元事業主は、日雇派遣労働者が手帳所持者である場合においては、派遣先に対し、日雇手続を行うか行えないかを通知すること。

4　届出又は日雇手続を行わない理由に関する派遣先及び日雇派遣労働者への通知
派遣元事業主は、日雇派遣労働者について届出を行っていない場合には、その具体的な理由を派遣先及び当該日雇派遣労働者に対し、通知すること。さらに、派遣元事業主は、日雇派遣労働者が手帳所持者である場合であって、日雇手続を行えないときには、その具体的な理由を派遣先及び当該日雇派遣労働者に対し、通知すること。

5　派遣先による届出又は日雇手続の確認
派遣先は、派遣元事業主が届出又は日雇手続を行う必要がある日雇派遣労働者については、当該届出を行った又は日雇手続を行う日雇派遣労働者（当該派遣先への労働者派遣の開始後速やかに当該届出が行われるものを含む。）を受け入れるべきであり、派遣元事業主から日雇派遣労働者について当該届出又は当該日雇手続を行わない理由の通知を受けた場合において、当該理由が適正でないと考えられる場合には、派遣元事業主に対し、当該日雇派遣労働者について当該届出を行ってから派遣するよう又は当該日雇手続を行うよう求めること。

第5　日雇派遣労働者に対する就業条件等の明示
1　派遣元事業主は、労働基準法第15条に基づき、日雇派遣労働者との労働契約の締結に際し、労働契約の期間に関する事項、就業の場所及び従事すべき業務に関する事項、労働時間に関する事項、賃金に関する事項（労使協定に基づく賃金の一部控除の取扱いを含む。）及び退職に関する事項について、書面の交付による明示を確実に行うこと。また、その他の労働条件についても、書面の交付により明示を行うよう努めること。
2　派遣元事業主は、モデル就業条件明示書（日雇派遣・携帯メール用）の活用等により、日雇派遣労働者に対し労働者派遣法第34条に規定する就業条件等の明示を確実に行うこと。

第6　教育訓練の機会の確保等
1　派遣元事業主は、職業能力開発促進法（昭和44年法律第64号）及び労働者派遣法第30条の4に基づき、日雇派遣労働者の職業能力の開発及び向上を図ること。

2　派遣元事業主は、日雇派遣労働者が従事する職務の遂行に必要な能力を付与するための教育訓練については、派遣就業前に実施しなければならないこと。

3　派遣元事業主は、日雇派遣労働者が従事する職務を効率的に遂行するために必要な能力を付与するための教育訓練を実施するよう努めること。

4　派遣元事業主は、2及び3に掲げる教育訓練以外の教育訓練については、日雇派遣労働者の職務の内容、職務の成果、意欲、能力及び経験等に応じ、実施することが望ましいこと。

5　派遣元事業主は、日雇派遣労働者又は日雇派遣労働者として雇用しようとする労働者について、当該労働者の適性、能力等を勘案して、最も適合した就業の機会の確保を図るとともに、就業する期間及び日、就業時間、就業場所、派遣先における就業環境等について当該労働者の希望と適合するような就業機会を確保するよう努めること。

6　派遣先は、派遣元事業主が行う教育訓練や日雇派遣労働者の自主的な能力開発等の日雇派遣労働者の教育訓練・能力開発について、可能な限り協力するほか、必要に応じた教育訓練に係る便宜を図るよう努めること。

第7　関係法令等の関係者への周知

1　派遣元事業主は、日雇派遣労働者を登録するためのホームページを設けている場合には、関係法令等に関するコーナーを設けるなど、日雇派遣労働者となろうとする者に対する関係法令等の周知を徹底すること。また、派遣元事業主は、登録説明会等を活用して、日雇派遣労働者となろうとする者に対する関係法令等の周知を徹底すること。

2　派遣元事業主は、労働者派遣法の規定による派遣元事業主及び派遣先が講ずべき措置の内容並びに労働者派遣法第3章第4節に規定する労働基準法等の適用に関する特例等関係法令について、派遣先、日雇派遣労働者等の関係者への周知の徹底を図るために、文書の配布等の措置を講ずること。

3　派遣先は、労働者派遣法の規定による派遣先が講ずべき措置の内容及び労働者派遣法第3章第4節に規定する労働基準法等の適用に関する特例等関係法令について、日雇派遣労働者を直接指揮命令する者、日雇派遣労働者等の関係者への周知の徹底を図るために、文書の配布等の措置を講ずること。

4　派遣先は、日雇派遣労働者の受入れに際し、日雇派遣労働者が利用できる派遣先の各種の福利厚生に関する措置の内容についての説明、日雇派遣労働者が円滑かつ的確に就業するために必要な、日雇派遣労働者を直接指揮命令する者以外の派遣先の労働者との業務上の関係についての説明及び職場生活上留意を要する事項についての助言等を行うこと。

第8　安全衛生に係る措置

1　派遣元事業主が講ずべき事項

（1）派遣元事業主は、日雇派遣労働者に対して、労働安全衛生法（昭和47年法律第57号）第59条第1項に規定する雇入れ時の安全衛生教育を確実に行わなければならないこと。その際、日雇派遣労働者が従事する具体的な業務の内容について、派遣先から確実に聴取した上で、当該業務の内容に即した安全衛生教育を行うこと。

（2）派遣元事業主は、日雇派遣労働者が労働安全衛生法第59条第3項に規定する危険有害業務に従事する場合には、派遣先が同項に規定する危険有害業務就業時の安全衛生教育を確実に行ったかどうか確認すること。

2　派遣先が講ずべき事項

(1)　派遣先は、派遣元事業主が日雇派遣労働者に対する雇入れ時の安全衛生教育を適切に行えるよう、日雇派遣労働者が従事する具体的な業務に係る情報を派遣元事業主に対し積極的に提供するとともに、派遣元事業主から雇入れ時の安全衛生教育の委託の申入れがあった場合には可能な限りこれに応じるよう努める等、日雇派遣労働者の安全衛生に係る措置を実施するために必要な協力や配慮を行うこと。

(2)　派遣先は、派遣元事業主が日雇派遣労働者に対する雇入れ時の安全衛生教育を確実に行ったかどうか確認すること。

(3)　派遣先は、日雇派遣労働者の安全と健康の確保に責務を有することを十分に認識し、労働安全衛生法第59条第3項に規定する危険有害業務就業時の安全衛生教育の適切な実施等必要な措置を確実に行わなければならないこと。

第9　労働条件確保に係る措置

1　派遣元事業主は、日雇派遣労働者の労働条件の確保に当たっては、第5の1に掲げる労働条件の明示のほか、特に次に掲げる事項に留意すること。

(1)　賃金の一部控除

派遣元事業主は、日雇派遣労働者の賃金について、その一部を控除する場合には、購買代金、福利厚生施設の費用等事理明白なものについて適正な労使協定を締結した場合に限り認められることに留意し、不適正な控除が行われないようにすること。

(2)　労働時間

派遣元事業主は、集合場所から就業場所への移動時間等であっても、日雇派遣労働者がその指揮監督の下にあり、当該時間の自由利用が当該日雇派遣労働者に保障されていないため労働時間に該当する場合には、労働時間を適正に把握し、賃金を支払うこと。

2　1に掲げる事項のほか、派遣元事業主及び派遣先は、日雇派遣労働者に関して、労働基準法等関係法令を遵守すること。

第10　情報の提供

派遣元事業主は、日雇派遣労働者及び派遣先が良質な派遣元事業主を適切に選択できるよう、労働者派遣の実績、労働者派遣に関する料金の額の平均額から派遣労働者の賃金の額の平均額を控除した額を当該労働者派遣に関する料金の額の平均額で除して得た割合、教育訓練に関する事項等に関する情報を事業所への書類の備付け、インターネットの利用その他の適切な方法により提供すること。

第11　派遣元責任者及び派遣先責任者の連絡調整等

1　派遣元責任者は、日雇派遣労働者の就業に関し、労働者派遣法第36条に規定する派遣労働者に対する必要な助言及び指導等を十分に行うこと。

2　派遣元責任者及び派遣先責任者は、日雇派遣労働者の就業に関し、労働者派遣法第36条及び第41条に規定する派遣労働者から申出を受けた苦情の処理、派遣労働者の安全、衛生等に関する相互の連絡調整等を十分に行うこと。

第12　派遣先への説明

派遣元事業主は、派遣先が日雇派遣労働者についてこの指針に定める必要な措置を講ずることができるようにするため、派遣先に対し、労働者派遣契約の締結に際し、日雇派遣労働者を派遣することが予定されている場合には、その旨を説明すること。また、派遣元事業主は、派遣先に対し、労働者派遣をするに際し、日雇派遣労働者を派遣する場合には、その旨を説明すること。

第13　その他

日雇派遣労働者について労働者派遣を行う派遣元事業主及び当該派遣元事業主から労働者派遣の役務の提供を受ける派遣先に対しても、派遣元指針及び派遣先指針は当然に適用されるものであることに留意すること。

短時間・有期雇用労働者及び派遣労働者に対する不合理な待遇の禁止等に関する指針（抜粋）（平成30年厚生労働省告示第430号）

第1　目的

この指針は、短時間労働者及び有期雇用労働者の雇用管理の改善等に関する法律（平成5年法律第76号。以下「短時間・有期雇用労働法」という。）第8条及び第9条並びに労働者派遣事業の適正な運営の確保及び派遣労働者の保護等に関する法律（昭和60年法律第88号。以下「労働者派遣法」という。）第3条の3及び第30条の4に定める事項に関し、雇用形態又は就業形態に関わらない公正な待遇を確保し、我が国が目指す同一労働同一賃金の実現に向けて定めるものである。

我が国が目指す同一労働同一賃金は、同一の事業主に雇用される通常の労働者と短時間・有期雇用労働者との間の不合理と認められる待遇の相違及び差別的取扱いの解消並びに派遣先に雇用される通常の労働者と派遣労働者との間の不合理と認められる待遇の相違及び差別的取扱いの解消（協定対象派遣労働者にあっては、当該協定対象派遣労働者の待遇が労働者派遣法第30条の4第1項の協定により決定された事項に沿った運用がなされていること）を目指すものである。

もとより賃金等の待遇は労使の話合いによって決定されることが基本である。しかし、我が国においては、通常の労働者と短時間・有期雇用労働者及び派遣労働者との間には、欧州と比較して大きな待遇の相違がある。政府としては、この問題への対処に当たり、同一労働同一賃金の考え方が広く普及しているといわれる欧州の制度の実態も参考としながら政策の方向性等を検証した結果、それぞれの国の労働市場全体の構造に応じた政策とすることが重要であるとの示唆を得た。

我が国においては、基本給をはじめ、賃金制度の決まり方には様々な要素が組み合わされている場合も多いため、まずは、各事業主において、職務の内容や職務に必要な能力等の内容を明確化するとともに、その職務の内容や職務に必要な能力等の内容と賃金等の待遇との関係を含めた待遇の体系全体を、短時間・有期雇用労働者及び派遣労働者を含む労使の話合いによって確認し、短時間・有期雇用労働者及び派遣労働者を含む労使で共有することが肝要である。また、派遣労働者については、雇用関係にある派遣元事業主と指揮命令関係にある派遣先とが存在するという特殊性があり、これらの関係者が不合理と認められる待遇の相違の解消等に向けて認識を共有することが求められる。

今後、各事業主が職務の内容や職務に必要な能力等の内容の明確化及びその公正な評価を実施し、それに基づく待遇の体系を、労使の話合いにより、可能な限り速やかに、かつ、計画的に構築していくことが望ましい。

通常の労働者と短時間・有期雇用労働者及び派遣労働者との間の不合理と認められる待遇の相違の解消等に向けては、賃金のみならず、福利厚生、キャリア形成、職業能力の開発及び向上等を含めた取組が必要であり、特に、職業能力の開発及び向上の機会の拡大は、短時間・有期雇用労働者及び派遣労働者の職業に必要な技能及び知識の蓄積により、それに対応した職務の高度化や通常の労働者への転換を見据えたキャリアパスの構築等と併せて、生産性の向上と短時間・有期雇用労働者及び派遣労働者の待遇の改善につながるため、重要であることに留意すべきである。

このような通常の労働者と短時間・有期雇用労働者及び派遣労働者との間の不合理と認められる待遇の相違の解消等の取組を通じて、労働者がどのような雇用形態及び就業形態を選択しても納得できる待遇を受けられ、多様な働き方を自由に選択できるようにし、我が国から「非正規」という言葉を一掃することを目指す。

第2　基本的な考え方

この指針は、通常の労働者と短時間・有期雇用労働者及び派遣労働者との間に待遇の相違が存在する場合に、いかなる待遇の相違が不合理と認められるものであり、いかなる待遇の相違が不合理と認められるものでないのか等の原則となる考え方及び具体例を示したものである。事業主が、第3から第5までに記載された原則となる考え方等に反した場合、当該待遇の相違が不合理と認められる等の可能性がある。なお、この指針に原則となる考え方が示されていない退職手当、住宅手当、家族手当等の待遇や、具体例に該当しない場合についても、不合理と認められる待遇の相違の解消等が求められる。このため、各事業主において、労使により、個別具体の事情に応じて待遇の体系について議論していくことが望まれる。

なお、短時間・有期雇用労働法第8条及び第9条並びに労働者派遣法第30条の3及び第30条の4の規定は、雇用管理区分が複数ある場合であっても、通常の労働者のそれぞれと短時間・有期雇用労働者及び派遣労働者との間の不合理と認められる待遇の相違の解消等を求めるものである。このため、事業主が、雇用管理区分を新たに設け、当該雇用管理区分に属する通常の労働者の待遇の水準を他の通常の労働者よりも低く設定したとしても、当該他の通常の労働者と短時間・有期雇用労働者及び派遣労働者との間でも不合理と認められる待遇の相違の解消等を行う必要がある。また、事業主は、通常の労働者と短時間・有期雇用労働者及び派遣労働者との間で職務の内容等を分離した場合であっても、当該通常の労働者と短時間・有期雇用労働者及び派遣労働者との間の不合理と認められる待遇の相違の解消等を行う必要がある。

さらに、短時間・有期雇用労働法及び労働者派遣法に基づく通常の労働者と短時間・有期雇用労働者及び派遣労働者との間の不合理と認められる待遇の相違の解消等の目的は、短時間・有期雇用労働者及び派遣労働者の待遇の改善である。事業主が、通常の労働者と短時間・有期雇用労働者及び派遣労働者との間の不合理と認められる待遇の相違の解消等に対応するため、就業規則を変更することにより、その雇用する労働者の労働条件を不利益に変更する場合、労働契約法（平成19年法律第128号）第9条の規定に基づき、原則として、労働者と合意する必要がある。また、労働者と合意することなく、就業規則の変更により労働条件を労働者の不利益に変更する場合、当該変更は、同法第10条の規定に基づき、当該変更に係る事情に照らして合理的なものである必要がある。ただし、短時間・有期雇用労働法及び労働者派遣法に基づく通常の労働者と短時間・有期雇用労働者及び派遣労働者との間の不合理と認められる待遇の相違の解消等の目的に鑑みれば、事業主が通常の労働者と短時間・有期雇用労働者及び派遣労働者との間の不合理と認められる待遇の相違の解消等を行うに当たっては、基本的に、労使で合意することなく通常の労働者の待遇を引き下げることは、望ましい対応とはいえないことに留意すべきである。

加えて、短時間・有期雇用労働法第8条及び第9条並びに労働者派遣法第30条の3及び第30条の4の規定は、通常の労働者と短時間・有期雇用労働者及び派遣労働者との間の不合理と認められる待遇の相違等を対象とするものであり、この指針は、当該通常の労働者と短時間・有期雇用労働者及び派遣労働者との間に実際に待遇の相違が存在する場合に参照されることを目的としている。このため、そもそも客観的にみて待遇の相違が存在しない場合については、この指針の対象ではない。

第3　短時間・有期雇用労働者

（略）

第4　派遣労働者

　労働者派遣法第30条の3第1項において、派遣元事業主は、派遣労働者の待遇のそれぞれについて、当該待遇に対応する派遣先に雇用される通常の労働者の待遇との間において、職務の内容、当該職務の内容及び配置の変更の範囲その他の事情のうち、当該待遇の性質及び当該待遇を行う目的に照らして適切と認められるものを考慮して、不合理と認められる相違を設けてはならないこととされている。

　また、同条第2項において、派遣元事業主は、職務の内容が派遣先に雇用される通常の労働者と同一の派遣労働者であって、当該労働者派遣契約及び当該派遣先における慣行その他の事情からみて、当該派遣先における派遣就業が終了するまでの全期間において、その職務の内容及び配置が当該派遣先との雇用関係が終了するまでの全期間における当該通常の労働者の職務の内容及び配置の変更の範囲と同一の範囲で変更されることが見込まれるものについては、正当な理由がなく、待遇のそれぞれについて、当該待遇に対応する当該通常の労働者の待遇に比して不利なものとしてはならないこととされている。

　他方、労働者派遣法第30条の4第1項において、労働者の過半数で組織する労働組合等との協定により、同項各号に規定する事項を定めたときは、当該協定で定めた範囲に属する派遣労働者の待遇について、労働者派遣法第30条の3の規定は、一部の待遇を除き、適用しないこととされている。ただし、同項第2号、第4号若しくは第5号に掲げる事項であって当該協定で定めたものを遵守していない場合又は同項第3号に関する当該協定の定めによる公正な評価に取り組んでいない場合は、この限りでないこととされている。

　派遣労働者（協定対象派遣労働者を除く。以下この第4において同じ。）の待遇に関して、原則となる考え方及び具体例は次のとおりである。

1　基本給

（1）基本給であって、労働者の能力又は経験に応じて支給するもの

　基本給であって、派遣先及び派遣元事業主が、労働者の能力又は経験に応じて支給するものについて、派遣元事業主は、派遣先に雇用される通常の労働者と同一の能力又は経験を有する派遣労働者には、能力又は経験に応じた部分につき、派遣先に雇用される通常の労働者と同一の基本給を支給しなければならない。また、能力又は経験に一定の相違がある場合においては、その相違に応じた基本給を支給しなければならない。

（問題とならない例）

イ　基本給について、労働者の能力又は経験に応じて支給している派遣先であるA社において、ある能力の向上のための特殊なキャリアコースを設定している。A社の通常の労働者であるXは、このキャリアコースを選択し、その結果としてその能力を習得したため、その能力に応じた基本給をXに支給している。これに対し、派遣元事業主であるB社からA社に派遣されている派遣労働者であるYは、その能力を習得していないため、B社はその能力に応じた基本給をYには支給していない。

ロ　派遣先であるA社においては、定期的に職務の内容及び勤

務地の変更がある通常の労働者の総合職であるXは、管理職となるためのキャリアコースの一環として、新卒採用後の数年間、店舗等において、派遣元事業主であるB社からA社に派遣されている派遣労働者であってA社で就業する間は職務の内容及び配置に変更のないYの助言を受けながら、Yと同様の定型的な業務に従事している。A社がXにキャリアコースの一環として当該定型的な業務に従事させていることを踏まえ、B社はYに対し、当該定型的な業務における能力又は経験はXを上回っているものの、Xほど基本給を高く支給していない。

ハ　派遣先であるA社においては、かつては有期雇用労働者であったが、能力又は経験が一定の水準を満たしたため定期的に職務の内容及び勤務地に変更がある通常の労働者として登用されたXと、派遣元事業主であるB社からA社に派遣されている派遣労働者であるYとが同一の職場で同一の業務に従事している。B社は、A社で就業する間は職務の内容及び勤務地に変更がないことを理由に、Yに対して、Xほど基本給を高く支給していない。

ニ　派遣先であるA社に雇用される通常の労働者であるXと、派遣元事業主であるB社からA社に派遣されている派遣労働者であるYとが同一の能力又は経験を有しているところ、B社は、A社がXに適用するのと同じ基準をYに適用し、就業の時間帯や就業日が土日祝日か否か等の違いにより、A社がXに支給する時間当たりの基本給との間に差を設けている。

(問題となる例)

派遣先であるA社及び派遣元事業主であるB社においては、基本給について、労働者の能力又は経験に応じて支給しているところ、B社は、A社に派遣されている派遣労働者であるYに対し、A社に雇用される通常の労働者であるXに比べて経験が少ないことを理由として、A社がXに支給するほど基本給を高く支給していないが、Xのこれまでの経験はXの現在の業務に関連性を持たない。

(2) 基本給であって、労働者の業績又は成果に応じて支給するもの

　基本給であって、派遣先及び派遣元事業主が、労働者の業績又は成果に応じて支給するものについて、派遣元事業主は、派遣先に雇用される通常の労働者と同一の業績又は成果を有する派遣労働者には、業績又は成果に応じた部分につき、派遣先に雇用される通常の労働者と同一の基本給を支給しなければならない。また、業績又は成果に一定の相違がある場合においては、その相違に応じた基本給を支給しなければならない。

なお、基本給とは別に、労働者の業績又は成果に応じた手当を支給する場合も同様である。

(問題とならない例)

イ　派遣先であるA社及び派遣元事業主であるB社においては、基本給の一部について、労働者の業績又は成果に応じて支給しているところ、B社は、A社に派遣されている派遣労働者であって、所定労働時間がA社に雇用される通常の労働者の半分であるYに対し、その販売実績がA社に雇用される通常の労働者に設定されている販売目標の半分の数値に達した場合には、A社に雇用される通常の労働者が販売目標を達成した場合の半分を支給している。

ロ　派遣先であるA社においては、通常の労働者であるXは、派遣元事業主であるB社からA社に派遣されている派遣労働者であるYと同様の業務に従事しているが、XはA社における生産効率及び品質の目標値に対する責任を負っており、当

該目標値を達成していない場合、待遇上の不利益を課されている。その一方で、Yは、A社における生産効率及び品質の目標値に対する責任を負っておらず、当該目標値を達成していない場合にも、待遇上の不利益を課されていない。B社はYに対し、待遇上の不利益を課していないこととの見合いに応じて、A社がXに支給するほど基本給を高く支給していない。

（問題となる例）

派遣先であるA社及び派遣元事業主であるB社においては、基本給の一部について、労働者の業績又は成果に応じて支給しているところ、B社は、A社に派遣されている派遣労働者であって、所定労働時間がA社に雇用される通常の労働者の半分であるYに対し、当該通常の労働者が販売目標を達成した場合にA社が行っている支給を、Yについて当該通常の労働者と同一の販売目標を設定し、それを達成しない場合には行っていない。

（３）基本給であって、労働者の勤続年数（派遣労働者にあっては、当該派遣先における就業期間。以下この（３）において同じ。）に応じて支給するもの

基本給であって、派遣先及び派遣元事業主が、労働者の勤続年数に応じて支給するものについて、派遣元事業主は、派遣先に雇用される通常の労働者と同一の勤続年数である派遣労働者には、勤続年数に応じた部分につき、派遣先に雇用される通常の労働者と同一の基本給を支給しなければならない。また、勤続年数に一定の相違がある場合においては、その相違に応じた基本給を支給しなければならない。

（問題とならない例）

派遣先であるA社及び派遣元事業主であるB社は、基本給について、労働者の勤続年数に応じて支給しているところ、B社は、A社に派遣している期間の定めのある労働者派遣契約を更新している派遣労働者であるYに対し、A社への労働者派遣の開始時から通算して就業期間を評価した上で基本給を支給している。

（問題となる例）

派遣先であるA社及び派遣元事業主であるB社は、基本給について、労働者の勤続年数に応じて支給しているところ、B社は、A社に派遣している期間の定めのある労働者派遣契約を更新している派遣労働者であるYに対し、YのA社への労働者派遣の開始時から通算して就業期間を評価せず、その時点の労働者派遣契約に基づく派遣就業の期間のみにより就業期間を評価した上で基本給を支給している。

（４）昇給であって、労働者の勤続（派遣労働者にあっては、当該派遣先における派遣就業の継続。以下この（４）において同じ。）による能力の向上に応じて行うもの

昇給であって、派遣先及び派遣元事業主が、労働者の勤続による能力の向上に応じて行うものについて、派遣元事業主は、派遣先に雇用される通常の労働者と同様に勤続により能力が向上した派遣労働者には、勤続による能力の向上に応じた部分につき、派遣先に雇用される通常の労働者と同一の昇給を行わなければならない。また、勤続による能力の向上に一定の相違がある場合においては、その相違に応じた昇給を行わなければならない。

（注）派遣先に雇用される通常の労働者と派遣労働者との間に賃金の決定基準・ルールの相違がある場合の取扱い

派遣先に雇用される通常の労働者と派遣労働者の間に基本給、賞与、各種手当等の賃金に相違がある場合において、その要因として当該通常の労働者と派遣労働者の賃金の決定基準・ルールの相違があるときは、「派遣労働者に対する派遣元事業主の将来の役割期待は派遣先に雇用される通常の労働者に対する派遣先の将来の役割期待と異なるため、賃金の決定基準・ルールが異なる」等の主観的又は抽象的な説明では足りず、賃金の決定基準・ルール

の相違は、当該通常の労働者と派遣労働者の職務の内容、当該職務の内容及び配置の変更の範囲その他の事情のうち、当該待遇の性質及び当該待遇を行う目的に照らして適切と認められるものの客観的及び具体的な実態に照らして、不合理と認められるものであってはならない。

2 賞与

賞与であって、派遣先及び派遣元事業主が、会社（派遣労働者にあっては、派遣先。以下この2において同じ。）の業績等への労働者の貢献に応じて支給するものについて、派遣元事業主は、派遣先に雇用される通常の労働者と同一の貢献である派遣労働者には、貢献に応じた部分につき、派遣先に雇用される通常の労働者と同一の賞与を支給しなければならない。また、貢献に一定の相違がある場合においては、その相違に応じた賞与を支給しなければならない。

（問題とならない例）

イ 派遣先であるA社及び派遣元事業主であるB社においては、賞与について、会社の業績等への労働者の貢献に応じて支給しているところ、B社は、A社に派遣されている派遣労働者であって、A社に雇用される通常の労働者であるXと同一のA社の業績等への貢献があるYに対して、A社がXに支給するのと同一の賞与を支給している。

ロ 派遣先であるA社においては、通常の労働者であるXは、A社における生産効率及び品質の目標値に対する責任を負っており、当該目標値を達成していない場合、待遇上の不利益を課されている。その一方で、A社に雇用される通常の労働者であるZや、派遣元事業主であるB社からA社に派遣されている派遣労働者であるYは、A社における生産効率及び品質の目標値に対する責任を負っておらず、当該目標値を達成していない場合にも、待遇上の不利益を課されていない。A社はXに対して賞与を支給しているが、Zに対しては、待遇上の不利益を課していないこととの見合いの範囲内で賞与を支給していないところ、B社はYに対して、待遇上の不利益を課していないこととの見合いの範囲内で賞与を支給していない。

（問題となる例）

イ 派遣先であるA社及び派遣元事業主であるB社においては、賞与について、会社の業績等への労働者の貢献に応じて支給しているところ、B社は、A社に派遣されている派遣労働者であって、A社に雇用される通常の労働者であるXと同一のA社の業績等への貢献があるYに対して、A社がXに支給するのと同一の賞与を支給していない。

ロ 賞与について、会社の業績等への労働者の貢献に応じて支給している派遣先であるA社においては、通常の労働者の全員に職務の内容や会社の業績等への貢献等にかかわらず何らかの賞与を支給しているが、派遣元事業主であるB社においては、A社に派遣されている派遣労働者であるYに賞与を支給していない。

3 手当

(1) 役職手当であって、役職の内容に対して支給するもの

役職手当であって、派遣先及び派遣元事業主が、役職の内容に対して支給するものについて、派遣元事業主は、派遣先に雇用される通常の労働者と同一の内容の役職に就く派遣労働者には、派遣先に雇用される通常の労働者と同一の役職手当を支給しなければならない。また、役職の内容に一定の相違がある場合においては、その相違に応じた役職手当を支給しなければならない。

（問題とならない例）

イ　派遣先であるA社及び派遣元事業主であるB社においては、役職手当について、役職の内容に対して支給しているところ、B社は、A社に派遣されている派遣労働者であって、A社に雇用される通常の労働者であるXの役職と同一の役職名（例えば、店長）であって同一の内容（例えば、営業時間中の店舗の適切な運営）の役職に就くYに対し、A社がXに支給するのと同一の役職手当を支給している。

ロ　派遣先であるA社及び派遣元事業主であるB社においては、役職手当について、役職の内容に対して支給しているところ、B社は、A社に派遣されている派遣労働者であって、A社に雇用される通常の労働者であるXの役職と同一の役職名であって同一の内容の役職に就くYに、所定労働時間に比例した役職手当（例えば、所定労働時間がA社に雇用される通常の労働者の半分の派遣労働者にあっては、当該通常の労働者の半分の役職手当）を支給している。

（問題となる例）

派遣先であるA社及び派遣元事業主であるB社においては、役職手当について、役職の内容に対して支給しているところ、B社は、A社に派遣されている派遣労働者であって、A社に雇用される通常の労働者であるXの役職と同一の役職名であって同一の内容の役職に就くYに対し、A社がXに支給するのに比べ役職手当を低く支給している。

（2）業務の危険度又は作業環境に応じて支給される特殊作業手当

派遣元事業主は、派遣先に雇用される通常の労働者と同一の危険度又は作業環境の業務に従事する派遣労働者には、派遣先に雇用される通常の労働者と同一の特殊作業手当を支給しなければならない。

（3）交替制勤務等の勤務形態に応じて支給される特殊勤務手当

派遣元事業主は、派遣先に雇用される通常の労働者と同一の勤務形態で業務に従事する派遣労働者には、派遣先に雇用される通常の労働者と同一の特殊勤務手当を支給しなければならない。

（問題とならない例）

イ　派遣先であるA社においては、就業する時間帯又は曜日を特定して就業する通常の労働者には労働者の採用が難しい早朝若しくは深夜又は土日祝日に就業する場合に時給に上乗せして特殊勤務手当を支給するが、就業する時間帯及び曜日を特定していない通常の労働者には労働者の採用が難しい時間帯又は曜日に勤務する場合であっても時給に上乗せして特殊勤務手当を支給していない。派遣元事業主であるB社は、A社に派遣されている派遣労働者であって、就業する時間帯及び曜日を特定して就業していないYに対し、採用が難しい時間帯や曜日に勤務する場合であっても時給に上乗せして特殊勤務手当を支給していない。

ロ　派遣先であるA社においては、通常の労働者であるXについては、入社に当たり、交替制勤務に従事することは必ずしも確定しておらず、業務の繁閑等生産の都合に応じて通常勤務又は交替制勤務のいずれにも従事する可能性があり、交替制勤務に従事した場合に限り特殊勤務手当が支給されている。派遣元事業主であるB社からA社に派遣されている派遣労働者であるYについては、A社への労働者派遣に当たり、派遣先で交替制勤務に従事することを明確にし、かつ、基本給にA社において通常の労働者に支給される特殊勤務手当と同一の交替制勤務の負荷分が盛り込まれている。A社には、職務の内容がYと同一であり通常勤務のみに従事することが予定され、実際に通常勤務のみに従事する労働者であるZがいるところ、B社はYに対し、A社がZに対して支給するのに比べ基本給を高く支給している。A社はXに対して特殊勤務手当を支給しているが、B社はYに対して特殊勤務手当を支給していない。

（4）精皆勤手当

派遣元事業主は、派遣先に雇用される通常の労働者と業務の内容が同一の派遣労働者には、派遣先に雇用される通常の労働者と同一の精皆勤手当を支給しなければならない。

（問題とならない例）

派遣先であるA社においては、考課上、欠勤についてマイナス査定を行い、かつ、それが待遇に反映される通常の労働者であるXには、一定の日数以上出勤した場合に精皆勤手当を支給しているが、派遣元事業主であるB社は、B社からA社に派遣されている派遣労働者であって、考課上、欠勤についてマイナス査定を行っていないYには、マイナス査定を行っていないこととの見合いの範囲内で、精皆勤手当を支給していない。

（5）時間外労働に対して支給される手当

派遣元事業主は、派遣先に雇用される通常の労働者の所定労働時間を超えて、当該通常の労働者と同一の時間外労働を行った派遣労働者には、当該通常の労働者の所定労働時間を超えた時間につき、派遣先に雇用される通常の労働者と同一の割増率等で、時間外労働に対して支給される手当を支給しなければならない。

（6）深夜労働又は休日労働に対して支給される手当

派遣元事業主は、派遣先に雇用される通常の労働者と同一の深夜労働又は休日労働を行った派遣労働者には、派遣先に雇用される通常の労働者と同一の割増率等で、深夜労働又は休日労働に対して支給される手当を支給しなければならない。

（問題とならない例）

派遣元事業主であるB社においては、派遣先であるA社に派遣されている派遣労働者であって、A社に雇用される通常の労働者であるXと時間数及び職務の内容が同一の深夜労働又は休日労働を行ったYに対し、A社がXに支給するのと同一の深夜労働又は休日労働に対して支給される手当を支給している。

（問題となる例）

派遣元事業主であるB社においては、派遣先であるA社に派遣されている派遣労働者であって、A社に雇用される通常の労働者であるXと時間数及び職務の内容が同一の深夜労働又は休日労働を行ったYに対し、Yが派遣労働者であることから、深夜労働又は休日労働に対して支給される手当の単価を当該通常の労働者より低く設定している。

（7）通勤手当及び出張旅費

派遣元事業主は、派遣労働者にも、派遣先に雇用される通常の労働者と同一の通勤手当及び出張旅費を支給しなければならない。

（問題とならない例）

イ　派遣先であるA社においては、本社の採用である労働者に対し、交通費実費の全額に相当する通勤手当を支給しているが、派遣元事業主であるB社は、それぞれの店舗の採用である労働者については、当該店舗の近隣から通うことができる交通費に相当する額に通勤手当の上限を設定して当該上限の額の範囲内で通勤手当を支給しているところ、B社の店舗採用であってA社に派遣される派遣労働者であるYが、A社への労働者派遣の開始後、本人の都合で通勤手当の上限の額では通うことができないところへ転居してなお通い続けている場合には、当該上限の額の範囲内で通勤手当を支給している。

ロ　派遣先であるA社においては、通勤手当について、所定労働日数が多い（例えば、週4日以上）通常の労働者に、月額の定期券の金額に相当する額を支給しているが、派遣元事業主であるB社においては、A社に派遣されている派遣労働者であって、所定労働日数が少ない（例えば、週3日以下）又は出勤日数が変動する派遣労働者に、日額の交通費に相当する額を支給している。

（8）労働時間の途中に食事のための休憩時間がある労働者に対する食費の負担補助として支給される食事手当

派遣元事業主は、派遣労働者にも、派遣先に雇用される通常の労働者と同一の食事手当を支給しなければならない。

（問題とならない例）

派遣先であるA社においては、その労働時間の途中に昼食のための休憩時間がある通常の労働者であるXに食事手当を支給している。その一方で、派遣元事業主であるB社においては、A社に派遣されている派遣労働者であって、その労働時間の途中に昼食のための休憩時間がない（例えば、午後2時から午後5時までの勤務）派遣労働者であるYに支給していない。

（問題となる例）

派遣先であるA社においては、通常の労働者であるXに食事手当を支給している。派遣元事業主であるB社においては、A社に派遣されている派遣労働者であるYにA社がXに支給するのに比べ食事手当を低く支給している。

（9）単身赴任手当

派遣元事業主は、派遣先に雇用される通常の労働者と同一の支給要件を満たす派遣労働者には、派遣先に雇用される通常の労働者と同一の単身赴任手当を支給しなければならない。

（10）特定の地域で働く労働者に対する補償として支給される地域手当

派遣元事業主は、派遣先に雇用される通常の労働者と同一の地域で働く派遣労働者には、派遣先に雇用される通常の労働者と同一の地域手当を支給しなければならない。

（問題とならない例）

派遣先であるA社においては、通常の労働者であるXについて、全国一律の基本給の体系を適用し、転勤があることから、地域の物価等を勘案した地域手当を支給している。一方で、派遣元事業主であるB社においては、A社に派遣されている派遣労働者であるYについては、A社に派遣されている間は勤務地の変更がなく、その派遣先の所在する地域で基本給を設定しており、その中で地域の物価が基本給に盛り込まれているため、地域手当を支給していない。

（問題となる例）

派遣先であるA社に雇用される通常の労働者であるXは、その地域で採用され転勤はないにもかかわらず、A社はXに対し地域手当を支給している。一方、派遣元事業主であるB社からA社に派遣されている派遣労働者であるYは、A社に派遣されている間転勤はなく、B社はYに対し地域手当を支給していない。

4　福利厚生

（1）福利厚生施設（給食施設、休憩室及び更衣室をいう。以下この（1）において同じ。）

派遣先は、派遣先に雇用される通常の労働者と同一の事業所で働く派遣労働者には、派遣先に雇用される通常の労働者と同一の福利厚生施設の利用を認めなければならない。

なお、派遣元事業主についても、労働者派遣法第30条の3の規定に基づく義務を免れるものではない。

（2）転勤者用社宅

派遣元事業主は、派遣先に雇用される通常の労働者と同一の支給要件（例えば、転勤の有無、扶養家族の有無、住宅の賃貸又は収入の額）を満たす派遣労働者には、派遣先に雇用される通常の労働者と同一の転勤者用社宅の利用を認めなければならない。

（3）慶弔休暇並びに健康診断に伴う勤務免除及び有給の保障

派遣元事業主は、派遣労働者にも、派遣先に雇用される通常の労働者と同一の慶弔休暇の付与並びに健康診断に伴う勤務免除及び有給の保障を行わなければならない。

（問題とならない例）

派遣元事業主であるB社においては、派遣先であるA社に派遣されている派遣労働者であって、A社に雇用される通常の労働者であるXと同様の出勤日が設定されているYに対しては、A社がXに付与するのと同様に慶弔休暇を付与しているが、A社に派遣されている派遣労働者であって、週2日の勤務であるWに対しては、勤務日の振替での対応を基本としつつ、振替が困難な場合のみ慶弔休暇を付与している。

（4）病気休職

派遣元事業主は、派遣労働者（期間の定めのある労働者派遣に係る派遣労働者である場合を除く。）には、派遣先に雇用される通常の労働者と同一の病気休職の取得を認めなければならない。また、期間の定めのある労働者派遣に係る派遣労働者にも、当該派遣先における派遣就業が終了するまでの期間を踏まえて、病気休職の取得を認めなければならない。

（問題とならない例）

派遣元事業主であるB社においては、当該派遣先における派遣就業期間が1年である派遣労働者であるYについて、病気休職の期間は当該派遣就業の期間が終了する日までとしている。

（5）法定外の有給の休暇その他の法定外の休暇（慶弔休暇を除く。）であって、勤続期間（派遣労働者にあっては、当該派遣先における就業期間。以下この（5）において同じ。）に応じて取得を認めているもの

法定外の有給の休暇その他の法定外の休暇（慶弔休暇を除く。）であって、派遣先及び派遣元事業主が、勤続期間に応じて取得を認めているものについて、派遣元事業主は、当該派遣先に雇用される通常の労働者と同一の勤続期間である派遣労働者には、派遣先に雇用される通常の労働者と同一の法定外の有給の休暇その他の法定外の休暇（慶弔休暇を除く。）を付与しなければならない。なお、当該派遣先において期間の定めのある労働者派遣契約を更新している場合には、当初の派遣就業の開始時から通算して就業期間を評価することを要する。

（問題とならない例）

派遣先であるA社においては、長期勤続者を対象とするリフレッシュ休暇について、業務に従事した時間全体を通じた貢献に対する報償という趣旨で付与していることから、通常の労働者であるXに対し、勤続10年で3日、20年で5日、30年で7日の休暇を付与している。派遣元事業主であるB社は、A社に派遣されている派遣労働者であるYに対し、所定労働時間に比例した日数を付与している。

5　その他

（1）教育訓練であって、現在の職務の遂行に必要な技能又は知識を習得するために実施するもの教育訓練であって、派遣先が、現在の業務の遂行に必要な能力を付与するために実施するものについて、派遣先は、派遣元事業主からの求めに応じ、その雇用する通常の労働者と業務の内容が同一である派遣労働者には、派遣先に雇用される通常の労働者と同一の教育訓練を実施する等必要な措置を講じなければならない。なお、派遣元事業主についても、労働者派遣法第30条の3の規定に基づく義務を免れるものではない。

また、派遣労働者と派遣先に雇用される通常の労働者との間で業務の内容に一定の相違がある場合においては、派遣元事業主は、

派遣労働者と派遣先に雇用される通常の労働者との間の職務の内容、職務の内容及び配置の変更の範囲その他の事情の相違に応じた教育訓練を実施しなければならない。
なお、労働者派遣法第30条の2第1項の規定に基づき、派遣元事業主は、派遣労働者に対し、段階的かつ体系的な教育訓練を実施しなければならない。
(2) 安全管理に関する措置又は給付
派遣元事業主は、派遣先に雇用される通常の労働者と同一の業務環境に置かれている派遣労働者には、派遣先に雇用される通常の労働者と同一の安全管理に関する措置及び給付をしなければならない。
なお、派遣先及び派遣元事業主は、労働者派遣法第45条等の規定に基づき、派遣労働者の安全と健康を確保するための義務を履行しなければならない。

第5 協定対象派遣労働者

協定対象派遣労働者の待遇に関して、原則となる考え方及び具体例は次のとおりである。

1 賃金

労働者派遣法第30条の4第1項第2号イにおいて、協定対象派遣労働者の賃金の決定の方法については、同種の業務に従事する一般の労働者の平均的な賃金の額として厚生労働省令で定めるものと同等以上の賃金の額となるものでなければならないこととされている。

また、同号ロにおいて、その賃金の決定の方法は、協定対象派遣労働者の職務の内容、職務の成果、意欲、能力又は経験その他の就業の実態に関する事項の向上があった場合に賃金が改善されるものでなければならないこととされている。

さらに、同項第3号において、派遣元事業主は、この方法により賃金を決定するに当たっては、協定対象派遣労働者の職務の内容、職務の成果、意欲、能力又は経験その他の就業の実態に関する事項を公正に評価し、その賃金を決定しなければならないこととされている。

2 福利厚生

(1) 福利厚生施設(給食施設、休憩室及び更衣室をいう。以下この(1)において同じ。)

派遣先は、派遣先に雇用される通常の労働者と同一の事業所で働く協定対象派遣労働者には、派遣先に雇用される通常の労働者と同一の福利厚生施設の利用を認めなければならない。

なお、派遣元事業主についても、労働者派遣法第30条の3の規定に基づく義務を免れるものではない。

(2) 転勤者用社宅

派遣元事業主は、派遣元事業主の雇用する通常の労働者と同一の支給要件(例えば、転勤の有無、扶養家族の有無、住宅の賃貸又は収入の額)を満たす協定対象派遣労働者には、派遣元事業主の雇用する通常の労働者と同一の転勤者用社宅の利用を認めなければならない。

(3) 慶弔休暇並びに健康診断に伴う勤務免除及び有給の保障

派遣元事業主は、協定対象派遣労働者にも、派遣元事業主の雇用する通常の労働者と同一の慶弔休暇の付与並びに健康診断に伴う勤務免除及び有給の保障を行わなければならない。

(問題とならない例)

派遣元事業主であるB社においては、慶弔休暇について、B社の雇用する通常の労働者であるXと同様の出勤日が設定されている協定対象派遣労働者であるYに対しては、通常の労働者と同様に慶弔休暇を付与しているが、週2日の勤務の協定対象派遣労働者であるWに対しては、勤務日の振替での対応を基本としつつ、振替が困難な場合のみ慶弔休暇を付与している。

（4）病気休職

派遣元事業主は、協定対象派遣労働者（有期雇用労働者である場合を除く。）には、派遣元事業主の雇用する通常の労働者と同一の病気休職の取得を認めなければならない。また、有期雇用労働者である協定対象派遣労働者にも、労働契約が終了するまでの期間を踏まえて、病気休職の取得を認めなければならない。

（問題とならない例）

派遣元事業主であるB社においては、労働契約の期間が1年である有期雇用労働者であり、かつ、協定対象派遣労働者であるYについて、病気休職の期間は労働契約の期間が終了する日までとしている。

（5）法定外の有給の休暇その他の法定外の休暇（慶弔休暇を除く。）であって、勤続期間に応じて取得を認めているもの

法定外の有給の休暇その他の法定外の休暇（慶弔休暇を除く。）であって、勤続期間に応じて取得を認めているものについて、派遣元事業主は、派遣元事業主の雇用する通常の労働者と同一の勤続期間である協定対象派遣労働者には、派遣元事業主の雇用する通常の労働者と同一の法定外の有給の休暇その他の法定外の休暇（慶弔休暇を除く。）を付与しなければならない。なお、期間の定めのある労働契約を更新している場合には、当初の労働契約の開始時から通算して勤続期間を評価することを要する。

（問題とならない例）

派遣元事業主であるB社においては、長期勤続者を対象とするリフレッシュ休暇について、業務に従事した時間全体を通じた貢献に対する報償という趣旨で付与していることから、B社に雇用される通常の労働者であるXに対し、勤続10年で3日、20年で5日、30年で7日の休暇を付与しており、協定対象派遣労働者であるYに対し、所定労働時間に比例した日数を付与している。

3　その他

（1）教育訓練であって、現在の職務の遂行に必要な技能又は知識を習得するために実施するもの

教育訓練であって、派遣先が、現在の業務の遂行に必要な能力を付与するために実施するものについて、派遣先は、派遣元事業主からの求めに応じ、派遣先に雇用される通常の労働者と業務の内容が同一である協定対象派遣労働者には、派遣先に雇用される通常の労働者と同一の教育訓練を実施する等必要な措置を講じなければならない。なお、派遣元事業主についても、労働者派遣法第30条の3の規定に基づく義務を免れるものではない。

また、協定対象派遣労働者と派遣元事業主が雇用する通常の労働者との間で業務の内容に一定の相違がある場合においては、派遣元事業主は、協定対象派遣労働者と派遣元事業主の雇用する通常の労働者との間の職務の内容、職務の内容及び配置の変更の範囲その他の事情の相違に応じた教育訓練を実施しなければならない。

なお、労働者派遣法第30条の2第1項の規定に基づき、派遣元事業主は、協定対象派遣労働者に対し、段階的かつ体系的な教育訓練を実施しなければならない。

（2）安全管理に関する措置及び給付

派遣元事業主は、派遣元事業主の雇用する通常の労働者と同一の業務環境に置かれている協定対象派遣労働者には、派遣元事業主の雇用する通常の労働者と同一の安全管理に関する措置及び給付をしなければならない。

なお、派遣先及び派遣元事業主は、労働者派遣法第45条等の規定に基づき、協定対象派遣労働者の安全と健康を確保するための義務を履行しなければならない。

●**著者紹介**

岡田 良則（おかだ よしのり）

社会保険労務士（東京都社会保険労務士会会員）。岡田人事労務管理事務所所長、株式会社ワーク・アビリティ代表取締役。

1965年生まれ。日本ビクター株式会社で生産管理に従事、会計事務所勤務、株式会社コンサル・コープを経て、現職。各企業の就業規則の作成、賃金体系・社内諸制度の構築をはじめ、人事全般にわたる指導を手掛けながら、講師・執筆と幅広く活動している。

著書に『退職・転職を考えたらこの１冊』『就業規則をつくるならこの１冊』『改正労働者派遣法ポイント・しくみがわかる本』『サクッと早わかり！ 働き方改革法で労務管理はこう変わる』『サクッと早わかり！ パワハラ防止法の労務実務』（以上、自由国民社）、共著に『育児介護休業の実務と手続き』『賃金制度を変えるならこの１冊』『就業規則と人事・労務の社内規程集』（以上、自由国民社）、『事例解説 賃金退職金制度』『ケーススタディ 労働基準法』（以上、第一法規）などがある。

連絡先　〒150-0013 渋谷区恵比寿1-30-8 プライムコート恵比寿２階
岡田人事労務管理事務所
電話　03-5789-2704
URL　http://www.okada-sr.com/
E-mail　info@okada-sr.com

株式会社ワーク・アビリティ
電話　03-5789-2200
URL　http://www.work-ab.co.jp/
E-mail　info@work-ab.co.jp

人材派遣《じんざいはけん》のことならこの1冊《いっさつ》

2004年6月30日　初版　第1刷発行
2022年1月5日　第10版　第1刷発行
2024年9月18日　第10版　第2刷発行

著　者　岡《おか》田《だ》　良《よし》則《のり》
発行者　石井　悟
印刷所　横山印刷株式会社
製本所　新風製本株式会社

本文デザイン　小塚久美子
本文DTP　有限会社 中央制作社

発行所　株式会社 自由国民社
〒171-0033　東京都豊島区高田3-10-11
営業部　TEL 03-6233-0781　FAX 03-6233-0780
編集部　TEL 03-6233-0786　URL https://www.jiyu.co.jp/